VERVULDE WENSEN

Danielle Steel

Vervulde wensen

Uitgeverij Luitingh ~ Sijthoff

Voor meer informatie: kijk op www.boekenwereld.com

Tweede druk
© 2002 Danielle Steel
All rights reserved including the rights of reproduction in whole or
in part in any form
© 2003 Nederlandse vertaling
Uitgeverij Luitingh ~ Sijthoff B.V., Amsterdam
Alle rechten voorbehouden
Oorspronkelijke titel: *Answered Prayers*
Vertaling: Mariëlla Snel
Omslagontwerp: Karel van Laar

ISBN 90 245 4967 1
NUR 343

Voor mijn zo geweldige kinderen
met wier bestaan mijn wensen zijn vervuld:
Beatrix, Trevor, Todd, Samantha,
Victoria, Vanessa, Maxx en Zara,
en Nick, met wiens bestaan niet alleen mijn wensen zijn
vervuld. Hij heeft nu ook mijn gebeden,
en – voor altijd – mijn hart.

Ik hou zielsveel van jullie allemaal.
Jullie moeder

I

Faith Madison zag er klein, ernstig en elegant uit terwijl ze de tafel dekte, de sla aanmaakte en snel een blik wierp op het eten dat ze in de oven had bereid. Ze had een getailleerd zwart pakje aan en op zevenenveertigjarige leeftijd was ze nog even slank als toen ze zesentwintig jaar daarvoor met Alex Madison was getrouwd. Met haar groene ogen en lange, steile, blonde haar dat ze in een knot had opgestoken, oogde ze als een ballerina van Degas. Ze zuchtte en ging op een van de keukenstoelen zitten.

In het kleine, fraaie huis van bruinrode zandsteen aan East Seventy-fourth Street in New York heerste een doodse stilte en ze kon de klok horen tikken terwijl ze wachtte tot Alex thuiskwam. Een minuutje deed ze haar ogen dicht en dacht aan waar ze die middag was geweest. Toen ze ze weer opendeed, kon ze horen dat de voordeur werd geopend en gesloten. Er klonk geen ander geluid, geen voetstap op het tapijt in de hal, geen 'hallo' toen hij naar binnen liep. Zo ging het altijd. Hij deed de deur achter zich op slot, zette zijn aktetas neer, hing zijn jas in de kast en nam snel even zijn post door. Op een gegeven moment zou hij haar gaan zoeken, in haar kleine studeerkamer en vervolgens in de keuken.

Alex Madison was tweeënvijftig jaar oud. Ze hadden elkaar leren kennen toen zij op het *college* van Barnard zat en hij aan Columbia MBA studeerde. In die tijd was alles anders geweest. Hij was betoverd geraakt door de gemakkelijke manier van doen, de warmte, de energie en de levensvreugde van Faith. Hij was altijd ingetogen en gereserveerd geweest, en hij koos zijn woorden altijd zorgvuldig. Toen zij haar studie had afgerond en hij zijn academische graad had behaald, waren ze meteen getrouwd. Sinds die tijd was hij altijd werkzaam geweest als bankier. Zij had eerst een jaar als redacteur bij *Vogue* gewerkt en dat had ze heerlijk gevonden. Toen was ze daarmee gestopt om een jaar lang rechten te gaan studeren. Die studie had ze gestaakt voordat hun eerste kind was geboren. Eloise, die net vierentwintig was geworden, was begin september naar Londen verhuisd. Ze werkte bij Christie's en bekwaamde zich in het vak. Zoe, hun andere dochter, was achttien jaar oud en net begonnen aan haar eerste jaar op Brown. Nadat Faith zich vierentwintig jaar volledig aan het moederschap had gewijd, had ze de laatste twee maanden eigenlijk weinig om handen gehad. De meisjes waren het huis uit, en zij en Alex waren opeens weer alleen.

'Hallo. Hoe was het?' vroeg Alex toen hij vermoeid ogend de keuken in liep. Hij keek nauwelijks haar kant op en ging zitten. Hij had hard gewerkt. Het idee haar aan te raken of een kus te geven kwam niet eens bij hem op. Het merendeel van de tijd sprak hij tegen haar vanaf de andere kant van de kamer. Dat deed hij niet met boze opzet, maar het was jaren geleden dat hij bij thuiskomst zijn vrouw een knuffel had gegeven. Ze kon zich niet herinneren wanneer hij daarmee was opgehouden, want ze was met de meisjes altijd huiswerk aan het maken. Of toen ze nog klein waren net een van hen in bad aan het doen. Het was heel, heel lang geleden dat hij haar genegenheid had getoond. Langer dan een van hen beiden wist of zich wilde herinneren. Er was geleidelijk aan een kloof tussen hen ontstaan die ze allebei al lange tijd geleden als een gegeven hadden aanvaard, en terwijl ze een glas wijn voor hem inschonk, had ze het gevoel vanaf grote afstand naar hem te kijken.

'Oké. Triest,' zei ze terwijl hij de krant inkeek en zij de kip uit de oven haalde. Hij gaf de voorkeur aan vis, maar ze had de tijd niet gehad die onderweg naar huis te kopen. 'Hij leek zo klein.' Ze had het over Charles Armstrong, haar stiefvader. Hij was twee dagen eerder op vierentachtigjarige leeftijd overleden. Die dag was er bij zijn kist – die had opengestaan om familieleden en vrienden de kans te geven hem nog een laatste keer te zien – de rozenkrans gebeden.

'Hij was oud, Faith, en hij was al lang ziek.' Waarmee hij niet alleen een verklaring gaf, maar het voorval ook van tafel veegde. Dat deed Alex: hij veegde dingen van tafel. Net zoals hij haar nu al jarenlang afwees. De laatste tijd had ze het gevoel dat haar taak erop zat, ze geen nut meer had en nu kon worden afgedankt. Niet alleen door haar kinderen, maar ook door haar man. Nu de meisjes het huis uit waren, hadden ze hun eigen leven. Alex leefde in een wereld waarvan zij geen deel uitmaakte, afgezien van de schaarse gelegenheden dat hij van haar verwachtte dat ze cliënten ontving of samen met hem naar een diner ging. Hij rekende erop dat ze zichzelf de rest van de tijd zou amuseren. Overdag zag ze soms een vriendin, maar de meeste oude vriendinnen van haar hadden nog kinderen thuis en daardoor weinig tijd. Gedurende de afgelopen maanden, sinds Zoe was gaan studeren, was Faith het merendeel van de tijd alleen geweest en had ze geprobeerd te bedenken hoe ze de rest van haar leven zou invullen.

Alex had een druk eigen leven. Het leek eeuwen geleden dat zij en Alex 's avonds urenlang aan tafel hadden gezeten en hadden gepraat over dingen die voor hen belangrijk waren. Het was jaren geleden dat ze in het weekend lange wandelingen hadden gemaakt of naar de bioscoop waren gegaan en elkaars hand hadden vastgehouden. Ze kon zich nauwelijks meer herinneren hoe het met Alex was geweest. Hij raakte haar zelden aan en zei al even zelden iets tegen haar. Toch wist ze dat hij van haar hield – of in elk geval dacht ze dat. Hij leek er echter bijna geen behoefte aan te hebben om met haar te communiceren. Het ging allemaal in steno, met korte, afgemeten woorden. Zwijgen kwam hem beter in zijn kraam van pas, net als nu, terwijl ze het eten voor hem neerzette en een verdwaalde blonde haarlok naar achteren veegde. Hij leek haar aanwezigheid helemaal niet op te merken en ging totaal op in iets wat hij in de krant las. Toen zij het woord weer nam, duurde het lang voordat hij reageerde.

'Ga je morgen mee?' vroeg ze zacht. Haar stiefvader zou de volgende dag worden begraven.

Hij schudde zijn hoofd en keek naar haar op. 'Nee, dat kan niet. Ik moet naar Chicago voor een bespreking met Unipam.' Er waren problemen met de boekhouding van een belangrijke klant. Zaken kwamen voor hem altijd op de eerste plaats. Hij was een uiterst succesvolle man geworden. Ze hadden door zijn succes dit huis kunnen kopen, hun dochters een uitstekende opleiding kunnen geven en een voor Faith onverwacht gemakkelijk en luxueus leven kunnen leiden. Er bestonden echter andere dingen die voor haar meer zouden hebben betekend. Een troostend woord, gelach, warmte. Ze had het gevoel dat ze al in geen eeuwigheid meer had gelachen, behalve wanneer de meisjes bij haar waren. Het was niet zo dat Alex haar slecht behandelde. Hij negeerde haar gewoon. Hij had andere dingen om aan te denken en aarzelde niet haar dat duidelijk te maken. Zelfs zijn langdurige stiltes vertelden haar dat hij liever nadacht dan met haar te moeten praten.

'Het zou fijn zijn als je erbij kon zijn,' zei Faith voorzichtig terwijl ze tegenover hem aan tafel ging zitten. Hij was een knappe man en dat was hij ook altijd geweest. Op tweeënvijftigjarige leeftijd was hij ook gedistingeerd geworden, met een kop vol grijs haar. Hij had doordringende blauwe ogen en een atletische lichaamsbouw. Een van zijn zakenpartners was twee jaar geleden plotseling overleden aan een hartaanval en sinds die tijd had hij goed gelet op wat hij at en voldoende lichaamsbeweging genomen. Om die reden gaf hij verreweg de voorkeur aan vis en schoof hij de kip die zij had bereid heen en weer over zijn bord. Ze had de tijd niet gehad om creatief te zijn. Ze was de hele middag met Allison, haar stiefzuster, in het rouwcentrum geweest waar mensen langskwamen om hun respect te betuigen. De twee vrouwen hadden elkaar niet meer gezien sinds de moeder van Faith een jaar geleden was overleden, en daarvoor tien jaar lang niet. Allison was niet gekomen voor de begrafenis van Jack, de broer van Faith die twee jaar eerder dan haar moeder was overleden. Er waren de laatste tijd te veel begrafenissen geweest. Haar moeder, Jack, en nu Charles. Te veel mensen. Hoewel het contact tussen haar en haar stiefvader nooit hartelijk was geweest, had ze hem wel gerespecteerd. Het idee dat hij er niet meer was stemde haar somber. Ze had het gevoel dat alle bekende steunpilaren uit haar leven aan het verdwijnen waren.

'Ik moet morgen bij die bespreking in Chicago zijn,' zei Alex, die aandachtig naar zijn bord keek. Hij at nauwelijks van de kip, maar nam de moeite niet er zijn beklag over te doen.

'Andere mensen gaan wel naar begrafenissen,' zei Faith zacht. Ze was absoluut niet scherp. Ze begon niet aan een heftige discussie met hem. Ze was het zelden met hem oneens. Dat had trouwens toch geen enkele zin. Hij deed al jarenlang wat hij wilde, gewoonlijk zonder naar haar mening te vragen. Het merendeel van de tijd handelde hij als een individualist. Hij werd gedreven door de zaak en de eisen die die aan hem stelde, en niet door wat Faith wilde dat hij zou doen. Ze wist hoe hij te werk ging en wat hij dacht. Het was moeilijk door de muur heen te breken die hij om zich heen had opgetrokken. Ze was er nooit helemaal zeker van of hij dat had gedaan uit zelfverdediging of uitsluitend omdat hij zich er gemakkelijk bij voelde. Het was anders geweest toen ze jong waren, maar de huidige stand van zaken bestond al jaren. Hoewel het eenzaam was om met hem getrouwd te zijn, was zij daaraan gewend geraakt. Ze voelde het nu alleen iets sterker omdat de meisjes er niet meer waren, want zij hadden jarenlang voor alle warmte gezorgd die zij nodig had. Hun afwezigheid vond ze erger dan de zijne. Verder leek ze van veel van haar vriendinnen vervreemd te zijn geraakt. De tijd, het leven, het huwelijk en de kinderen hadden daar op de een of andere manier voor gezorgd.

Zoe was twee maanden eerder naar Brown vertrokken. Ze leek daar gelukkig te zijn en ze moest nog steeds voor de eerste keer een weekend naar huis komen, hoewel Providence helemaal niet zo ver weg was. Ze had het druk met haar vriendenkring, haar leven en haar activiteiten. Net zoals Eloise in Londen gelukkig was met haar werk. Faith had al een tijdje het gevoel dat zij allemaal een bevredigender leven leidden dan zij, en ze was aan het worstelen met pogingen om te beslissen wat ze met het hare moest doen. Ze had erover gedacht een baan te zoeken, maar ze had er geen idee van wat voor werk ze aan zou kunnen. Het was vijfentwintig jaar geleden dat ze voor *Vogue* had gewerkt. Ze had er ook over gedacht haar rechtenstudie weer op te pakken en dat een aantal keer ter sprake gebracht. Alex vond dat gezien haar leeftijd een belachelijk idee en had het meteen van tafel geveegd.

'Op jouw leeftijd, Faith? Je gaat op je zevenenveertigste toch geen rechten meer studeren. Je zou bijna vijftig zijn voordat je zou zijn afgestudeerd.' Dat had hij gezegd met een blik van pure minachting en hoewel ze er van tijd tot tijd nog steeds over dacht, begon ze er tegenover hem niet meer over. Alex vond dat ze liefdadigheidswerk moest blijven doen, zoals ze dat al jaren deed, en met haar vriendinnen moest gaan lunchen. Een dergelijk leven leek Faith echter betekenisloos, zeker nu de meisjes het huis uit waren. Ze wilde haar leven vullen met iets substantiëlers, maar ze moest nog een plan bedenken voor een zinnig leven waarvan ze haar echtgenoot kon overtuigen dat het de moeite waard was.

'Niemand zal me op de begrafenis van Charles missen,' zei Alex heel gedecideerd terwijl Faith zijn bord weghaalde en hem wat ijs aanbood, waar hij nee tegen zei. Hij hield zijn gewicht goed in de gaten, was heel slank en prima in vorm. Hij squashte een aantal keren per week en speelde tennis in de weekends, wanneer het weer in New York dat toeliet. Toen de meisjes klein waren, hadden ze een tweede huisje in Connecticut waar ze in het weekend altijd naartoe gingen, maar dat deden ze nu al lang niet meer. Alex vond het prettig zo nodig ook in de weekends naar kantoor te kunnen gaan.

Hoewel ze tegen hem wilde zeggen dat ze hem de volgende dag bij de begrafenis van haar stiefvader zou missen, wist ze dat

dat zinloos was. Als hij eenmaal een beslissing had genomen, was hij daar niet meer van af te brengen. Het idee dat zij hem daar nodig zou kunnen hebben, kwam niet eens bij hem op, en hun relatie was niet zodanig dat zij hem dat duidelijk kon maken. Ze was een capabele vrouw, die prima in staat was voor zichzelf te zorgen. Ze had nooit zwaar op hem geleund, zelfs niet toen hun kinderen nog klein waren. Ze had goede beslissingen genomen en ze was zelfverzekerd. Ze was de perfecte echtgenote voor hem geweest. Ze had nooit 'gezanikt' zoals hij dat noemde, en dat deed ze nu ook niet. Wel stelde het haar teleur dat hij er niet voor haar wilde zijn. Teleurstellingen waren voor Faith inmiddels echter bij het leven gaan horen. Alex was er bijna nooit als ze hem nodig had. Hij was zich bewust van zijn verantwoordelijkheden. Hij was intelligent en hij zorgde goed voor hen. De emotionele kant van hem was echter jaren geleden spoorloos verdwenen. Ze hadden uiteindelijk dezelfde relatie gekregen als zijn ouders. Toen ze die had leren kennen, was ze geschokt geweest door hun kilheid en hun onvermogen elkaar genegenheid te tonen. Vooral zijn vader was heel afstandelijk geweest, net zoals Alex dat na verloop van tijd was geworden, al had Faith hem er nooit op gewezen hoeveel hij op zijn vader leek. Alex was niet extravert en hij voelde zich ongemakkelijk als anderen dat wel waren, met name Zoe en Faith. Hun voortdurende blijken van affectie zorgden ervoor dat hij zich nog afstandelijker tegenover hen opstelde en nog meer kritiek op hen had.

Van de twee meisjes leek Zoe het meest op Faith: warm, liefhebbend, opgewekt en ietwat ondeugend – wat Faith aan zichzelf deed denken toen ze nog jong was. Zoe was intelligent en een briljante studente. Eloise leek meer op haar vader. Zij hadden een soort stilzwijgende band waar hij zich prettiger bij voelde. Ze was rustiger dan haar zuster, en was dat ook altijd geweest. Net als Alex had ze vaak kritiek op Faith en uitte die zonder er doekjes om te winden. Misschien omdat hij dat ook deed. Zoe was altijd meteen bereid om het voor haar moeder op te nemen. Zij had naar de begrafenis van Charles willen komen, ook al had ze geen nauwe band met hem gehad. Hij had nooit echt belangstelling voor de meisjes getoond. Ze bleek echter tentamens te hebben, waardoor ze niet weg kon. Voor Eloise was er geen reden om helemaal vanuit Londen naar de begrafenis van haar stiefvader toe te gaan, want hij had haar altijd volledig genegeerd. Faith had niet van hen verwacht dat ze de begrafenis zouden bijwonen, maar het zou prettig zijn geweest als Alex daar wel toe bereid was geweest.

Faith bracht het onderwerp niet meer ter sprake. Ze liet het rusten, zoals ze dat met zoveel andere zaken deed, want ze wist dat ze een discussie met Alex toch niet zou winnen. Naar zijn idee was ze prima in staat er in haar eentje naartoe te gaan. Net als zijn dochters wist hij dat Faith en haar stiefvader nooit een innige band hadden gehad. Hem verliezen was voor haar eerder iets symbolisch. Wat Faith Alex niet vertelde, was dat het afscheid pijnlijker dan normaal was omdat ze er zo scherp door werd herinnerd aan degenen die al eerder waren heengegaan. Haar moeder en haar broer Jack, die drie jaar geleden was omgekomen toen zijn vliegtuig waarmee hij onderweg was naar Martha's Vineyard was neergestort – iets waardoor ze volledig van de kaart was geraakt. Hij was toen zesenveertig, en een uitstekend piloot. De motor was in brand gevlogen en het toestel was in de lucht geëxplodeerd. Het was een schok geweest waarvan ze nu pas aan het herstellen was. Jack en zij waren altijd zielsverwanten en beste vrienden geweest. Hij was de enige geweest die haar emotioneel steunde, en in haar jeugd en haar volwassen leven was hij een bron van troost geweest. Hij was altijd vergevingsgezind en immens trouw, en leverde nooit kritiek. Ze scheelden twee jaar en hun moeder zei vroeger altijd dat ze net een tweeling waren. Vooral nadat hun vader plotseling aan een hartaanval was overleden toen Faith tien en Jack twaalf jaar oud was.

De relatie van Faith met haar vader was moeilijk geweest. Eigenlijk een regelrechte nachtmerrie. Het was iets waarover ze nooit sprak, en ze had er een groot deel van haar volwassen leven over gedaan met hem in het reine te komen. Daar had ze samen met een therapeut aan gewerkt en na verloop van tijd haar verleden zo goed mogelijk verwerkt. Haar vroegste herinneringen aan haar vader waren die waarbij hij haar molesteerde. Toen ze een jaar of vier, vijf was, was hij haar seksueel gaan misbruiken. Ze had het haar moeder nooit durven vertellen want haar vader had gedreigd haar en Jack te vermoorden als ze er haar mond over opendeed. Haar intense liefde voor haar broer had ervoor gezorgd dat ze erover zweeg, tot Jack het had ontdekt toen hij elf en zij negen was. Zijn vader en hij hadden er een immense ruzie over gehad. Hij had tegen Jack hetzelfde gezegd als tegen haar: dat hij haar zou vermoorden als een van hen beiden er iets over zei. Hij was een heel zieke man. Het was voor hen allebei zo traumatisch geweest dat ze er pas weer over hadden gesproken toen ze volwassen waren en zij in therapie was gegaan. Het had wel gezorgd voor een blijvende band tussen hen: een liefde die uit medeleven was geboren, en een diepe somberheid omdat zich zoiets had voorgedaan. Jack had het vreselijk gevonden dat hij Faith niet in bescherming had kunnen nemen tegen hun vader, die haar fysiek en emotioneel zoveel geweld aandeed. Hij werd erdoor verscheurd – wetend dat het gebeurde en hij niet in staat was het tij te keren. Maar hij was toen zelf nog een kind geweest, en een jaar nadat hij het had ontdekt, was hun vader overleden.

Jaren later, toen Faith in therapie was, had ze geprobeerd haar moeder erover te vertellen, maar de verdedigingsmechanismen van die vrouw waren onoverwinnelijk geweest. Ze weigerde te luisteren, het te geloven, er iets over te horen, en had herhaaldelijk heel stellig beweerd dat Faith met gemene leugens kwam om haar vader te belasteren en hen allemaal te kwetsen. Zoals Faith al haar hele leven had gevreesd, gaf haar moeder haar de schuld. Ze trok zich terug in haar eigen fantasieën en ontkende alles. Ze hield vol dat de vader van Faith een vriendelijke en liefhebbende man was geweest, die zijn gezin aanbad en zijn vrouw vereerde. Na zijn overlijden werd hij voor haar een soort heilige. Verder had Faith niemand bij wie ze haar

15

verhaal kwijt kon. Behalve bij Jack, zoals gebruikelijk. Hij was samen met haar naar de therapeut gegaan en had voor hen beiden pijnlijke herinneringen opgehaald. Faith had urenlang in zijn armen zitten snikken.

Uiteindelijk hadden Jacks liefde en steun haar geholpen oude kwelgeesten kwijt te raken. Ze herinnerde zich haar vader als een monster dat haar jeugdige onschuld had geschonden. Het had Jack jaren gekost om over het feit heen te komen dat hij niet had kunnen voorkomen dat haar zoiets werd aangedaan. Het was een pijnlijke jeugd die hen verbond, die ze allebei met grote moed te boven trachtten te komen. Faith had er uiteindelijk vrede mee gesloten, voor een groot deel dankzij Jack.

Toch hadden de littekens hun tol geëist. Ze waren allebei moeizame relaties aangegaan, met mensen die koud en vol kritiek waren. Ze hadden wederhelften gekozen die even kil waren als hun moeder, die hun de schuld gaven van alles wat er misging. Jacks echtgenote was neurotisch en moeilijk in de omgang geweest en ze had hem een aantal keren verlaten om redenen die niemand kon begrijpen. Alex hield Faith al jarenlang op een afstand en gaf haar de schuld van elk probleem dat zich voordeed. Jack en zij hadden vaak gesproken over hun partnerkeuze en hoewel ze uiteindelijk allebei inzicht hadden in hun drijfveren, waren ze geen van beiden in staat geweest iets te veranderen. Het was alsof ze voor situaties hadden gekozen waarin een groot deel van de ellende uit hun jeugd werd herhaald, wellicht om deze keer een ander resultaat te kunnen bewerkstelligen. Ze hadden echter partners uitgezocht met wie dit patroon niet doorbroken kon worden en het resultaat was voor hen beiden even teleurstellend als hun jeugd dat was geweest, zij het wel minder traumatisch. Jack bood de problemen het hoofd door als vredestichter op te treden en bijna alles van zijn vrouw te tolereren – waaronder het feit dat ze vaak bij hem wegliep – om haar maar niet boos te maken of het risico te lopen haar blijvend te verliezen. Faith had vrijwel hetzelfde gedaan. Ze maakte vrijwel nooit ruzie met Alex en daagde hem zelden uit. Het brute optreden van haar vader had vernietigende sporen achtergelaten. Diep in haar hart voelde ze dat het allemaal haar schuld was. Zij had gezondigd, niet hij, en op de een of andere manier was het háár fout. Daar had haar vader haar van overtuigd. En hoe afschuwelijk het ook was geweest... als laatste straf had hij hen door te sterven allebei in de steek gelaten. Faith had op de een of andere manier aangevoeld – of gevreesd – dat dat ook haar schuld was. Daardoor had ze er binnen haar huwelijk terdege voor gezorgd niets te doen waardoor Alex haar zou kunnen verlaten. Een deel van haar had haar leven lang geprobeerd het perfecte kleine meisje te zijn, boete te doen voor de zonden waarvan alleen haar broer op de hoogte was. Door de jaren heen had ze erover gedacht Alex de waarheid over haar jeugd te vertellen, maar toch had ze dat nooit gedaan. Op een of ander diep, onbewust niveau was ze bang dat hij niet meer van haar zou houden als hij wist wat haar vader haar had aangedaan.

Gedurende de afgelopen jaren had ze zich afgevraagd of Alex ooit echt van haar had gehouden. Misschien op zijn eigen manier wel, maar dan op zijn voorwaarde dat ze deed wat hij zei en nooit tegen hem inging. Ze had al vroeg aangevoeld dat hij de waarheid over wat haar vader met haar had gedaan niet zou kunnen verdragen. Haar duistere geheim bleef veilig bij Jack, en hij was de enige die onvoorwaardelijk van haar had gehouden. Dat was wederzijds geweest. Zij had ook volstrekt en zonder er voorwaarden aan te verbinden van hem gehouden en daardoor was zijn dood haar nog zwaarder gevallen. Het was een bijna ondraaglijk verlies geweest, zeker bezien in het licht van alles wat ze thuis ontbeerde.

Ze hadden er allebei moeite mee gehad dat hun moeder met Charles was getrouwd toen zij twaalf en Jack veertien was. Faith was achterdochtig ten aanzien van Charles geweest en had niet anders verwacht dan dat hij haar dezelfde dingen zou aandoen als haar vader. Hij had haar echter volstrekt genegeerd, wat voor haar een daad van genade was. Hij was geen man die zich op zijn gemak voelde bij vrouwen of meisjes. Zelfs zijn eigen dochter was een vreemde voor hem. Hij was een militair en hij had Jack hard aangepakt, maar hem in elk geval wel enige affectie kunnen tonen. Het enige dat hij voor Faith had gedaan was haar rapporten ondertekenen en klagen over haar cijfers, wat naar zijn idee van hem werd verwacht. Het was zijn enige rol geweest. Verder had Faith voor hem niet bestaan. Zij had zich daar echter prettig bij gevoeld. Het had haar hogelijk verbaasd dat hij in seksueel opzicht geen enkele belangstelling voor haar toonde. De koelheid die Charles altijd jegens haar en alle anderen aan de dag had gelegd, werd gecompenseerd door een gevoel van opluchting. Die regeling was voor haar gewoon geworden.

Charles had Jack uiteindelijk voor zich ingenomen door mannendingen met hem te doen. Aan Faith had hij nooit aandacht geschonken, domweg omdat zij een meisje was. Voor hem had ze nauwelijks bestaan. Jack was haar enige mannelijke rolmodel geweest, haar enige normale band met de mannenwereld. Anders dan hun moeder en Charles was Jack warm, gelukkig en liefhebbend geweest, net als Faith in die tijd. De vrouw met wie hij was getrouwd leek erg veel op hun moeder: afstandelijk, emotieloos, koud. Ze leek hem niet erg te waarderen. Ze waren een aantal keren uit elkaar gegaan en hoewel ze vijftien jaar getrouwd waren geweest, hadden ze nooit kinderen gekregen omdat Debbie dat idéé alleen al niet kon verdragen. Faith had de aantrekkingskracht die Debbie op Jack uitoefende nooit kunnen begrijpen. Maar ondanks hun moeilijkheden was hij haar toegewijd geweest. Hij had haar karakter altijd vergoelijkt en dingen in haar gezien die niemand anders zag. Ze had met een als uit marmer gehouwen gezicht zijn begrafenis bijgewoond en geen traan gelaten. Zes maanden na zijn dood was Debbie hertrouwd en naar Palm Beach verhuisd. Sinds die tijd had Faith niets meer van haar gehoord. Ze had niet eens een kerstkaart gestuurd. In zekere zin betekende ook zij een verlies, hoe weinig Faith ook om haar had gegeven. In een bepaald opzicht leefde Jack in haar voort en verdween hij zo voor een tweede keer uit haar leven.

In feite had Faith nu niemand meer, behalve Alex en haar twee dochters. Ze had tegenwoordig het gevoel dat haar eigen wereld steeds kleiner aan het worden was. De mensen die ze had gekend en van wie ze had gehouden, en zelfs degenen om wie ze niet had gegeven, verdwenen een voor een. Zij waren haar in elk geval nabij geweest, net als Charles, en uiteindelijk had ze zich bij hem veilig gevoeld, hoe koel en afstandelijk hij ook deed. Nu waren ze er allemaal niet meer. Haar ouders, Jack en nu Charles. Dat maakte Alex en de meisjes voor haar nog kostbaarder en belangrijker.

Ze zag erg op tegen de begrafenis van Charles. Die was op zich al moeilijk genoeg, en hij zou daarnaast ongetwijfeld Jacks begrafenis in herinnering brengen. Daar dacht ze over na terwijl ze langs de studeerkamer van Alex liep, waar hij 's avonds graag zat te lezen. Hij was verdiept in paperassen en keek niet op toen ze in de deuropening bleef staan. Hij had er slag van mensen duidelijk te maken dat hij niet gestoord wilde worden. Dat maakte hem onbereikbaar, zelfs als hij in een kamer tegenover haar zat. De grote kloof die door de jaren heen tussen hen was ontstaan liet zich niet overbruggen. Nu konden ze niets anders meer doen dan vanuit de verte naar elkaar kijken en zwaaien. Alex had zichzelf met succes geïsoleerd terwijl hij samen met haar onder één dak woonde, en zij had pogingen daar wat aan te doen allang opgegeven. Ze accepteerde het gewoon en leidde haar eigen leven. Maar het lege gevoel dat ze had nu haar dochters het huis uit waren, was overweldigend. Ze had nog geen manier gevonden om die leegte te vullen en vroeg zich af of ze die ooit zou vinden terwijl ze toekeek hoe Alex zijn papieren opborg zonder iets tegen haar te zeggen. Toen liep ze naar de trap.

Een halfuurtje later kwam hij ook naar hun slaapkamer. Ze lag al in bed en las een boek dat Zoe haar had aangeraden. Het was een amusante roman en ze glimlachte in zichzelf toen Alex de kamer in liep. Hij zag er moe uit, maar hij had bijna alles gelezen wat hij voor die bespreking in Chicago moest weten. Hij keek haar even aan, ging zich toen uitkleden en kroop een paar minuten later naast haar tussen de lakens. Het was

alsof er midden in het bed een onzichtbare barricade was op-
geworpen: een Maginotlinie die ze geen van beiden overstaken
behalve wanneer dat absoluut nodig was – eens in de paar weken of zelfs maar een keer per maand. Als ze de liefde met elkaar bedreven, was dat een van de weinige momenten waarop ze zich met hem verbonden voelde. Maar zelfs dat gevoel
was kortstondig. Het was eerder iets dat herinneringen opriep
aan wat ze eens hadden gedeeld, voordat ze ieder huns weegs
waren gegaan, dan iets dat ze nu echt deelden. Het vrijen duurde kort en gebeurde plichtmatig, al was het soms wel aangenaam. Het was een afspiegeling van hun werkelijkheid, niet de
realisering van de dromen die ze eens samen hadden gehad.
Het was gewoon wat het was. Niets meer dan dat. Dankzij een
goede therapie had ze opmerkelijk genoeg geen problemen met
seks, ondanks alles wat haar vader haar had aangedaan. Maar
door het ontbreken van communicatie en warmte tussen Alex
en haar ervoer ze de seksuele onthouding soms als een opluchting.

Alex draaide zich op zijn zij, met zijn rug naar haar toe. Dat
was een teken dat hij deze avond niets meer van haar wilde.
Ze hadden samen gegeten en hij had tegen haar gezegd waar
hij de volgende dag naartoe zou gaan. Hij wist waar zij zou
zijn, en zij wist door zijn agenda dat ze morgenavond, na de
begrafenis, samen met hem naar een zakendiner moest. Dat
was alles wat ze van elkaar hoefden te weten. Alles wat ze konden delen. Als ze iets meer nodig had, een gebaar van intimiteit of affectie in haar leven, moest dat van de meisjes komen.
Dat wist ze, en daardoor miste ze Jack des te meer. Door het
slechte huwelijk van beiden hadden ze elkaar nodig gehad voor
gezelligheid, troost en warmte.

Faith had wanhopig veel van haar broer gehouden en na zijn
overlijden had ze gedacht zelf ook dood te zullen gaan. Dat
was niet gebeurd, maar een deel van haar had na die dag als
een verloren ziel rondgezworven, alsof het zijn thuis was kwijtgeraakt. De dingen die ze altijd met Jack had gedeeld, kon ze
niet met haar dochters of ongeacht wie bespreken. Nooit was

er iemand zoals hij in haar leven geweest. Hij had haar nimmer teleurgesteld en was er altijd voor haar geweest. Hij had nooit vergeten haar aan het lachen te maken of tegen haar te zeggen hoeveel hij van haar hield, en zij had voor hem hetzelfde gedaan. Hij was de zonneschijn in haar leven geweest, het hart, de reddingboei waaraan ze zich soms had vastgeklampt. Terwijl Alex zacht naast haar lag te snurken, deed ze geruisloos het licht uit. Sinds haar dochters het huis uit waren, voelde ze zich doelloos op een eenzame zee drijven.

2

Alex was al naar Chicago vertrokken toen Faith de volgende morgen om acht uur van de wekker wakker werd. De begrafenis was om elf uur en ze had beloofd haar stiefzuster met de limousine op te halen. Allison was veertien jaar ouder dan zij en leek op haar eenenzestigste in de ogen van Faith wel honderd jaar oud. Ze had kinderen die in leeftijd niet heel veel scheelden met Faith. De oudste was veertig en Faith kende hen nauwelijks. Ze woonden allemaal in Canada, in het noorden van de provincie Québec. Allison had zich nooit echt verbonden gevoeld met haar stiefmoeder, noch met Faith. Toen haar vader met de moeder van Faith was getrouwd, was ze zelf al getrouwd geweest en had ze al kinderen gehad. Faith en Jack hadden haar belangstelling niet echt weten te trekken.

Allison en haar vader hadden geen goed contact gehad, om dezelfde reden waarom Faith en hij nooit een hechte band hadden gehad. Charles Armstrong had eigenlijk niets van meisjes moeten hebben. Hij was een beroepsmilitair geweest, die aan West Point was afgestudeerd. Op zijn negenenveertigste was hij met de moeder van Faith getrouwd en nog maar kortgeleden was hij met pensioen gegaan. Hij had zijn stiefkinderen behandeld als kadetten van West Point. Hij inspecteerde hun kamers, gaf bevelen, deelde straf uit en had Jack eens een hele nacht buiten in de regen laten staan omdat hij een onvoldoende had gehaald voor een proefwerk. Faith had hem via haar raam naar binnen gelaten en hem onder haar bed verstopt. De volgende morgen hadden ze water op zijn kleren geplenst en was hij weer naar buiten geglipt toen de zon opkwam.

Charles was dat niet te weten gekomen, maar ze zouden zwaar zijn gestraft als dat wel was gebeurd.

Hun moeder was nooit voor hen in de bres gesprongen, evenmin als ze dat voor die tijd had gedaan. Ze had ten koste van alles confrontaties vermeden. Het enige dat ze wilde, was een vredig leven. Ze had een moeilijk en emotioneel armzalig eerste huwelijk achter de rug. Plus twee jaren vol grote financiële problemen toen haar man was overleden en haar diep in de schulden had achtergelaten. Ze was dankbaar dat Charles haar had gered en bereid was voor haar, Jack en Faith te zorgen. Het kon haar niets schelen dat Charles zelden iets tegen haar zei, tenzij om haar bevelen toe te blaffen. Het enige dat hij van haar leek te willen was dat ze er was en zijn huis schoonmaakte. Het enige dat hij van Faith en Jack wilde was dat ze zijn bevelen opvolgden, goede cijfers haalden en uit zijn gezichtsveld bleven. Dat was er mede de oorzaak van geweest dat ze allebei met iemand waren getrouwd die even afstandelijk en emotieloos was als Charles, en hun moeder, en hun vader daarvoor. Faith en Jack hadden er veel over gesproken in het jaar voordat hij was overleden en zijn vrouw en hij voor de zoveelste keer uit elkaar waren gegaan. Ze waren zich allebei bewust geweest van de parallellen in hun relaties. Ze waren getrouwd met koele, afstandelijke typen die geen affectie konden tonen en niet warmhartig waren, ook al had Alex aanvankelijk wel liefhebbend geleken. Hij was na de geboorte van Eloise echter snel koeler geworden en dat proces was zich blijven voortzetten. Faith vond het niet langer erg. Ze accepteerde hem zoals hij was.

Alex was ook veel wereldwijzer dan Charles dat was geweest. Charles was tot het bittere eind een West Point-man gebleven, een mannen-man. Toch had Alex haar door de jaren heen in sommige opzichten steeds meer doen denken aan Charles. Haar moeder had een lange lijdensweg achter de rug en verdedigde zich door de wereld op een afstand te houden. Het lukte haar zonder iets te zeggen duidelijk te maken dat het leven haar had teleurgesteld. Toch deed ze wat er van haar werd verwacht en ze was vierendertig jaar met Charles getrouwd toen ze overleed. Jack noch Faith had ooit de indruk gehad dat ze gelukkig was geweest. Het was geen huwelijk dat Faith had willen hebben, maar nu had ze dat toch wel. Ze vroeg zich af waarom ze dat niet had gezien toen zij en Alex met elkaar trouwden. En Debbie, Jacks vrouw, was tegenover Jack al even koud geweest.

Door hun voorgeschiedenis had Faith zich vast voorgenomen Zoe en Eloise haar affectie duidelijk te laten blijken. Ze had zich tot het uiterste ingespannen de andere kant op door te slaan, in het begin ook ten aanzien van Alex. Hij had door de jaren heen echter duidelijk gemaakt dat hem dat niet alleen een ongemakkelijk gevoel gaf, maar dat hij er ook geen behoefte aan had. Wat hij nodig had, was een ordelijk leven, een grootse carrière, een fraai huis en een vrouw die er voor hem was en deed wat hij van haar verwachtte terwijl hij de zakenwereld veroverde. Hij had geen behoefte aan de franje, kleur en warmte die Faith hem graag had gegeven. Dus gaf ze alle liefde die in haar opborrelde aan haar broer en haar dochters.

De limousine stond al voor de deur te wachten toen Faith om kwart over tien het huis uit liep. Ze had een zwarte jurk en mantel aan, zwarte kousen en hooggehakte zwartleren pumps. Haar blonde haar was opgestoken in eenzelfde knot als de dag daarvoor en de enige sieraden die ze droeg waren de parels in haar oren die van haar moeder waren geweest en die Charles haar had gegeven. Faith zag er kalm, ingetogen, berustend en mooi uit en oogde ondanks haar kleding jonger dan ze was. Haar gezicht had iets opens en vriendelijks, ze glimlachte gemakkelijk en ze had een aardige manier van doen. Als ze een blauwe spijkerbroek aan had en haar haar los liet hangen, zag ze er nog steeds bijna even jong uit als haar dochters. De zorgen die haar de afgelopen jaren parten hadden gespeeld waren niet van haar gezicht af te lezen en toen ze op de achterbank van de limousine ging zitten, dacht ze aan Jack. Het zou hem op de een of andere manier zijn gelukt zelfs op deze sombere dag oneerbiedig te zijn. Hij zou het gemakkelijker voor haar hebben gemaakt en een subtiele luchtige opmerking of absurditeit hebben bedacht die hij haar kon toefluisteren. Terwijl ze naar Allisons hotel reden en zij daaraan dacht, verscheen ondanks alles een glimlach op haar gezicht. Tot zijn veel te vroege en onverwachte dood aan toe was hij heel ondeugend geweest.

Jack had als jurist op een advocatenkantoor op Wall Street gewerkt en was bij zijn collega's en vrienden heel geliefd geweest. Alleen Alex had hem niet achtenswaardig gevonden en ruzie met hem gemaakt. De twee mannen hadden over alles een tegenovergestelde mening en Jack had zijn zwager een saaie man gevonden, hoewel hij dat uit respect voor Faith zelden hardop had gezegd. Hij wist dat het geen zin had daarover in discussie te gaan. Faith mocht zijn vrouw ook niet en erover praten maakte het voor hem alleen maar gênanter. Hun wederhelften waren als gespreksonderwerp meestal taboe, behalve wanneer een van beiden ervoor koos de eigen wederhelft ter sprake te brengen. Jack was verstandig genoeg geweest om zo weinig mogelijk kritiek op Alex te leveren omdat hij zo ontzettend veel van Faith hield.

Allison en haar man stonden al voor hun hotel te wachten toen de limousine van Faith voor hen tot stilstand kwam. Ze zagen eruit als degelijke, fatsoenlijke oudere mensen. Ze runden al veertig jaar lang een grote, welvarende boerderij in Canada. Ze hadden drie zoons die bijna even oud waren als Faith en hielpen het bedrijf draaiende te houden maar niet voor de begrafenis waren overgekomen, en een dochter die thuis was gebleven omdat ze ziek was. Allison en haar man Bertrand leken zich bij Faith niet op hun gemak te voelen. Zij was gesoigneerd en een stadsmens geworden en hoewel Allison haar al kende sinds de tijd dat ze nog een kind was, hadden ze elkaar als volwassenen nauwelijks meer gezien. Hun levens speelden zich af in totaal verschillende werelden.

Ze vroegen naar Alex en Faith legde uit dat hij naar Chicago had moeten vliegen. Allison knikte. Ze had hem slechts een paar keer ontmoet en had het idee dat hij van een andere planeet afkomstig was. Hij had zich niet voor hen geïnteresseerd

en geen poging ondernomen om een gesprek met hen te beginnen toen ze elkaar de eerste keer ontmoetten. Daarna hadden ze hem nog een keer gezien op de begrafenis van de moeder van Faith. Alex wist dat Allison Faith weinig zei. Ze waren
vrijwel vreemden voor elkaar, ook al waren ze meer dan dertig jaar verwanten, en terwijl ze naar de kerk reden kon Faith
er niets aan doen dat ze zich afvroeg of ze elkaar na vandaag
ooit nog zouden zien. Haar hele leven leek te bestaan uit het
verliezen van mensen. Niemand kwam haar leven nog in. Iedereen vertrok. Jack, haar moeder, Charles, haar dochters op
hun eigen manier... en nu Allison... Gedurende de afgelopen
maanden was ze het idee gaan krijgen dat alles in haar leven
om verliezen draaide.

Faith, Allison en Bertrand zeiden onderweg naar de kerk weinig tegen elkaar. Allison leek kalm en scheen zichzelf onder
controle te hebben. Zij en haar vader hadden elkaar zelden gezien en nooit een nauwe band gehad. Ze had eerder tegen Faith
gezegd dat ze mensen wilde uitnodigen om later mee te gaan
naar het hotel en haar gevraagd of zij daarvoor nog iemand in
gedachten had. Ze had een grote zitkamer gereserveerd en een
buffet besteld. Faith vond dat een aardig en attent gebaar voor
de vrienden van hun ouders.

'Ik weet niet hoeveel van de aanwezigen ik ken,' had Faith eerlijk gezegd.

In de rouwadvertentie in de krant had gestaan waar de begrafenis zou plaatsvinden, en ze had een aantal vrienden van haar
ouders gebeld. Velen van hen waren echter al dood of verble-
ven in verzorgingshuizen. Charles en haar moeder hadden vele jaren in Connecticut gewoond, waar hij een aantal vrienden
had. Na haar dood had Faith Charles naar een aanleunwoning
in de stad gehaald, en hij was het merendeel van het afgelopen
jaar ziek geweest. Zijn dood was voor niemand van hen als
een verrassing gekomen. Het was echter moeilijk te zeggen hoeveel mensen de begrafenis zouden bijwonen. Faith verwachtte
niet dat het er veel zouden zijn. Meteen na afloop van de dienst
zouden ze naar het kerkhof gaan om hem te begraven. Allison

en zij waren het erover eens dat ze hoogstwaarschijnlijk om halftwee terug zouden zijn in het hotel. Ze rekenden erop de rest van de middag mensen te moeten ontvangen, waarna Allison en Bertrand die avond om acht uur zouden terugvliegen naar Canada. Faith en Alex moesten naar een zakendiner, wat een goede afleiding zou zijn na een deprimerende middag.

Toen ze door een zijdeur de kerk in liepen, waren ze alle drie verbaasd te zien hoeveel mensen al in de kerkbanken hadden plaatsgenomen. Charles was een gerespecteerd lid geweest van de gemeenschap in de kleine stad in Connecticut waar ze hadden gewoond. Faith had het altijd verbazingwekkend gevonden dat mensen op hem gesteld waren geweest, hem fatsoenlijk, oprecht en zelfs interessant hadden gevonden. In zijn jeugd was hij op een paar exotische plaatsen gestationeerd geweest, waar hij graag uitgebreid over vertelde, maar tegen zijn vrouw en stiefkinderen had hij erover gezwegen. Mensen buiten de kring van intimi hadden echter altijd goed over Charles gedacht. Hij gedroeg zich tegenover hen lang niet zo koel en had zich voor hen aanzienlijk meer ingespannen. Dat had Faith altijd eigenaardig gevonden, vooral omdat hij en haar moeder zelden meer dan een paar woorden leken te wisselen, en ze had nooit kunnen begrijpen wat haar moeder in hem had gezien, behalve dan het feit dat hij een goed burger was geweest en ooit een aardig ogende man. Wat Faith betrof was haar stiefvader echter iemand zonder enig charisma of charme geweest. De dienst begon stipt om elf uur. Faith en Allison hadden de muziek de dag daarvoor uitgekozen en de kist stond een klein eindje van hen vandaan, bedolven onder veel witte bloemen. Faith had haar eigen bloemist ingeschakeld om de bloemen in de kerk te verzorgen en aangeboden daarvoor te betalen. Allison had daar opgelucht op gereageerd. De dienst was eenvoudig. Charles was presbyteriaans geweest, maar de moeder van Faith katholiek, en ze waren ook voor de katholieke kerk getrouwd. Ze waren echter geen van beiden diep gelovig geweest. Anders dan Faith en Jack, die tot zijn dood aan toe vaak samen de mis hadden bijgewoond.

De preek was kort en onpersoonlijk, zoals passend leek. Charles was niet het type man geweest over wie men zich poëtisch uitliet of anekdotes vertelde. De geestelijke somde zijn prestaties op, sprak over zijn West Point-achtergrond en zijn militaire carrière en refereerde aan Allison en Faith. Hij vergiste zich en nam aan dat ze allebei een dochter van Charles waren, maar dat leek Allison niet te deren. Tot slot zong iedereen 'Amazing Grace' en op dat moment voelde Faith tranen over haar wangen stromen. Om de een of andere reden had ze opeens een visioen gehad van Charles toen die nog jong was, de keer dat hij hen als kinderen had meegenomen naar een meer en had geprobeerd Jack te leren vissen. Jack had stralende ogen gehad en – op een van de zeldzame momenten dat hij geen standje kreeg – Charles liefhebbend aangekeken. Het enige beeld dat Faith in gedachten kon zien was Charles die over Jack heen gebogen stond en hem liet zien hoe hij de hengel moest gebruiken, terwijl Jack van oor tot oor grijnsde... Daardoor miste ze haar broer veel erger dan Charles. Ze deed haar ogen dicht en kon bijna de augustuszon van die dag op haar gezicht voelen. Haar hart deed zeer toen ze terugdacht aan die tijd. Die was nu definitief voorbij, deel van een leven vol herinneringen.

De tranen bleven over haar wangen stromen en een snik stokte in haar keel toen de slippendragers van de begrafenisonderneming de kist langzaam wegrolden, net zoals dat drie jaar eerder met die van Jack was gebeurd. Vrienden van hem hadden de kist gedragen, en Jack had veel vrienden gehad. Zijn begrafenis was door honderden mensen bijgewoond. Omdat Faith die dag zo van streek was geweest herinnerde ze zich dat alles slechts vaag, en dat was een zegen. Maar terwijl ze de kist van Charles langzaam door het middenpad zag gaan, riep dat voor haar heel verdrietige herinneringen op. In het voorportaal hielden de drie overlevende verwanten van Charles halt om vrienden de hand te drukken terwijl de slippendragers de kist naar de lijkwagen droegen.

Toen ze door de helft van de ongeveer honderd aanwezigen

waren gecondoleerd, hoorde Faith achter zich een stem die zo bekend was dat ze niets anders kon doen dan staren. Ze had de hand geschud van een vrouw die een vriendin van haar moeder was geweest en voordat ze zich kon omdraaien, kwam er een enkel woord over de lippen van de man.

'Fred.' Dat bracht ondanks de omstandigheden een stralende glimlach op haar gezicht. Er was maar één persoon ter wereld die haar zo had genoemd, afgezien van Jack dan. Hij had de naam zelfs bedacht en Jack had die overgenomen. Het was haar bijnaam geweest gedurende de jaren dat ze volwassen werd. Hij had altijd gezegd dat Faith een stomme naam voor een meisje was, en dus had hij haar Fred genoemd.

Met een brede glimlach keek Faith hem aan, niet in staat te geloven dat hij hier was. Hij was door de jaren heen geen spat veranderd, hoewel hij even oud was als Jack en dus twee jaar ouder dan zij. Terwijl Brad Patterson grinnikte, zag hij er op negenenveertigjarige leeftijd nog altijd uit als een jonge jongen. Hij had net zulke groene ogen als zij en een lang, slungelachtig lijf dat altijd te mager was geweest maar nu redelijker geproportioneerd leek te zijn. Toen ze jong waren, had ze altijd tegen hem gezegd dat hij spillebenen had. Hij had een glimlach die zich onweerstaanbaar over zijn gezicht verspreidde, een kuiltje in zijn kin en een dikke bos donker haar dat nog niet grijs aan het worden was. Brad was vanaf zijn tiende jaar de beste vriend van haar broer geweest. Faith was acht geweest toen ze hem voor het eerst had gezien, en hij had haar blonde haar groen geverfd ter ere van St. Patrick's Day. Zij, Jack en Brad hadden dat een geweldig idee gevonden, hoewel het hun moeder aanzienlijk minder had geamuseerd.

Brad was door de jaren heen met een miljoen plannen en streken op de proppen gekomen. Jack en hij hadden van alles en nog wat uitgehaald en waren ruim tien jaar onafscheidelijk geweest. Ze waren samen naar Penn State gegaan en hun wegen hadden zich pas gescheiden toen ze allebei rechten gingen studeren. Brad was naar Boalt in Berkeley gegaan, en Jack naar Duke. Brad was daar verliefd geworden op een meisje en uiteindelijk aan de westkust gebleven. Toen was het werkelijke leven op de een of andere manier tussenbeide gekomen. Hij was getrouwd en had kinderen gekregen. Een tweeling – jongens die ongeveer even oud waren als Eloise. Jack was aanvankelijk om de paar jaar wel een keer naar hem toe gevlogen. Brad was echter niet meer naar het oosten gekomen. Toen hij voor de begrafenis van Jack overkwam, had Faith hem al in jaren niet meer gezien. Ze waren allebei volledig van de kaart geweest en ze hadden uren over hem gepraat, alsof Jack kon worden teruggehaald door alles over hem te vertellen wat ze zich konden herinneren. Brad was met haar mee naar huis gegaan en had kennisgemaakt met Zoe en Eloise. De meisjes waren toen vijftien en eenentwintig geweest. Alex was niet bijzonder diep onder de indruk van Brad geweest, voornamelijk omdat hij Jacks vriend was. Dat had Faith echter niets kunnen schelen. Het enige dat ze had willen doen, was zich aan Brad vastklampen. Zij en Brad hadden elkaar daarna een jaar lang geschreven en toen het contact weer verloren. Zijn eigen leven leek hem te verslinden. Na Jacks begrafenis had ze hem niet meer gezien, en ze had al in bijna twee jaar niets meer van hem gehoord. Ze was stomverbaasd nu ze hem zag en kon zich niet voorstellen hoe hij hier was beland.

'Wat doe jij hier?' De glimlach die ze uitwisselden had de hele kerk kunnen verlichten.

'Ik was in de stad voor een conferentie en toen zag ik gisteren in de krant de rouwadvertentie. Ik vond het een kwestie van fatsoen om hierheen te komen.' Hij glimlachte net zoals hij dat bijna veertig jaar geleden had gedaan. In haar ogen zag hij er nog steeds uit als een jonge jongen, en in haar hart zou hij ook altijd jong blijven, hoe oud hij ook werd. Hun jeugd was alles wat ze zag. Hij was een van de drie musketiers, het drietal dat hij samen met haar en Jack had gevormd. Zij glimlachte naar hem, dankbaar dat hij was gekomen. Het maakte het opeens gemakkelijker voor haar en gaf haar het gevoel dat Jack ook bij hen was. 'En ik wist dat ik je hier zou zien. Je ziet er geweldig uit, Fred.'

Vroeger had hij haar meedogenloos geplaagd en toen ze een jaar of dertien was, was ze smoorverliefd op hem geworden. Toen hij drie jaar later ging studeren, was ze over hem heen gekomen en uitgegaan met jongens van haar eigen leeftijd. Toch was hij een van haar beste vrienden gebleven. Het stemde haar triest dat ze uiteindelijk het contact hadden verloren, maar het was moeilijk geweest de vriendschap over zo'n grote afstand in stand te houden. Het enige dat ze hadden was een gemeenschappelijk verleden, en de ontzettend grote genegenheid die ze nog altijd voor hem voelde. Ze koesterden allebei oneindig veel herinneringen aan de jaren waarin ze samen waren opgegroeid.

Ze nodigde hem uit voor de bijeenkomst in het hotel en hij knikte terwijl hij haar met zijn ogen leek te verslinden. Hij leek even ontroerd door dit weerzien als zij.

'Ik zal er zijn,' zei hij geruststellend. Hij had haar zien huilen terwijl ze 'Amazing Grace' zong, en hij had zelf ook gehuild. Hij kon die hymne niet meer horen zonder aan Jacks begrafenis te denken. Dat was drie jaar eerder een van de zwartste dagen van zijn leven geweest.

'Het was heel attent van je om te komen,' zei ze glimlachend terwijl mensen om hen heen liepen om Allison en Bertrand de hand te drukken.

'Charlie was een aardige oude man,' zei Brad welwillend. Hij had een paar dierbare herinneringen aan hem. Dierbaarder dan de herinneringen van Faith. Maar hij en Jack hadden ook dingen met Charles gedaan waarvoor Faith nooit de kans had gehad, zoals op hertenjacht gaan en vissen in het meer. In dat soort zaken was hij goed geweest, en het idee Faith erbij te betrekken zou nooit bij hem zijn opgekomen. 'Bovendien wilde ik jou zien,' zei Brad. 'Hoe is het met de meisjes?'

Ze glimlachte opnieuw. 'Goed, maar ze zijn helaas wel het huis uit. Eloise woont in Londen en Zoe is begonnen aan haar eerste jaar aan de universiteit. Hoe is het met de tweeling?'

'Met hen gaat het geweldig. Ze zitten een jaar in Afrika achter de leeuwen aan. In juni zijn ze afgestudeerd aan de Uni-

31

versiteit van Los Angeles, en meteen daarna zijn ze vertrokken. Ik wil een dezer dagen naar hen toe gaan, maar daar heb ik de tijd nog niet voor gehad.' Faith wist dat hij een paar jaar eerder voor zichzelf was begonnen. Hij trad als strafpleiter op voor armlastige minderjarigen die van een misdrijf werden beschuldigd. Jack had haar daar vlak voor zijn dood het een en ander over verteld, en zij en Brad hadden het er tijdens de begrafenis over gehad. Nu had ze echter de tijd niet hem naar zijn werk te vragen. Allison gaf haar een teken dat ze naar de begraafplaats moesten vertrekken. Faith knikte en keek om naar Brad.

'Ik moet gaan. Je komt straks toch wel echt naar het hotel? Het Waldorf.' Ze leek een jong meisje toen ze dat zei, en hij glimlachte. Hij wilde zijn armen om haar heen slaan om haar een knuffel te geven. Iets aan de blik in haar ogen vertelde hem dat ze moeilijke tijden had gekend. Hij was er niet zeker van of dat met Jack te maken had, of met iets anders, maar de triestheid die uit haar ogen sprak raakte zijn hart. Net zoals wanneer ze als kind verdrietig was geweest. Hij had haar altijd al in bescherming willen nemen, en dat was nog steeds zo. 'Ik zal er zijn.'

Faith knikte en er kwamen twee mensen tussen hen in staan om haar de hand te drukken en te condoleren.

Brad zwaaide en liep weg. Hij moest nog een paar boodschappen doen voordat hij naar het hotel ging. Hij kwam niet vaak in New York en hij wilde een paar lievelingsplekken en dito winkels met een bezoekje vereren. Hoewel hij er de voorkeur aan zou hebben gegeven samen met haar naar de begraafplaats te gaan en haar zijn steun aan te bieden, wilde hij zich niet opdringen. Hij wist dat het moeilijk voor haar zou zijn, vanwege Jack. Begrafenissen en begraafplaatsen waren voor haar nu maar al te bekend. Terwijl hij toekeek hoe ze in de limousine stapte en achter de lijkwagen aan reed, besefte hij dat hij haar echtgenoot niet had gezien. Was er tussen hen iets gebeurd? Waren ze uit elkaar gegaan en had dat die trieste blik in haar ogen veroorzaakt? Hij en Jack hadden er na het huwelijk van Faith over gesproken en geen van hen beiden was enthousiast geweest over Alex. Zij hadden hem altijd afstandelijk en koud gevonden, zelfs toen al, maar Faith had tegenover Jack volgehouden dat Alex een geweldige man was, en veel warmer dan hij oogde. Het contact tussen Faith en hem was nu niet meer zo innig dat hij naar de stand van zaken kon vragen. Toch vond hij het eigenaardig dat Alex er niet was.

De korte plechtigheid op de begraafplaats werd plichtmatig voltrokken en was grimmig. De geestelijke las een aantal psalmen voor en Allison sprak een paar woorden terwijl haar echtgenoot er zwijgend bij stond. Toen lieten ze ieder een roos op Charles' kist achter en liepen weg. Ze waren overeengekomen niet te blijven terwijl men de kist in de grond liet zakken. Dat zou te triest zijn geweest. Er was slechts een handjevol mensen meegegaan naar de begraafplaats en een halfuur later waren ze al weer onderweg naar de stad. De oktoberzon stond stralend aan de hemel en Faith was dankbaar dat het in elk geval niet had geregend. Op de dag dat Jack was begraven was de regen met bakken uit de lucht gevallen en dat had alles nog veel somberder gemaakt. Niet dat zonneschijn, of wat dan ook, zou hebben geholpen. Het was zonder twijfel de donkerste dag van haar leven geweest.

Charles begraven was voor haar iets anders: een stille en trieste gebeurtenis. Het deed haar denken aan haar moeder, haar huwelijk met Charles en de jeugd die zij en Jack met hen hadden doorgebracht. Op grond van haar ervaring met haar eigen vader was ze aanvankelijk bang van Charles geweest. Ze had niet zeker geweten wat ze kon verwachten. Al vroeg was ze echter opgelucht tot de ontdekking gekomen dat hij in seksueel opzicht niet in haar was geïnteresseerd, al was hij wel onbuigzaam en streng geweest. Hij had vaak tegen hen geschreeuwd. De eerste keer dat hij dat had gedaan, had ze gehuild en had Jack haar hand vastgehouden. Haar moeder had niets tegen Charles gezegd om hen te verdedigen. Ze wilde nooit moeilijkheden veroorzaken en had het niet voor hen opgenomen, wat Faith als verraad had ervaren. Het enige dat haar moeder had gewild was dat alles op rolletjes liep, wat dat ook mocht kosten, of ze zichzelf, Faith of Jack daarvoor nu moest opofferen of niet. Ze schikte zich in alle opzichten naar Charles, zelfs als haar eigen kinderen in het geding waren. Jack was degene die Faith altijd had beschermd. Hij was zijn leven lang haar held geweest, tot de dag waarop hij was overleden. Dat deed haar opnieuw denken aan Brad, en hoe blij ze was dat hij hierheen was gekomen. Ze verheugde zich erop hem in het hotel weer te zien en dat leidde haar gedachten af van pijnlijke herinneringen waarvan er veel te veel waren.

De limousine kwam voor het hotel tot stilstand en Faith en Allison besloten de chauffeur naar huis te sturen. Faith kon naar huis lopen, of een taxi nemen, en Allison en Bertrand zouden om zes uur met een taxi naar het vliegveld gaan. Het enige dat ze nu nog moesten doen, was een paar uur doorbrengen met de vrienden van Charles. Terwijl ze het hotel in liepen, had Allison de opgevouwen vlag die ze op de begraafplaats van de kist hadden gehaald, nog in haar handen. Ze leek daardoor wel de weduwe van een oorlogsheld, dacht Faith toen ze door de lobby liepen en met de lift naar boven gingen.

De kamer die Allison voor de middag had gehuurd, was eenvoudig en elegant. In een hoek stond een piano en op een buffetkast waren sandwiches, koekjes en cake neergezet. Er was koffie en een ober liep rond om de gasten van andere drankjes en wijn te voorzien. Wat er te eten werd aangeboden was simpel maar van goede kwaliteit. De eerste mensen arriveerden vrijwel meteen nadat Faith haar jas had opgehangen. Het luchtte haar op dat Brad de derde was die het vertrek binnenliep.

Ze stond daar en glimlachte terwijl hij door de kamer haar kant op liep. Het bracht haar in herinnering hoe slungelig hij als jongen was geweest. Hij had altijd ver boven haar uit getorend en toen ze nog heel jong was, had hij haar in de lucht gegooid of haar duwtjes gegeven op de schommel. Hij had altijd tot het meubilair van haar jeugd- en tienerjaren behoord. 'Hoe is het gegaan?' vroeg hij terwijl een ober hem een glas witte wijn overhandigde en hij daar een slokje van nam.

'Oké. Ik ga niet meer naar begrafenissen toe als ik dat enigszins kan vermijden. Hier kon ik echter niet onderuit. Ik haat begraafplaatsen,' zei ze met een lichte frons, en ze wisten allebei waarom.

'Ik heb er ook niet zoveel mee op. Tussen twee haakjes: waar is Alex?' Hun blikken kruisten elkaar en hielden elkaar vast. Hij vroeg haar in feite meer dan dat.

Ze zuchtte en glimlachte toen. 'Hij moest naar Chicago, voor een bespreking met cliënten. Vanavond komt hij weer terug.' In de toon van haar stem klonk geen spoor van kritiek door, maar toch vond Brad dat Alex er had moeten zijn. Voor Faith. Het ergerde hem dat dat niet het geval was, terwijl hij er tegelijkertijd ook blij om was. Het gaf hem de kans even met haar alleen te zijn en bij te praten. Het was al veel te lang geleden dat ze elkaar hadden gesproken.

'Jammer. Dat hij in Chicago is, bedoel ik. Hoe gaat het verder?' Hij ging op de armleuning van een stoel zitten en was daardoor bijna even lang als de staande Faith.

'Oké, denk ik. Het is vreemd dat allebei de meisjes het huis uit zijn. Ik weet niet wat ik met mezelf moet doen. Ik blijf zeggen dat ik weer aan het werk zal gaan, maar ik heb geen vaardigheden die goed in de markt liggen. Ik heb erover gedacht mijn rechtenstudie weer op te pakken, maar dat vindt Alex een idioot idee. Hij zegt dat ik te oud ben om opnieuw te gaan studeren en als advocaat te worden toegelaten.'

'Te oud? Er zijn heel wat mensen van jouw leeftijd die dat doen. Waarom jij niet?'

'Hij zegt dat niemand me in de arm zal nemen tegen de tijd dat ik klaar ben.'

Het ergerde Brad dat te horen. Hij had Alex sowieso al nooit gemogen. 'Dat is onzin, Fred. Je zou een geweldige strafpleiter zijn, en ik vind dat je die studie weer moet oppakken.'

Ze glimlachte en probeerde niet eens hem uit te leggen hoe onmogelijk het zou zijn de zo koppige Alex daarvan te overtuigen.

'Alex vindt dat ik gewoon thuis moet blijven, me moet ont-

35

spannen en bridgelessen moet nemen of zoiets dergelijks.' Het klonk haar – en Brad – dodelijk in de oren. Terwijl hij naar haar keek herinnerde hij zich het lange, blonde haar dat ze als kind had gehad, en hij wenste dat hij de spelden uit haar knot kon trekken. Omwille van vroeger, want hij had haar haar altijd mooi gevonden.

'Je zou je dood vervelen. Ik vind gaan studeren absoluut het juiste idee. Je zou er eens navraag naar moeten doen.' Jack zou precies hetzelfde hebben gezegd, en daardoor werd haar enthousiasme weer gewekt terwijl een nieuwe groep naar binnen kwam en zij naar hen toe liep om hen te begroeten. Ze herkende een aantal gezichten, bedankte de mensen voor hun komst en liep even later weer terug naar Brad.

'Wat doet Pam tegenwoordig zoal? Werken jullie nog samen?' Pam en Brad waren allebei jurist en ze hadden elkaar tijdens hun rechtenstudie leren kennen, hoewel Pam een jaar eerder was begonnen. Jack was Brads getuige geweest op zijn bruiloft, maar Faith had Pam slechts een keer ontmoet. Pam had hard geleken, en in haar ogen meer dan een beetje angstaanjagend, maar absoluut wel intelligent. Brad had in Pam zonder enige twijfel zijn gelijke gevonden.

'Nee,' zei Brad grinnikend. 'Zij werkt nog steeds op het kantoor van haar vader. Hij blijft dreigen dat hij met pensioen zal gaan, maar hij is negenenzeventig en heeft de daad nog steeds niet bij het woord gevoegd. Ze verklaart me voor gek om wat ik doe.'

'Waarom?' Wat hij deed, had Faith zowel interessant als nobel geleken. Tijdens hun laatste ontmoeting had hij haar verteld dat hij als verdediger optrad van allerlei jongeren die van het plegen van ernstige misdaden werden beschuldigd.

'In de eerste plaats vanwege het geld. Het merendeel van de tijd word ik door de rechtbank toegewezen, en in de overige gevallen krijg ik er helemaal geen geld voor, of naar haar idee in elk geval niet genoeg. Ik werk dag en nacht en in de weekends. Zij is van mening dat ik een comfortabele baan op het kantoor van haar vader heb opgegeven om in de gevangenis rond te hangen met een groep jonge mensen die volgens zeggen niet te redden zijn. Het leuke is echter dat sommigen van hen wel degelijk hun leven beteren als ze daar de kans voor krijgen. Het is interessant werk en ik voel me er prettiger bij. Als je weer rechten gaat studeren, zou je gedurende de zomermaanden een keer als mijn assistente kunnen optreden,' zei hij plagend. 'Natuurlijk zou je er niet voor betaald krijgen. Je zou er mij voor kunnen betalen. Dat zou niet gek zijn.' Ze lachten allebei terwijl ze naar het buffet liepen, en Allison stelde hen voor aan een stel dat Faith nog nooit had ontmoet. Halverwege de middag waren al aardig wat gasten weer vertrokken, maar Allison vond dat ze beleefdheidshalve tot vijf uur moesten blijven, voor het geval er nog iemand laat zou komen. Dat gaf Faith de kans verder bij te praten met Brad.

'Wat valt er nog meer te vertellen, Fred?' vroeg Brad plagend toen ze weer gingen zitten nadat ze sandwiches met eiersalade en waterkers, een paar aardbeien en petitsfours hadden gegeten. 'Kleine vergrijpen? Grote vergrijpen? Parkeerbonnen? Affaires? Je kunt die tegenover mij rustig bekennen, want de relatie tussen advocaat en cliënt is vertrouwelijk.' Ze schoot in de lach. Terwijl hij naast haar zat, besefte hij hoe erg hij haar de afgelopen jaren had gemist. Je dreef zo gemakkelijk uit elkaar als je ver van elkaar vandaan woonde en een druk leven leidde – zoals hij dat in elk geval deed. Toch leek het alsof er niets was veranderd zodra ze weer samen waren. Het feit dat Jack er niet meer was bracht hen nog nader tot elkaar en zorgde voor een nog sterkere band. 'Nou, wat valt er nog meer te vertellen?' vroeg hij indringend.

'Niets,' zei ze terwijl ze haar benen over elkaar sloeg en naar hem keek. Hij was nog steeds een ongelooflijk knappe man, besefte ze. Alle meisjes waren stapel op hem geweest, ook al had Jack altijd de leukste meisjes gekregen. Hij had een onweerstaanbare charme gehad en in sommige opzichten was Brad verlegen. Dat had Faith altijd bijzonder in hem aangetrokken. 'Je zult heel teleurgesteld zijn. Geen grote of kleine vergrijpen. Ik leid een behoorlijk saai leven, en daarom wil ik weer gaan studeren. Sinds Zoe naar Brown is vertrokken, heb ik niets meer om handen. Alex heeft het voortdurend druk en Ellie is er ook niet meer. Dat is het wel zo ongeveer. Af en toe doe ik wat liefdadigheidswerk.'

'Hoe zit het met de affaires, Fred? Je bent al verdomd lang getrouwd. Ga me niet vertellen dat je je aldoor keurig hebt gedragen!' Hetzelfde had hij met haar gedaan toen ze nog jong waren. Hij had al haar geheimen altijd uit haar weten te peuteren door zich op te stellen als haar grote broer, en haar er dan later mee geplaagd. Deze keer had ze hem echter echt niets te vertellen.

'Ik heb al gezegd dat ik een heel saai leven leid. Een buitenechtelijke relatie heb ik nooit gehad. Ik denk niet dat ik daar het lef voor heb. Te ingewikkeld. Bovendien ben ik nooit iemand tegengekomen met wie ik iets had willen beginnen. Ik heb me gewoon voortdurend druk beziggehouden met de meisjes. Dat klinkt afschuwelijk saai, hè?' Ze lachte en hij grinnikte terwijl hij haar met zijn groene ogen strak aankeek.

'Dan moet je nog steeds ontzettend veel van Alex houden,' zei hij.

Faith keek nadenkend even een andere kant op, en toen weer naar hem. Het was eigenaardig dat er zelfs na al die jaren nog steeds sprake was van dezelfde intimiteit tussen hen. Ze vertrouwde hem na al die jaren nog evenzeer. In zekere zin nam hij Jacks plaats in. In bepaalde opzichten had ze zich zelfs soms meer verbonden gevoeld met Brad dan met haar broer. Brad en zij leken veel op elkaar. Jack was altijd extraverter geweest dan zij, en soms ook onmatiger. Brad en zij hadden altijd veel gemeen gehad, en ze had hem in het verleden dingen verteld waarvan ze zelfs Jack nooit deelgenoot had gemaakt.

'Nee,' zei ze eerlijk 'Ik hou niet "ontzettend veel" van hem, zoals jij stelt. Ik hou van hem. Hij is een goede man, vader en echtgenoot. We zijn ook goede vrienden. In feite ben ik er niet meer zeker van wat we nog zijn. Ik denk dat zijn werk zijn grootste liefde is. Hij heeft niemand naast zich nodig, en dat is ook nooit zo geweest. We wonen in hetzelfde huis, hebben samen kinderen, gaan samen naar zakendiners toe en zien af en toe vrienden. Het grootste deel van de tijd leiden we ons eigen leven. We hebben elkaar niet veel meer te zeggen.'

Op dat moment besefte hij dat dat de reden was van de trieste blik in haar ogen. 'Dat klikt eenzaam, Fred,' zei hij zacht, hoewel zijn eigen leven niet beter was dan het hare. Pam en hij waren al jarenlang nauwelijks meer dan kennissen. Het was niet goed tussen hen gegaan toen hij voor zichzelf was begonnen, en zij kon het nog altijd niet verkroppen dat hij het kantoor van haar vader de rug had toegekeerd. Ze zag dat als een soort verraad, dat ze persoonlijk had opgevat, en ze kon niet inzien dat wat hij deed beter voor hem was. Het stond diametraal tegenover alles wat zij wilde en waarin zij geloofde. Geld verdienen, veel geld, was voor haar veel belangrijker.

'Soms is het ook eenzaam.' Ze wilde tegenover Brad niet toegeven dat het dat altijd was. Dat leek niet eerlijk tegenover Alex, en het zou meelijwekkend klinken. 'Hij is erg op zichzelf en we hebben verschillende behoeften. Ik hou van mensen en vind het heerlijk bij de kinderen te zijn. Ik vond het ook zalig vrienden te ontmoeten, naar de bioscoop te gaan en er samen een weekend op uit te trekken. Dat alles is zo'n beetje verloren gegaan. Alex ziet er de zin niet van in dingen te doen die niets met zijn werk te maken hebben.' Zelfs golfen deed hij met cliënten, of mensen die hij wilde leren kennen om uiteindelijk zaken met hen te kunnen doen.

'Mijn hemel.' Brad streek met een hand door zijn haar en leunde geagiteerd achterover in zijn stoel. Hij vond het verschrikkelijk dat ze zo moest leven. Ze verdiende zoveel meer, zoals Jack altijd had gezegd, en Brad was dat roerend met hem eens geweest. 'Hij klinkt als Pam. Het enige dat haar interesseert, is hoeveel geld we verdienen. *And frankly, Scarlett,*' zei hij met een schaapachtige glimlach naar Faith, '*I don't give a damn.* Ik bedoel... Natuurlijk wil ik ons niet de hongerdood zien sterven, maar dat zal ook niet gebeuren. Zij verdient een fortuin op het kantoor van haar vader en ze heeft een paar heel, heel belangrijke cliënten. Verder zal hij haar alles nalaten als hij met

pensioen gaat of sterft. We hebben meer dan genoeg opzij gezet. We hebben een prachtig huis en geweldige kinderen. Wat
zouden we in vredesnaam nog meer kunnen wensen? Hoeveel
meer moeten we nog verdienen? Ik kan doen wat ik wil. Ik
hoef cliënten niet van hun fortuin te beroven of saai belas-
tingwerk voor hen te doen. Ik geniet van mijn werk en dat betekent heel veel voor me. Ik denk dat dat Pam in verlegenheid
brengt, omdat ik niet zoveel verdien als naar haar idee zou
moeten. Maar wie kan dat uiteindelijk iets schelen? We hebben meer dan genoeg om de kinderen na te laten en we leven
heel comfortabel. Ik vond dat het tijd was dat ik iets werkelijk zinnigs zou doen.'
'Dat lijkt me niet verkeerd,' zei Faith nadenkend. Ze had de
indruk dat hij de juiste beslissing had genomen – in elk geval
voor hemzelf. Het leek echter ook alsof daardoor een grote
kloof was ontstaan tussen Pam en hem.
'Voor Pam draait alles om status en prestige. Wie je kent, wat
andere mensen denken, van welke clubs je lid bent, voor welke feesten je wordt uitgenodigd. Ik weet het niet. Misschien
word ik oud, of eigenaardig, maar ik zit liever in een gevan-
geniscel met een jongere te praten dan dat ik in smoking naar
een of ander saai diner ga om daar naast een lelijk wijf te moeten zitten dat niet werkt en niets te zeggen heeft.' Hij oogde
verhit.
Faith glimlachte hem toe. 'Het klinkt alsof je het nu over míj
hebt, en dat dat het beste argument voor mij is om weer te
gaan studeren.'
'Misschien,' gaf hij eerlijk toe. 'Ik weet het niet. Ik wist alleen
dat ik iets beters met mijn leven moest doen dan bouwprojec-
ten plannen, luisteren naar jammerklachten over de belastin-
gen, of pogingen te ondernemen om mensen te helpen hun fortuin te bewaren voor hun kinderen, die zelf in hun
levensonderhoud zouden moeten voorzien maar dat waarschijnlijk nooit zullen doen. Ik denk dat ik iemand had vermoord als ik op dat kantoor was blijven werken.' Hij had de
jaren die hij voor haar vader had gewerkt afschuwelijk ge-

vonden en er sterk naar verlangd zijn biezen te pakken.

'Ik verveel me zo omdat ik de hele dag niets te doen heb,' bekende Faith. 'Ik heb het gevoel dat ik mijn leven aan het verspillen ben. De meisjes leiden hun eigen leven en Alex heeft zijn werk. Ik weet niet wat ik met mezelf aan moet nu zij er niet meer zijn om voor te zorgen. Het enige dat ik hoef te doen, is me laten zien en 's avonds het eten klaarmaken. Er zijn maar enkele musea waar ik naartoe kan gaan, en zoveel vriendinnen met wie ik kan lunchen.'

'Je zou beslist weer moeten gaan studeren,' zei hij ferm. 'Tenzij je weer aan het werk wilt gaan.'

'Wat zou ik kunnen doen? Ik heb niet meer gewerkt sinds ik in verwachting was van Eloise – Ellie – en in die tijd was ik in feite niet meer dan een opgehemelde krullenjongen. Dat kun je doen als je tweeëntwintig bent. Op mijn leeftijd is dat niet zinnig meer. Het probleem is dat ik niet langer weet wat zinnig is. Maar Alex zal een beroerte krijgen als ik mijn studie weer hervat.'

'Het kan zijn dat hij dat als een bedreiging ervaart,' zei Brad, en daar dacht Faith over na. 'Misschien vindt hij het prettig te weten dat je niets te doen hebt en afhankelijk van hem bent. Ik denk dat dat gedeeltelijk ook voor Pam opging. Naar mijn idee vond ze het prettig te weten dat ik voor hen werkte, maar het gaf mij een ontzettend claustrofobisch gevoel. Ik zou veel liever alles verknallen en zelfstandig naar de verdoemenis gaan.'

'Ik weet zeker dat dat niet zal gebeuren,' zei Faith geruststellend. 'Ik heb de indruk dat je het prima doet, of in elk geval het juiste doet. Verder heb ik ook niet de indruk dat het jou om geld gaat.' Het was een prettige positie om in te verkeren. 'Voor haar is geld heel belangrijk. Ze meet zichzelf af aan haar succes en het geld dat ze inbrengt, maar volgens mij is dat uiteindelijk niet belangrijk. Als ik doodga, wil ik weten dat ik voor iemand verschil heb uitgemaakt, dat ik het leven van een paar mensen heb veranderd, dat ik een kind heb gered, heb voorkomen dat die jongeren hun leven verwoesten. Dat kan ik niet tegen mezelf zeggen als ik belastinggeld heb bespaard voor mensen die toch al te veel poen hebben.'

'Alex en Pam zouden naar mijn idee een tweeling kunnen zijn.' Faith glimlachte hem toe. Zelfs toen ze nog kinderen waren had ze zijn principes en standpunten al gewaardeerd. Ze vond het niet prettig toen Allison haar in herinnering bracht dat ze de kamer om vijf uur weer moesten verlaten en zij om zes uur naar het vliegveld zou vertrekken.

'Ik vind dat het best goed is gegaan,' zei ze tegen Faith. Ze zagen er allemaal moe uit, maar er waren veel van Charles' oude vrienden gekomen en het was een middag vol genegenheid en respect geweest.

'Je hebt het prima gedaan,' zei Faith, die zich opeens weer afvroeg of ze elkaar ooit nog zouden zien. Hoewel ze nooit zelfs ook maar vriendinnen waren geweest, stemde dat idee haar toch triest. 'Charles zou er blij mee zijn geweest.'

'Dat denk ik ook,' zei Allison terwijl beide vrouwen hun jas pakten en Bertrand de rekening betaalde. Hij had met klem gezegd dat zij die wilden betalen. Faith had de bloemen in de kerk voor haar rekening genomen, en die bedragen waren ongeveer gelijk.

Brad liep samen met hen naar de lift. Allison en Bertrand gingen naar boven om hun spullen te halen, en Faith moest naar beneden om een taxi te nemen.

'Wanneer vertrek je weer?' vroeg Faith aan Brad.

'Morgenochtend,' zei hij terwijl de lift arriveerde en Faith en Allison elkaar omhelsden terwijl Bertrand de deur openhield.

'Pas goed op jezelf, Faith,' zei Allison. Ze waardeerde alles wat Faith gedurende de afgelopen twee dagen had gedaan, en ze hadden allebei het gevoel dat hun paden zich wellicht nooit meer zouden kruisen.

'Dat zal ik doen, en voor jou geldt hetzelfde.' Het waren de woorden van mensen die niets tegen elkaar hadden te zeggen, maar wel een stukje geschiedenis gemeen hadden.

Allison en Bertrand stapten de lift in en Faith zwaaide toen de deur dichtging. Daarna draaide ze zich met tranen in haar ogen om naar Brad. 'Ik ben het verliezen van mensen zo moe... het afscheid nemen... mensen die uit mijn leven verdwijnen en nooit meer terugkomen.'

Hij knikte en nam haar hand in de zijne toen hun lift arriveerde en ze zwijgend naar beneden gingen.

'Heb je haast om naar huis te gaan?' vroeg hij terwijl ze door de lobby naar de deur liepen die op Park Avenue uitkwam.

'Niet bijzonder. We gaan vanavond uit, maar pas om acht uur. Ik heb tijd.'

'Wil je ergens iets gaan drinken?' vroeg hij, hoewel ze de hele middag in de kamer boven aan het eten en drinken waren geweest.

'Wat zou je ervan denken als je me lopend naar huis bracht?' Het was vierentwintig huizenblokken lopen, niet al te ver dus, en ze wilde wat frisse lucht kunnen inademen. Dat idee stond Brad wel aan. Ze gingen de draaideur door en liepen arm in arm Park Avenue in noordelijke richting af.

Een tijdje zwegen ze, en toen begonnen ze tegelijkertijd te praten.

'Fred, wat ga je nu doen?'

'Waarmee ga je je bezighouden als je terug bent?'

Ze lachten en hij reageerde als eerste. 'Ik probeer een jonge jongen vrijgesproken te krijgen die per ongeluk – of misschien niet zo toevallig – zijn beste vriend heeft doodgeschoten. Ze waren verliefd op hetzelfde meisje. Hij is zestien en wordt beschuldigd van moord met voorbedachten rade. Het is een lastige zaak, en hij is een aardig joch.' Voor Brad was het een routinezaak.

'Daar kan ik weinig tegenover stellen,' zei ze, terwijl ze ondanks zijn lange benen moeiteloos naast elkaar voortliepen. Hij herinnerde zich weer hoe hij zijn stappen aan de hare moest aanpassen. Vroeger hadden ze samen veel gewandeld. 'In feite ben ik op dit moment niets aan het doen.'

'Dat zal veranderen,' zei hij losjes, en zij keek verbaasd. 'Je gaat Columbia bellen, de Universiteit van New York en elk ander instituut waar je rechten kunt studeren dat je aanspreekt.

43

Je gaat studiegidsen opvragen, en inschrijfformulieren. Je zult moeten achterhalen welke examens je moet afleggen. Dus heb je veel te doen.'

'Je hebt het allemaal al voor me uitgestippeld, hè?' Ze keek geamuseerd, maar ze moest toegeven dat het idee haar ook aanstond.

'Ik zal je volgende week bellen om te vragen hoeveel voortgang je hebt geboekt. En als je dit niet doorzet, zal ik veel stennis gaan trappen. Fred, het wordt echt tijd dat je iets gaat doen.'

Hij was weer in haar leven gekomen als het surrogaat van een oudere broer. Net als vroeger. Ze was het niet oneens met wat hij tegen haar zei, maar ze wist niet hoe ze zoiets aan Alex moest verkopen. Ze wist ook niet of ze dapper genoeg was om zo tegen Alex in te gaan. Dat leek geen goed idee en hem uitdagen had haar altijd angst ingeboezemd. Sluimerende resten van de kritiek en het verraad van haar vader hadden haar altijd doen aarzelen tegen mannen in opstand te komen. Ergens diep van binnen voelde ze dat ze angstig was. De enige mannen die haar nooit bang hadden gemaakt, waren Jack en Brad, natuurlijk.

'Heb je een e-mailadres?' vroeg hij zakelijk terwijl ze de Sixties in liepen. Het begon donker te worden en Park Avenue was felverlicht terwijl mensen van hun werk naar huis gingen.

'Ja. Kortgeleden heb ik een laptop gekocht om Zoe te kunnen e-mailen. Ik begin er behoorlijk goed in te worden.'

'Wat is je adres?'

'FaithMom@aol.com.'

'Dat zou je moeten veranderen in Fred,' zei hij glimlachend. 'Ik zal je een berichtje sturen als ik terug ben in San Francisco.'

'Dat zou ik fijn vinden,' zei ze. Het zou ook prettig zijn deze keer contact met hem te blijven houden. Ze hoopte dat ze daar allebei hun best voor zouden doen. Als hij er tijd voor had, want hij leidde een veel drukker leven dan zij. 'Dank dat je hier vandaag was. Je hebt het voor mij veel gemakkelijker gemaakt.'

'Lang geleden heb ik best wel goede tijden met Charlie beleefd, en ik vond dat ik hem dit verschuldigd was.' Het kostte haar nog steeds moeite binnen die context aan Charles te denken, maar haar stiefvader had duidelijk veel meer belangstelling voor Jack en Brad gehad dan ooit voor haar of Allison. 'En ik wilde jou zien.' Zijn stem werd zachter terwijl ze verder liepen en ongeveer halverwege haar huis waren. 'Hoe red je het zonder hem?' Ze wisten allebei dat hij het over haar broer had. 'Soms niet zo geweldig,' zei ze terwijl ze naar de stoep keek en aan Jack dacht. Hij was zo'n buitengewoon persoon geweest. In haar leven was er nooit iemand zoals hij geweest, en die zou ook nimmer meer komen. 'Op andere momenten gaat het beter. Het is eigenaardig. Ik kan me maanden prima voelen, en dan treft zijn dood me opeens weer als een mokerslag. Misschien zal dat altijd wel zo blijven.' Na zijn overlijden had ze veel tijd in haar eentje doorgebracht, worstelend met haar verdriet. Dat was een ander ding waardoor ze van haar vriendinnen vervreemd was geraakt. Verdriet maakte je eenzaam. Vaak was ze in haar eentje teruggegaan naar de kerk om voor hem te bidden, en dat had haar getroost. Ze had geprobeerd met Alex te praten over het feit dat ze haar broer zo miste, maar daar had hij zich ongemakkelijk bij gevoeld. Hij wilde er liever niets over horen. Een keer was ze naar een helderziende gegaan, die 'contact had gezocht' met Jack. Alex was razend geworden toen ze hem dat vertelde en hij had het haar verboden dat ooit nog eens te doen of er met hem over te praten. Hij had gezegd dat het ziekelijk was, en dat de helderziende misbruik van haar had gemaakt. In feite had Faith het echter prettig gevonden. Ze was nog twee keer teruggegaan, zonder dat aan Alex te melden. Nu vertelde ze Brad er wel over. Hij was ook niet overtuigd van de geloofwaardigheid ervan, maar zag er geen kwaad in als zij zich er beter door voelde.
'Ik mis hem ook, Fred,' zei hij zacht. Brad was een zachtaardige man. 'Het is vreemd je te bedenken dat hij er niet meer is. Ik kan het nog steeds niet geloven. Soms loop ik naar de telefoon om hem te bellen als er iets geestigs is gebeurd, ik van

streek ben, iets me dwarszit of ik raad nodig heb... En dan herinner ik het me opeens weer. Het lijkt onmogelijk. Hoe kan iemand als Jack domweg verdwijnen? Hij was het type man dat eeuwig moet blijven leven. Hoor jij nog wel eens iets van Debbie?' Die was om eigen redenen eveneens verdwenen en had geen enkel contact meer onderhouden met de familie van Jack. Faith wist niet eens waar ze nu was, behalve dan dat ze ergens in de buurt van Palm Beach moest wonen. In elk geval was ze daar naartoe gegaan voordat ze volledig uit beeld was verdwenen.

'Ik hoor niets van haar,' zei Faith, 'en ik weet niet of dat ooit nog zal gebeuren. Ik denk dat ze weet dat ik haar nooit heb gemogen, hoewel ik daar omwille van Jack wel mijn best voor heb gedaan. Ze heeft echt een loopje met hem genomen.' Ze had nooit gewaardeerd dat hij een geweldige man was. Dat had Faith altijd geërgerd, hoewel Jack Debbie in alle jaren dat hij met haar getrouwd was geweest, altijd tegenover haar had verdedigd. 'Ik vond hun relatie ziek en ik weet niet waarom hij alles is blijven slikken. Tijdens de begrafenis heeft ze nauwelijks een woord tegen me gezegd en twee weken later is ze vertrokken zonder afscheid te nemen. Jacks advocaat heeft me verteld dat ze is hertrouwd. Ze heeft het verzekeringsgeld gebruikt om een huis te kopen en is toen hertrouwd. Volgens mij heeft ze Jack beroerd behandeld.'

'Dat idee heb ik ook altijd gehad. Ik vind het heel jammer dat ze nooit kinderen hebben gekregen.'

'Ze zou het me waarschijnlijk toch niet hebben toegestaan die nog te zien,' zei Faith ongelukkig, en toen keek ze Brad weer aan. Het was zo prettig met hem te praten over Jack en het leven, en over vroeger. 'Ga je me echt mailen?' vroeg ze op de toon van een jong meisje. Hij wilde tegen haar zeggen dat ze haar haar los moest laten hangen, om er weer uit te zien als de Fred van wie hij altijd had gehouden. Ze was nog altijd het kleine zusje dat hij nooit had gehad. In sommige opzichten leek ze naar zijn idee nog steeds een jong meisje, en hij wilde haar beschermen.

'Dat heb ik al gezegd.' Hij sloeg een arm om haar heen en hield haar onder het lopen dicht tegen zich aan. Ze was bijna thuis. 'Je gaat toch niet weer uit mijn leven verdwijnen? Ik mis je als ik niets van je hoor. Uit mijn jeugd heb ik niemand meer, behalve jou.'

'Fred, ik beloof je dat ik van me zal laten horen. Maar ik wil dat jij gaat kijken hoe en waar je je studie kunt hervatten. De wereld heeft meer juristen zoals jij nodig.' Daar moesten ze allebei om lachen. Een paar minuten later stonden ze voor haar huis. Het zag er elegant en gedistingeerd uit, met pas geschilderde zwarte randen langs het baksteen en een smalle, gesnoeide heg aan de voorkant.

'Brad, bedankt dat je vandaag hierheen bent gekomen. Het is eigenaardig om het in de context van een begrafenis te zeggen, maar het is uiteindelijk een prettige dag geworden.' Het had veel voor haar betekend tijd met hem te kunnen doorbrengen en ze was gelukkiger dan lang het geval was geweest. Ze voelde zich op haar gemak en vredig, veilig en beschermd, bijna zoals ze zich als jong meisje in de buurt van hem en Jack had gevoeld. In haar jeugd waren zij de enigen geweest van wie zij had gehouden.

'Ik denk dat Charlie zich zou hebben geamuseerd als hij erbij was geweest, en ik ben blij dat ik ben gekomen. Het was te lang geleden dat jij en ik met elkaar hebben gesproken. Pas goed op jezelf. Ik maak me zorgen over je.' Hij keek haar bezorgd aan en zij schonk hem een dappere glimlach.

'Ik red me wel. Een veilige terugreis naar Californië, en werk niet te hard.'

'Hard werken doet me het meeste plezier,' gaf hij toe. Met uitzondering van zijn zonen was zijn werk het enige in zijn leven dat echt iets voor hem betekende. Hij had niet veel meer gemeen met Pam, en hij was er niet langer zeker van of dat ooit anders was geweest.

Hij gaf haar een stevige knuffel en hield een taxi aan. Ze keek toe terwijl hij instapte en wegreed. Net voordat ze de hoek om gingen, draaide hij het raampje open en zwaaide nog een laatste keer. Faith was er niet helemaal zeker van dat ze ooit nog iets van hem zou horen, want na zijn rechtenstudie – en opnieuw na Jacks begrafenis – was hij een paar keer uit haar leven verdwenen. Maar in elk geval hadden ze deze fijne dag samen gehad en op de een of andere eigenaardige manier leek het wel alsof Jack er ook was geweest. Ze glimlachte in zichzelf toen ze de sleutel omdraaide en naar binnen ging.

Ze kon Alex boven horen, hing haar jas op en liep langzaam de trap op, denkend aan Brad.

'Hoe is het gegaan?' vroeg Alex toen ze hun slaapkamer in liep. Ze keek hem glimlachend aan. 'Goed. Alles is prima verlopen. Allison had een kamer in het Waldorf gehuurd en na afloop van de begrafenis zijn heel wat mensen daarheen gekomen. Veel vrienden van hem en mijn moeder. En Brad Patterson. Ik had hem niet meer gezien sinds... Ik had hem al lange tijd niet meer gezien.'

'Wie is dat?' vroeg Alex afwezig. De televisie stond aan en hij had naar het journaal gekeken. Hij stond daar in zijn boxershort en zijn sokken en had een pas gesteven, wit overhemd dichtgeknoopt. Nu was zijn das aan de beurt.

'Hij is een vriend van Jack. Zijn beste vriend, in feite. We zijn samen opgegroeid, en je hebt hem ontmoet tijdens Jacks begrafenis. Hij woont in San Francisco. Je zult je hem waarschijnlijk wel niet herinneren.' Er waren zoveel mensen geweest, en Alex besteedde nooit veel aandacht aan dergelijke details of aan mensen die hem niet van pas kwamen. Brad zou voor hem tot die laatste categorie hebben behoord.

'Dat klopt. Zul jij op tijd klaar zijn?' Hij keek bezorgd. Het was een belangrijke avond voor hem: een diner dat werd gegeven door een van de oudste vennoten van het bedrijf, ter ere van een nieuwe cliënt die ze net binnen hadden gehaald. Hij wilde niet te laat komen, maar Faith was bijna altijd op tijd.

'Over een halfuur ben ik klaar. Ik zal snel een bad nemen en mijn haar doen. Hoe was het in Chicago?'

'Vermoeiend maar noodzakelijk. Het ging oké.' Hij vroeg niets over de begrafenis en dat verbaasde haar niet. Toen hij eenmaal had besloten er niet naartoe te gaan, had hij die gebeurtenis uit zijn gedachten gebannen.

Ze liep de badkamer in en kwam zoals beloofd een halfuur later weer te voorschijn, gekleed in een zwartzijden cocktailjurk en met een parelketting om haar hals. Ze had zich opgemaakt en haar haar glad over haar rug gekamd. Ze zag er eerder uit als een van zijn dochters, die allebei net zulk blond haar hadden als hun moeder, dan als zijn vrouw. Alex nam haar taxerend op, knikte en zei niets. Het zou leuk zijn geweest als hij had gezegd dat ze er mooi uitzag, maar dat had hij al lange tijd niet meer gedaan.

Vijf minuten later liepen ze het huis uit en hielden een taxi aan. Het diner werd tien huizenblokken verderop aan Park Avenue gegeven, en tijdens de rit deed Alex er het zwijgen toe. Dat viel Faith niet op. In gedachten was ze duizenden kilometers weg, bij Brad. Het was zo fijn geweest de hele middag met hem te kunnen praten. Het was heel lang geleden dat ze iemand zo in vertrouwen had genomen. Dat was voor het laatst gebeurd toen ze hem na de dood van Jack had gesproken. Opeens had ze het gevoel dat iemand was geïnteresseerd in haar leven, haar zorgen, haar angsten, de dingen die er voor haar toe deden. In hem had ze de familie gevonden waarnaar ze verlangde en die ze naar haar gevoel gedurende de laatste jaren had verloren. Het deed haar denken aan iets dat ze tegenwoordig soms vergat, namelijk dat iemand om haar gaf en zij bemind werd.

3

De week daarop ging Alex weer naar Chicago en verbazingwekkend genoeg deed hij echt een poging om het weekend na zijn terugkeer wat tijd met Faith door te brengen. Die zaterdag gingen ze wandelen in Central Park, en vroeg op de zondagavond dineerden ze in een restaurant bij hen in de buurt. Toen ze die zondag – die hij op zijn kantoor had doorgebracht – uit de kerk kwam, had hij aangeboden haar mee uit te nemen. Hij bracht in de weekends nog maar zelden tijd met haar door en zijn uitnodiging had haar ontroerd. Hij was van plan de week daarop weer naar Chicago te gaan.

Maandagavond belde Faith Zoe en vroeg of ze wat vrije tijd had. Faith miste haar erg en stelde voor haar te komen opzoeken. Zoe vond het prachtig, want zij en haar moeder hadden het altijd goed met elkaar kunnen vinden, en ze stelde voor dinsdagavond in Providence af te spreken. Ze wilde met Faith in het hotel logeren. Faith glimlachte toen ze de verbinding verbrak en opnieuw belde om een kamer te reserveren.

Dinsdagavond stapte Faith het vliegtuig uit, nam een taxi naar Providence en schreef zich in het hotel in. Zoe arriveerde een halfuur later met een kleine weekendtas. Ze zagen er eerder uit als zusters dan als moeder en dochter terwijl ze praatten, lachten, elkaar omhelsden en zich toen in de gezellige kamer comfortabel installeerden. Die avond gingen ze uit eten en Faith deed verslag van de begrafenis van Charlie en het weerzien met Brad. Ze had haar beide dochters eindeloze verhalen verteld over het opgroeien met hem en Jack en het was Zoe volkomen duidelijk dat het terugzien van die oude vriend haar moeder gelukkig had gemaakt.

'Ik heb het er met hem over gehad weer te gaan studeren,' zei Faith tijdens het dessert. Ze had daar met Zoe over gesproken voordat die naar Brown vertrok, en zij had het een geweldig idee gevonden. Daarna had ze er echter niets meer over gehoord en ze was blij te horen dat haar moeder die mogelijkheid niet terzijde had geschoven, want ze wist dat die het nodig had iets met haar leven te doen.

'Mam, ik vind het een geweldig idee,' zei Zoe aanmoedigend. Ze wist hoe eenzaam haar moeder was geweest toen Eloise en zij het huis uit waren gegaan. 'Heb je er al iets voor ondernomen?'

'Ik heb erover gedacht wat studiegidsen aan te vragen en te kijken welke testen ik moet afleggen. Ik zou me moeten voorbereiden op het toelatingsexamen, en ik ben er niet eens zeker van of ik dat zal halen. Laat staan dat ik echt de kans krijg om de studie te hervatten.' Ze was zenuwachtig maar tegelijkertijd opgewonden en Zoe vond het prachtig. Faith zag er heel wat gelukkiger en geanimeerder uit dan in maanden het geval was geweest. 'Ik zou een algemene cursus rechten kunnen volgen aan de School of Continuing Education in New York, en een broodnodige cursus om me voor te bereiden op dat toelatingsexamen. Ik heb nog geen definitieve beslissing genomen, maar het zou wel leuk zijn en heel wat interessanter dan de bridgelessen die ik volgens je vader moet gaan volgen.' Ze glimlachte Zoe bedroefd toe.

'Goed van je, mam.' Toen fronste de aantrekkelijke blondine die het evenbeeld van haar moeder was haar wenkbrauwen, want ze wist welke obstakels Faith dan allemaal zou moeten nemen. 'Heb je het pap al verteld?'

'Nog niet. We hebben het er een tijdje geleden over gehad, en hij was er niet erg mee ingenomen.' Dat was een behoorlijk understatement, zoals Zoe wist.

'Wat een verrassing, maar niet heus. Mam, de ijsman vindt het idee dat jij onafhankelijk zou zijn niet prettig. Hij wil dat je gewoon thuis blijft zitten wachten tot je voor hem kunt zorgen.'

'Dat is geen aardige opmerking over je vader,' zei Faith loyaal, hoewel ze allebei wisten dat het waar was. 'Hij is met de suggestie gekomen wat meer liefdadigheidswerk te gaan doen. Hij vindt het prettig als ik bezig ben.'

'Zolang je maar niet iets doet wat voor hem een bedreiging vormt.' Ze was verbazingwekkend scherpzinnig. 'Verder heb je al genoeg liefdadigheidswerk gedaan. Je hebt voor ons allemaal gezorgd, en nu heb je het nodig iets voor jezelf te ondernemen.' Zoe wierp zich altijd snel op als haar moeders voorvechter, en zij en Alex ruzieden daar al jarenlang over. Ze had openlijk gezegd dat haar vader alleen om zijn werk gaf. Wat haar betrof had hij het grootste deel van haar leven geen deel uitgemaakt van het gezin. Ze was zich er terdege van bewust dat haar moeder er altijd voor hen was geweest. Haar oudere zuster en zij hadden er verhitte discussies over gevoerd. Eloise had hun vader altijd vurig verdedigd, hoewel ze ook van haar moeder hield. Maar Zoe sprak ronduit over het feit dat hun vader emotioneel niet bereikbaar was en haar moeder naar haar idee slecht was behandeld. 'Mam, ik wil echt dat je het gaat doen en ik zal je achter je vodden blijven zitten tot het een feit is.'

'Jij en Brad,' zei Faith glimlachend. 'Stel dat ik dat toelatingsexamen niet haal? Misschien mag ik dat niet eens maken. Jij hebt meer vertrouwen in mij dan ik in mezelf. We zullen het wel zien.' Ze moest het nog met Alex bespreken. Dat was de crux.

'Mam, dat zijn pure uitvluchten. Natuurlijk zul je je studie kunnen hervatten, en volgens mij word je een geweldige advocaat. Laat je door pap niet ompraten. Als je eenmaal een besluit hebt genomen, kan hij niets doen om je tegen te houden. Dan zal hij zich gewoon moeten aanpassen.'

'Misschien moet ik het jou met hem laten bespreken,' zei Faith plagend. Ze was echter wel dankbaar voor het vertrouwen en de steun van haar dochter.

Daarna vroeg Faith Zoe naar haar studie en haar vrienden. Ze waren de laatsten die het restaurant verlieten, gingen terug naar het hotel en spraken nog uren met elkaar. Daarna stapten ze samen het reusachtig grote bed in. Faith keek glimlachend naar haar dochter toen die in slaap viel en bedacht zich hoeveel geluk ze had. Haar dochters waren het grootste geschenk dat Alex haar had gegeven. Eloise had beloofd voor Thanksgiving naar huis te komen en Faith dacht erover daarna een paar dagen naar Londen te gaan om wat langer bij haar te kunnen zijn. Tijd had ze nu in overvloed, maar dat zou veranderen als ze weer ging studeren.

De volgende morgen vertrok Zoe om negen uur. Ze hadden net genoeg tijd voor roereieren, Engelse muffins en een pot thee voordat Zoe haar moeder een knuffel gaf en snel wegging. Om tien uur was Faith weer onderweg naar het vliegveld en was ze diep in gedachten verzonken. Op de terugweg van het vliegveld naar huis vroeg ze de chauffeur haar naar de Universiteit van New York te brengen. Ze ging naar de rechtenfaculteit en nam een grote stapel folders en studiegidsen mee, plus wat informatie over de examens die ze zou moeten afleggen. Toen ging ze naar de School of Continuing Education om ook daar brochures op te halen. Zodra ze thuis was, belde ze Columbia. Ze spreidde de verkregen informatie op haar bureau uit en zat er vol ontzag naar te staren. Het was één ding om studiegidsen te halen, maar iets anders om weer echt te gaan studeren, en ze had er nog steeds geen idee van hoe ze Alex ertoe zou kunnen overhalen daarmee akkoord te gaan. Zoe was van mening dat ze hem voor een voldongen feit moest plaatsen, maar dat vond Faith respectloos. Hij had in deze ook iets te zeggen. Als ze de komende herfst weer ging studeren, zou dat grote verplichtingen met zich meebrengen. Ze zou thuis moeten studeren en examens moeten afleggen, en daar zouden vele uren mee gemoeid zijn. Ze zou niet meer zo beschikbaar zijn als tot nu toe het geval was geweest, en ze wist dat dat van hem een immense aanpassing zou vergen. Daar was ze nog steeds over aan het nadenken toen ze even naar haar computer keek en zag dat ze post had gekregen. Ze veronderstelde dat die van Zoe was, klikte de mailbox aan en was verbaasd en blij te zien

53

dat het berichtje van Brad afkomstig was.

'Hallo, Fred. Hoe gaat het met je? Valt er nieuws te melden? Heb je de studiegidsen al in huis? Zo niet, moet je die nu meteen gaan halen. Ik wil pas iets van je horen als je inlichtingen hebt ingewonnen. Geen tijd te verspillen. Misschien kun je in januari al colleges gaan volgen. Maak haast!

Hoe is het verder bij jou? Het was goed je de vorige week weer te zien. Je ziet er beter uit dan ooit. Is je haar nog steeds even lang als vroeger? Ik zal het met alle soorten van genoegen nog eens groen verven, op welke dag dan ook. Roze voor Valentijnsdag? Rood en groen voor Kerstmis? Ik vond dat groen er best goed uitzien, als mijn geheugen me tenminste niet in de steek laat.

Sinds mijn terugkeer ben ik keihard bezig met die zaak waarover ik je heb verteld. Het arme joch is doodsbang en ik moet hem vrijgesproken krijgen. Dat zal niet gemakkelijk zijn. Welke richting binnen de rechtenstudie interesseert jou eigenlijk? Ik denk dat je het geweldig zou doen als advocaat voor kinderen, tenzij je natuurlijk veel geld wilt gaan verdienen. In dat geval zou je met Pam moeten praten. Bedrijfsrecht is interessant. Ik heb daar geen trek in, maar jij misschien wel.

Nu moet ik weer aan het werk... en jij moet gaan studeren. Pas goed op jezelf en hou me op de hoogte. Liefs, Brad.'

Faith staarde glimlachend naar het scherm en stuurde meteen een mailtje terug. Ze was heel trots op zichzelf omdat de studiegidsen van de Universiteit van New York al op haar bureau lagen en ze hem dat kon melden, en ze voelde een kinderlijke opgewondenheid toen ze begon te typen.

'Hallo, Brad. Ben net terug uit Providence. Heb me gisteravond met Zoe prima geamuseerd. Eten, praten, veel gegiechel en geknuffel. Zij steunde jouw idee. Onderweg naar huis ben ik gestopt bij de universiteit – wees vooral trots op me!! – om alle informatie die ik nodig heb op te halen. Heb Columbia gebeld en om de hunne gevraagd. Weet niet zeker of ik het bij nog meer instituten moet proberen. In elk geval heb ik me aan mijn belofte gehouden. Zal deze week alles zorgvuldig doorlezen.

Alex is in Chicago. Ik moet het hem nog steeds vertellen, en ik ben er niet zeker van hoe hij zal reageren. Nou ja, in feite ben ik dat wel. Hij zal over de rooie gaan. Misschien zal hij het me verbieden. Wat dan? Het is de moeite niet waard vanwege een rechtenstudie aan een Derde Wereldoorlog te beginnen. Dat zou het eind van mijn plan kunnen betekenen. We zien het wel. Jouw idee van kinderrecht staat me wel aan. Het klinkt in elk geval goed. Ik weet niet precies wat het allemaal behelst, maar ik heb altijd al een zwakke plek voor kinderen gehad. Op dit moment is dat echter het paard achter de wagen spannen. Eerst Alex. Dan examens en inschrijfformulieren. Zal ik worden toegelaten? Stel dat dat niet gebeurt? Het lijkt wel alsof ik weer op de middelbare school zit.' Het jaar daarvoor had ze erg met Zoe meegeleefd toen die wachtte op bericht van de universiteiten die haar voorkeur hadden genoten. Brown was verreweg haar favoriet geweest, en ze had het geweldig gevonden toen ze daar werd toegelaten. Alex had gewild dat ze naar Princeton, Harvard of Yale ging, en hij had het verschrikkelijk gevonden dat ze voor Brown had gekozen. Hij had aan Princeton gestudeerd en haar dat ook willen zien doen. Zoe had echter voet bij stuk gehouden, ook al noemde haar vader Brown een 'hippie-universiteit'. Zoe had hem gewoon uitgelachen. Volgens haar was het 'de eerste keus van iedereen' geweest.

'Verder valt er hier niets nieuws te melden. Geen bericht van Eloise. Ik neem aan dat alles goed met haar gaat. Ze is dol op Londen. Ik wil haar daar gaan opzoeken nu ik er de tijd nog voor heb. Als ik weer ga studeren, zal ik aan handen en voeten zijn gebonden.' Het plan werd werkelijkheid door het er met Zoe en Brad over te hebben. 'Als je weer naar New York komt, moet je me bellen. In de tussentijd is dit leuk. Stuur me weer een e-mail als je daar kans toe ziet. Ik weet hoe druk je het hebt, dus maak je er geen zorgen over. Elk moment is goed. Veel liefs, Fred.' Ze glimlachte opnieuw terwijl ze haar naam typte.

Ze was een studiegids aan het doorbladeren toen haar computer opnieuw meedeelde dat ze post had. Ze klikte weer op het icoontje. Hij moest achter zijn bureau hebben gezeten toen haar e-mail binnenkwam, want dit was er een antwoord op. 'Braaf meisje! Lees alles goed door en schrijf je voor volgende trimester in bij Continuing Ed. Een cursus daar kan geen kwaad en zal je in de juiste stemming brengen. Laat Alex barsten, Fred. Hij kan voor jou geen beslissingen nemen. Hij heeft het recht niet je tegen te houden als je dit echt wilt doen, en ik denk dat dat zo is. Hij zal er wel aan gewend raken. Als je een baan had, zou je het ook druk hebben en gebonden zijn. Je kunt niet gewoon op een stoel blijven zitten, doelloos door het huis blijven rondlopen en wachten tot hij thuiskomt zodat jij hem kunt bedienen. Jij hebt een eigen leven nodig! Nu is de tijd daarvoor aangebroken! Moet er als een haas vandoor. Spoedig meer. Schrijf je in. Wees een braaf meisje. Liefs, Brad.' Het was leuk van hem te horen en hem te schrijven. Ze wiste hun mail en bracht de rest van de middag door met het lezen van de studiegidsen. Toen Alex haar die avond vanuit Chicago belde, zei ze er echter niets over. Iets zo delicaats als de suggestie dat ze weer zou gaan studeren moest worden afgehandeld als ze elkaar konden aankijken. Toen hij die vrijdagavond thuiskwam, zag hij er uitgeput uit.

Faith moest zich voor 1 december hebben aangemeld bij de administratie van juridische faculteit en zich op 1 februari officieel laten registreren als gegadigde. In april zou daar een antwoord op komen. Ze had de formulieren ingevuld om in januari twee algemene cursussen te gaan volgen, plus een stoomcursus voor het toelatingsexamen, die al heel snel zou beginnen en acht weken duurde – nog net op tijd om na de kerstdagen dat examen te kunnen doen. Die formulieren had ze echter nog niet verstuurd. Ze wilde het echt eerst met Alex bespreken, en op dit moment was hij niet in de stemming om iets anders te doen dan eten en zijn bed in duiken. Zaterdag ging hij naar kantoor en bleef daar tot laat in de avond. Zondag had ze pas het gevoel dat ze het onderwerp kon aanroeren. Hij zat te lezen in de *Times* en op de televisie werd verslag gedaan van een voetbalwedstrijd toen ze hem een kop soep en een sandwich kwam brengen. Hij keek niet op uit de krant en zei niets tegen haar terwijl ze tegenover hem ging zitten en zenuwachtig het *Times*-magazine en de boekenbijlage doorbladerde.

'Ik ben deze week bij Zoe geweest,' begon ze toen hij de televisie harder zette. 'Ze ziet er geweldig uit en ze vindt het daar heerlijk,' ging ze door, proberend zich verstaanbaar te maken. 'Dat weet ik, want dat heb je al gezegd,' zei hij zonder haar aan te kijken. 'Hoe zijn haar studieresultaten?'

'Goed, denk ik. Binnenkort moet ze tentamens afleggen.'

'Ik hoop dat ze echt aan het studeren en niet alleen aan het feesten is.' Ze was altijd een heel goede leerling geweest en Faith maakte zich geen zorgen over haar. Ze zocht naar een opening om haar eigen studie met hem te bespreken, maar dat viel gezien de televisie en de krant niet mee. Hij leek door beide te zijn betoverd en er lag nog een hele stapel leesvoer naast hem. Op een gegeven moment zou ze de duik in het diepe moeten wagen, want hij zou haar zijn aandacht niet geven tenzij zij hem daartoe dwong. Ze wachtte nog eens vijf minuten en waagde toen de sprong.

'Ik wil iets met je bespreken,' zei ze voorzichtig. Ze voelde zweet in haar handpalmen en hoopte dat hij redelijk zou zijn. Soms was het niet gemakkelijk om met hem te praten en ze begon zich net af te vragen of ze ermee moest wachten toen hij eindelijk naar haar keek en een grote slok van de soep nam. 'Lekkere soep.'

'Dank je. Ik heb het met Zoe gehad over de Universiteit van New York.' Ze begreep waarom Zoe hem de ijsman noemde. Zo leek hij soms, zelfs in de ogen van Faith. Faith hield zichzelf voor dat het niet kwam omdat hij niet om hen gaf. Hij had gewoon belangrijkere dingen aan zijn hoofd. Dat had ze altijd tegen zichzelf en de meisjes gezegd. Alex was voor geen van hen gemakkelijk benaderbaar, misschien met uitzondering van Eloise, die leek te weten hoe ze hem moest aanpakken. Faith zou hem nu echter moeten overtuigen, want dat zou niemand anders voor haar doen.

'Denkt ze erover over te stappen naar een andere universiteit?' Hij keek geschokt. 'Ik dacht dat je zei dat ze daar genoot, maar ik heb al tegen haar gezegd dat ze naar Princeton of Yale had moeten gaan.'

'Het gaat niet over haar maar over mij,' zei Faith rustig.

'Hoezo?' Hij keek neutraal en opeens kon ze Brad en Zoe bij haar zien staan, die haar vertelden wat ze moest doen.

'Ik zou graag wat colleges gaan volgen aan de Universiteit van New York.' Faith wist dat het voor hem zoiets was als het laten vallen van een bom.

'Wat voor colleges?' Hij keek meteen achterdochtig.

'Wat algemene rechtencolleges aan de School of Continuing Education. Die klinken erg interessant,' zei ze, en ze voelde zich zenuwachtig.

Hij staarde haar aan en leek allesbehalve blij. 'Faith, dat is belachelijk. Wat zou je daarmee willen doen? Waarom ga je geen cursus volgen in het museum? Dat zou veel interessanter voor je zijn.' Hij probeerde haar een andere kant op te sturen voordat ze haar zegje had kunnen doen. Ze wist echter dat ze moest doorzetten. Het enige dat ze nu kon doen, was bidden dat hij ermee akkoord zou gaan. Hun huwelijk was van dien aard dat hij zesentwintig jaar lang een veto had kunnen uitspreken over alles wat ze deed. Het was nu te laat om dat nog te veranderen. Het was begonnen omdat ze het over veel dingen eens waren, en na verloop van tijd was het voor iedereen duidelijk geworden dat Alex een dictator was. Uiteindelijk had hij het laatste woord. Hij bepaalde de regels, en door haar voorgeschiedenis had ze dat aanvaard.

'Alex, ik heb al veel cursussen in het Metropolitan Museum gevolgd en ik wil iets interessanters gaan doen.' Daarmee had ze de pin uit de handgranaat getrokken. Het enige dat ze nu nog hoefde te doen, was die naar hem toe gooien.

'Wat wil je me daarmee duidelijk maken?' Hij kende het antwoord op die vraag al voordat zij het gaf, maar hij wilde het uit haar eigen mond horen.

'Ik wil in de herfst zo mogelijk weer rechten gaan studeren.'

Ze zei het met een stille kracht en totaal niet verontschuldigend, en hield haar adem in.

'Dat is absurd. We hebben het er al eens eerder over gehad. Een vrouw van jouw leeftijd kan geen rechten gaan studeren, Faith. Niemand zal je in dienst nemen wanneer je bent afgestudeerd. Dan zou je te oud zijn.'

'Toch wil ik het graag doen. Ik denk dat het fascinerend zou zijn, en misschien is iemand wel bereid me een baan aan te bieden. Zo oud ben ik uiteindelijk ook weer niet,' zei ze, vastberaden het doel nastrevend dat ze eindelijk voor zichzelf had bepaald, ongeacht wat hij dacht.

'Dat doet niet ter zake. Heb je er enig idee van hoeveel werk je daarvoor zou moeten verzetten? De eerstkomende drie jaar zou je hier in huis opgesloten zitten om te studeren. En daarna? Een baan zoeken en veertien uur per dag werken? Je zult niet meer kunnen reizen, en 's avonds nooit meer kunnen uitgaan. Dan zul je tegen me zeggen dat we geen tijd hebben om gasten te ontvangen of ergens naartoe te gaan omdat jij examens moet doen. Als je die studie echt had willen afmaken, had je dat moeten bedenken voordat de meisjes werden geboren. Je had je studie destijds kunnen afronden, maar dat heb je niet gedaan. Nu is het daar te laat voor en dat gegeven zul je domweg onder ogen moeten zien.'

'Het is er niet te laat voor. De meisjes zijn het huis uit, Alex, en ik heb niets te doen. Ik kan mijn dagen zo plannen dat we 's avonds nog op stap kunnen gaan. Samen reizen doen we nooit meer, behalve een paar weken in de zomer, en ik beloof je dat ik dan tijd vrij zal hebben. Ik zal mijn best doen het zo te regelen dat jij er geen last van hebt.' Tevergeefs keek ze hem smekend aan.

'Dat is onmogelijk!' zei hij, uiteindelijk woest. 'Het heeft geen zin getrouwd te zijn als je je de eerstkomende drie jaar moet opsluiten. Dan kun je net zo goed achter de tralies verdwijnen! Ik kan niet geloven dat je zo onredelijk bent. Hoe kun je zoiets ook maar voorstellen? Wat is er met je aan de hand?'

'Ik verveel me dood,' zei ze rustig. 'Alex, jij hebt je werk en je eigen leven,' zei ze, Brad citerend. 'Ik zou dat voor mezelf ook graag willen. Mijn oude vriendinnen hebben een baan, of kinderen die nog thuis zijn. Ze hebben het allemaal druk en ik wil geen bridgelessen nemen, liefdadigheidswerk doen of cursussen in het museum volgen. Ik heb al een jaar rechten gestudeerd en als ze bereid zijn dat te laten meetellen, scheelt het me misschien een jaar.'

'Voor dat alles is het te laat,' gromde hij terwijl hij zijn lege soepkom hard naast hem neerzette. Hij leek zich zichtbaar bedreigd te voelen door wat ze had voorgesteld. Misschien besefte hij dat het betekende dat ze een eigen leven zou hebben waarover hij minder controle kon uitoefenen.

'Nee, dat is het niet. Ik ben zevenenveertig, en na mijn afstuderen zal ik pas vijftig zijn.'

'Als je afstudeert en als advocaat wordt toegelaten. Ook dat laatste is niet gemakkelijk, weet je.' Hij suggereerde dat ze dat niet voor elkaar zou krijgen, wat een andere vorm van controle was. De implicaties van wat hij had gezegd, ontgingen haar niet. Ze dwong zichzelf echter kalm te blijven, want ze wist dat ze alleen op die manier de overwinning zou kunnen behalen.

'Alex, dit is belangrijk voor me.' De manier waarop ze dat zei bracht hem tot zwijgen, zij het niet voor lang.

'Ik zal erover nadenken, Faith, maar ik vind dit een idioot plan.' Hij keek intens geïrriteerd en zette de televisie zo hard dat ze op geen enkele manier meer met hem kon praten. In elk geval had ze hem verteld wat ze wilde, en ze wist dat ze hem nu moest laten nadenken. Wat hij uiteindelijk zou besluiten was een andere zaak, waarover ze dan met hem in discussie zou kunnen gaan. Zoe was ook van plan er met hem over te praten. Ze wilde haar moeder een handje helpen om hem te overtuigen, omdat het voor haar zo belangrijk was dat Alex ermee akkoord ging. Faith had het gevoel zijn goedkeuring nodig te hebben voordat ze het zichzelf kon toestaan te doen wat ze wilde.

Faith ging naar haar eigen studeerkamer en klikte de e-mail aan.

'Bericht uit Hiroshima,' typte ze naar Brad. 'Ik heb de bom laten vallen. Ik heb het Alex verteld. Hij is razend. Hij denkt niet dat ik aan de universiteit zal worden aangenomen, de examens kan halen en als advocaat zal worden toegelaten. Zegt dat het een volledige tijdverspilling zou zijn, die voor hem veel ongemakken zal veroorzaken. Populair heb ik me er niet mee gemaakt. Ik denk niet dat hij er uiteindelijk mee zal instemmen. Ik wil het nog steeds graag doorzetten, maar dat zal ik echt niet kunnen doen als hij ertegen is, want dat zou niet eerlijk tegenover hem zijn. Ik ben uiteindelijk met hem getrouwd, en hij heeft het recht iets van mij te verwachten. Hij zegt dat ik te druk aan het studeren zal zijn om 's avonds de deur uit te kunnen, of met hem op reis te gaan. In feite is dat een vrij redelijk argument, zeker als ik eenmaal echt rechten ga studeren, want dan zal ik voortdurend hard moeten blokken. Nou ja, we zien het wel. Misschien zal ik me toch aanmelden voor bridgelessen. Ik schrijf je snel weer. Hoop dat alles met jou oké is. Liefs, Fred.'

Die middag keek ze op haar computer of hij een bericht had gestuurd, maar dat was niet zo. Dat gebeurde pas laat die avond. Alex had de hele middag geen woord tegen haar gezegd en ze hadden in een ijzige stilte gedineerd. Kort daarna was hij naar bed gegaan, nog altijd zonder iets te zeggen. Om vier uur 's morgens zou hij van huis gaan om naar Miami te vliegen, voor door hem geregelde besprekingen die twee dagen in beslag zouden nemen. Wat hem betrof was Faith over de schreef gegaan en het was haar duidelijk hoe boos hij was. Hij was haar aan het straffen.

In New York was het bijna middernacht toen Brads e-mail binnenkwam. 'Lieve Fred. Trek je niets aan van de vraag wat eerlijk is tegenover hem. Hoe zit het met wat eerlijk is tegenover jou? We leven niet meer in de Middeleeuwen... of wel soms? Hij doet me aan Pam denken, en al haar argumenten toen ik besloot voor mezelf te beginnen. Je hebt het recht je droom te verwezenlijken. Het is niet eerlijk van hem dat hij je de voet dwars zet. Ik begrijp zijn zorgen, maar ik ben ervan overtuigd

dat je het goed zult aankunnen. En hoewel hij het niet zal toegeven, twijfel ik er niet aan dat hij daar ook zeker van is. Dus
geef niet toe! Geef het niet op. Als je door mezelf benoemde
oudere broer verbied ik je bridgelessen te nemen. Ga als een
braaf meisje studeren!!! Hou je poot stijf.
Ik ben op kantoor nog laat aan het werk. Morgen is er een
hoorzitting van een nieuwe zaak. Een vijftienjarige, die ervan
wordt beschuldigd een achtjarig meisje te hebben verkracht. Ik
haat dat soort zaken. Werk er pro Deo voor. Lijkt me een fatsoenlijk joch, maar hij heeft duidelijk wel een paar grote problemen. Thuis is sprake van ernstig misbruik. Kinderen doen
wat hun wordt geleerd en herhalen wat hun is aangedaan. Ik
zal je ergens deze week bellen, dan kunnen we het verder bespreken.
Tot spoedig. Liefs, Brad.'
Hij had natuurlijk gelijk, wist Faith, en hij kon dat alles gemakkelijk zeggen, maar het was voor haar moeilijker ermee te
leven. Ze was met Alex getrouwd en hij was nog steeds zichtbaar boos op haar toen hij om drie uur 's nachts opstond om
op reis te gaan. Faith kwam eveneens haar bed uit, zoals altijd
wanneer hij de stad uit ging, zette koffie voor hem en maakte
toast klaar. Maar vanwege het vroege tijdstip en hun gesprek
van de dag daarvoor zei hij niets en keek haar alleen nijdig aan
voordat hij om vier uur vertrok. Ze hadden de tijd niet om
haar studieplannen nogmaals te bespreken, maar hij had duidelijk gemaakt dat hij die als een daad van oorlog zag. Ze was
er de hele morgen door van streek en 's middags belde ze Brad
op kantoor. Hij was net terug van de rechtbank en het was fijn
zijn stem te horen.
'Ik ben blij dat je me belt,' zei hij, en hij probeerde niet afgeleid te klinken. Hij had het ontzettend druk, maar hij wilde
haar steunen. 'Ik heb me de hele dag zorgen over je gemaakt.'
'Gezien alles wat jij op je bordje hebt, voel ik me al schuldig
omdat ik je bel.' Opeens was ze echter heel erg dankbaar hem
weer in haar leven te hebben. Het was het soort telefoontje dat
ze naar Jack zou hebben gepleegd. Ze wilde zijn reactie op haar

gedachten en gevoelens horen.

'Fred, hij is volstrekt onredelijk, en dat weet jij net goed als ik. Hoe heb je hem al die jaren ongestraft zijn gang kunnen laten gaan? Je bent verdorie zijn slavin niet. Je bent zijn bezit niet. Je bent met hem getrouwd. Hij hoort rekening te houden met jouw wensen.'

'Dat heeft niemand tot dusver ooit tegen hem gezegd,' zei Faith met een trieste glimlach terwijl ze naar Brad luisterde.

'Dan zou jij dat moeten doen. Ik ken geen enkele andere vrouw die zoiets van haar man zou pikken. Pam zou me vermoorden als ik haar voorschreef wat ze moest doen. We hebben maanden geruzied toen ik het kantoor van haar vader de rug had toegekeerd, maar ze respecteerde wel mijn recht om te doen wat ik voor mezelf nodig achtte. Hoewel het haar niet aanstond, wist ze wel dat ze er uiteindelijk mee zou moeten leven. Je kunt je door hem de wet niet laten voorschrijven.'

'Dat heeft hij altijd gedaan en hij verwacht dat ik me daarin schik,' gaf ze verlegen toe.

'Fred, zorg dat hij zich aanpast aan deze tijd. Dat is jouw taak. Hij zal het misschien niet leuk vinden om te horen, maar de slavernij is afgeschaft.'

'Niet voor hem,' zei ze, en ze voelde zich meteen schuldig. 'Zoiets zou ik niet moeten zeggen. Hij is er domweg aan gewend op kantoor alle touwtjes in handen te hebben en verwacht dat het thuis niet anders is.'

'Luister. Ik zou koning van Californië willen zijn, of misschien zelfs president van de Verenigde Staten als dat niet zo'n rotbaan was, maar de kans dat een van beide zal gebeuren is niet groot. We zouden allemaal graag over de wereld willen regeren als we daar de kans voor kregen. Elkaar de wet voorschrijven kan echter domweg niet. Wat voor een leven ga je tegemoet als je je plannen niet doorzet? Wat ga je dan de komende veertig jaar doen? Thuis blijven en naar de televisie kijken?'

'Ik denk dat hij dat precies in gedachten heeft.' Ze klonk ontmoedigd, wetend dat Brad gelijk had. Maar hij kende Alex niet. Hij zou haar leven tot een hel maken als ze niet deed wat hij zei. Dat deed hij altijd.

'Dat kan hij je niet aandoen. Dat kun jij niet toestaan, en ik zal je daar ook de kans niet voor geven. Ik denk dat er een reden was waarom ik naar de begrafenis van Charlie toe ben gegaan. Volgens mij heeft Jack me daarheen gestuurd om je figuurlijk eens een stevige schop onder je derrière te geven.'

'Wat een aanlokkelijk idee,' zei ze lachend. 'Misschien heb je gelijk.'

'Wat zou Jack hebben gezegd als je hem dit had verteld?' vroeg Brad. Het was een interessante vraag en hij kende het antwoord erop al voordat zij de woorden over haar lippen liet komen.

'Dan zou hij woedend zijn geweest. Hij haatte Alex, en Alex had geen hoge dunk van hem. Ze vlogen elkaar altijd in de haren.'

'En terecht, als Alex je dit ook al aandeed toen Jack nog leefde. Maar je hebt me geen antwoord gegeven op mijn vraag. Wat zou Jack hebben gezegd?' Hij wilde dat ze daarover nadacht, omdat haar broer meer gewicht in de schaal zou leggen dan hij.

'Hetzelfde als jij. Dat ik weer moet gaan studeren.'

'Waarmee ik mijn slotbetoog heb afgerond.'

'Jij hoeft niet met Alex samen te leven.'

'Misschien zou jij dat ook niet moeten doen. Als hij zich niet als een geciviliseerd, fatsoenlijk mens kan gedragen, verdient hij jou niet. Ik denk dat Jack dat ook zou hebben gezegd.'

'Waarschijnlijk wel. Maar vergeet niet met wie hij samenleefde. Vergeleken met Debbie is Alex een makkie. Zij was heel wat onredelijker dan hij.'

'Luister. Het enige dat ik wil, is dat jij gelukkig bent. Toen ik je zag, oogde je niet gelukkig. Wel verveeld, triest en eenzaam. Als je weer wilt gaan studeren, moet je dat doen. Meer dan wat dan ook heb je een droom nodig. De mijne laat ik hier in vervulling gaan. Sinds ik dit kantoor heb geopend, ben ik gelukkiger dan ooit tevoren.' Het enige probleem was dat hij 's avonds nog steeds naar huis moest gaan. Dat zei hij echter niet tegen Faith. Als hij op kantoor had kunnen slapen om Pam te ontlopen, zou hij dat hebben gedaan. De laatste tijd had de stand van zaken tussen hen een bijna ondraaglijk niveau bereikt. Ze verschilden van elkaar als dag en nacht. Ze vormden geen goede combinatie, maar omdat zijn ouders op een heel onaangename manier waren gescheiden toen hij een tiener was, wilde hij niet hetzelfde doen. Dus had hij zich neergelegd bij het feit dat er tussen Pam en hem grote verschillen waren. Pam was tegenwoordig degene die altijd in de aanval ging, klaagde over alles wat hij deed en ruzie met hem maakte over het feit dat hij nooit thuis was. In dat laatste had ze gelijk. Hij wilde niet thuis zijn. Hij was echter ook niet van plan haar te verlaten en wist dat hij dat nooit zou doen. Op deze manier was alles eenvoudiger.

'Zie ik er echt zo beroerd uit?' vroeg Faith, die klonk alsof ze van streek was. 'Zo ongelukkig ben ik nu ook weer niet, Brad. Alex en ik verschillen alleen in sommige opzichten van mening.'

'En hij is er nooit. Dat heb je zelf gezegd. Hij is zelfs niet eens met je meegegaan naar de begrafenis van Charlie. Waarom eigenlijk niet?' Hij wist meer dan wie dan ook wat het betekende om spanningen binnen het huwelijk te hebben.

'Dat heb ik je al verteld. Hij moest naar Chicago, voor besprekingen met Unipam.'

'Nou en? Die hadden best een dag kunnen wachten. Charlie zou maar één keer worden begraven. Je had zijn steun kunnen gebruiken.'

'Het was oké... en jij was er.'

'Daar ben ik blij om. Luister. Ik kan geen kritiek leveren op jouw huwelijk, want het mijne is ook niet iets om over op te scheppen. Ik zeg alleen dat hij bij je in het krijt staat als hij er voor jou zo vaak niet is. Hij kan niet van twee walletjes eten. Hij kan niet het merendeel van de tijd doen wat hij wil en er toch op rekenen dat jij thuis op hem zit te wachten. Als hij een eigen leven heeft, zou jij dat ook moeten hebben.'

'Zo ziet hij dat niet.' Ze klonk ontmoedigd.

'Dat zal veranderen als jij weigert toe te geven. Dat kan ik je beloven. Je moet voor jezelf opkomen.'

'Zo gemakkelijk is dat niet,' zei ze triest. Alex had een ijzeren wil en hij zou haar kwellen tot ze haar plannen opgaf. Dat had hij al eerder gedaan.

'Fred, ik weet dat het moeilijk is, maar het is wel de moeite waard. Je hebt geen keus. Indien je nu je poot niet stijf houdt, zul je een ellendig leven leiden en zul je je oud en depressief gaan voelen. Volgens mij staan je geestelijke gezondheid en je welzijn op het spel.'

'Je laat het klinken alsof het een kwestie van leven of dood is.' Ze glimlachte terwijl ze daar in haar kleine studeerkamer zat. Hij was een geweldige vriend.

'In sommige opzichten is het dat ook. Ik wil dat je er echt nog eens diep over nadenkt.'

'Dat zal ik doen.' Wat hij zei, was zinnig. Ze wist alleen niet hoe ze Alex zou kunnen overtuigen. Maar wellicht had Brad gelijk. Misschien zou ze daar met voldoende energie en overtuigingskracht toe in staat zijn. Het was op zijn minst de moeite van het proberen waard. 'Hoe is alles bij jou?'

'Druk. Een gekkenhuis. Ik heb zes nieuwe – en allemaal grote – zaken. We zitten tot onze nek in de stront.'

'Dat klinkt leuk,' zei ze afgunstig.

'Dat is het ook.' Ze praatten nog een paar minuten met elkaar en toen moest hij ophangen. Hij beloofde haar spoedig weer een mailtje te sturen of te bellen, en ze wist dat hij dat ook zou doen. Deze laatste twee weken was hij zo verbazingwekkend behulpzaam geweest. Hij had haar een duidelijk gedefinieerd doel gegeven, evenals perspectief en kracht, liefde en steun. Dat was een onoverwinnelijke combinatie en ze was hem er dankbaar voor. En meer dan dat: hij had haar vaste besluit de strijd met Alex aan te binden en als overwinnaar uit de bus te komen, nog eens versterkt.

4

Toen Alex vanuit Miami thuiskwam, was hij in een af-schuwelijk humeur. Faith was wijs genoeg niet naar de reden daarvoor te vragen. De besprekingen waren duidelijk niet goed verlopen. Ze maakte zwijgend eten voor hem klaar en toen hij de laatste hap had genomen, ging hij staan, liep naar boven, nam een douche en dook zijn bed in. Pas de volgende morgen tijdens het ontbijt vroeg hij hoe het met haar ging.

'Goed,' zei ze terwijl ze een kop koffie voor hem inschonk. Ze serveerde havermout, bessen en muffins, en hij leek in een iets betere bui. 'Moeilijke reis achter de rug?' Hij knikte, maar kwam niet uit zichzelf met details. Zo was hij. Als iets niet ging zoals hij dat wenste, had hij nooit veel te zeggen. En wanneer alles goed ging, kon ze dat aan zijn houding merken, al zei hij in zo'n geval óók niets.

'Ik heb met Eloise gesproken,' zei ze terwijl hij The Wall Street Journal las. Hij leek haar niet te hebben gehoord en het duurde een volle vijf minuten voordat hij vanachter de krant iets zei.

'Hoe ging het met haar?'

'Prima.' Faith was aan zijn stijl gewend en wist wat hij in werkelijkheid vroeg. 'Ze komt met Thanksgiving een lang weekend naar huis.'

'Goed.' Toen legde hij de krant neer, ging staan en keek eerst op zijn horloge en vervolgens naar zijn vrouw. 'Faith, ik heb nu de tijd niet om het met je te bespreken, maar ik wil wel dat je weet dat ik veel heb nagedacht over wat wij hebben besproken.'

'Waar doel je op?'

'Dat onmogelijke idee van jou om weer te gaan studeren. Ik wil dat het je nu zonneklaar is dat ik daarmee niet akkoord ga. Je zult iets anders moeten zoeken om te doen.' Hij wachtte niet op commentaar van haar, draaide zich op zijn hakken om en liep de kamer uit. De manier waarop hij dat deed maakte haar meteen razend. In het verleden zou ze volledig van de kaart zijn geweest, maar deze keer was ze om de een of andere reden woedend en ze liep achter hem aan de hal in. Hij was zijn regenjas aan het aantrekken omdat het buiten goot.

'Alex, je kunt me niet zomaar terzijde schuiven, en het is geen onmogelijk maar een heel redelijk idee. Ik ben bereid er hard mijn best voor te doen en ook rekening te houden met jou.'

Hij keek haar aan, op de ijskoude manier die haar jarenlang had beteugeld. 'Ik niet. Ik ben niet van plan te leven met iemand die fulltime studeert en alle spanningen en nonsens die daarmee gepaard gaan. Faith, je bent mijn vrouw, en je bent verplicht je aan de gemaakte afspraken te houden.'

'Dat ben jij ook,' reageerde ze meteen. 'Dit is niet eerlijk. Waarom kun je mij niet als persoon respecteren en beseffen dat ik nu de kinderen het huis uit zijn iets in mijn leven nodig heb, dat ik iets wil doen wat intelligentie vereist?'

'Ga naar een psychiater als je moeite hebt met het feit dat de meisjes zijn uitgevlogen, en breek je nek niet door te proberen je jeugd te laten herleven. Dat kun je niet.'

'Je doet alsof ik honderd ben. Dat ben ik niet.'

'Faith, ik weet heel goed hoe oud je bent. Je bent geen kind meer, dus gedraag je dan ook niet als zodanig. Dit hele plan is kinderachtig en onvolwassen. Gedraag je als een volwassene. Je dochters zijn op eigen benen gaan staan. Je bent getrouwd. Je hebt verantwoordelijkheden jegens mij en daar kun je geen invulling aan geven als je studeert.' Het draaide zoals altijd allemaal om hém.

'Waar maak je je zorgen over? Dat ik af en toe geen diner kan geven of bijwonen omdat ik studeer? Mijn hemel! Ik ga niet naar de maan! Ik zal hier zijn. Ik heb al tegen je gezegd dat ik

er uitstekend in zal slagen om die twee dingen te combineren.'
Ze klonk wanhopig en het scheelde niet veel of ze begon te
huilen. Hij was nog nooit eerder zo onredelijk geweest als nu.
Daar stond echter tegenover dat ze hem ook nog nimmer zo
had uitgedaagd.

'Faith, je hebt er geen idee van waarover je het hebt. Een rechtenstudie neemt je volledig in beslag. Je zult geen tijd hebben
voor iets anders, en in dat opzicht heb ik een stem in het ka-
pittel.'

'En ik niet?' vroeg ze terwijl er tranen in haar ogen brandden.

'Niet in dit geval, en wat mij betreft is deze zaak hiermee gesloten. Ga maar op zoek naar een andere bezigheid.' Voordat
ze nog iets kon zeggen deed hij de voordeur open en stapte de
regen in. Faith staarde hem na. De ijsman. Zoe had gelijk.

Alex deed de voordeur met een klap dicht. Faith liep terug naar
de gezellige, met hout gelambriseerde keuken en ging zitten.
De ontbijtspullen stonden nog op de tafel en het enige dat ze
kon doen was huilen met diepe, lange uithalen. Ze had het gevoel dat ze in een gevangenis was gezet. Hij deed alsof hij haar
bezat, alsof wat zij voelde en wenste voor hem volstrekt niets
te betekenen had. Nooit in haar leven had ze zich zo machteloos gevoeld. Ze was nog steeds aan het huilen toen ze uiteindelijk ging staan, de vuile vaat in de afwasmachine deed en
naar boven ging, naar hun slaapkamer.

Daar stond ze lange tijd voor het raam naar de regen te staren. Ze voelde zich verschrikkelijk terneergeslagen. Toen Brad
haar die middag een mailtje stuurde, reageerde ze daar niet op,
want ze had het gevoel ook jegens hem te hebben gefaald. Hij
verwachtte zoveel van haar, maar hij kende Alex niet. Niemand
kende die man. Niet zo. Andere mensen vonden hem redelijk,
intelligent en attent. Alleen Faith en zijn kinderen wisten hoe
ijskoud hij was of kon zijn. Alles moest gaan zoals hij dat wenste. Zoe had ontelbare discussies zoals deze met hem gevoerd
en het uiteindelijk opgegeven wat dan ook met hem te bespreken. Ze had hem buitengesloten. Alleen Eloise leek met
hem te kunnen praten. Hij beschouwde hen als zijn eigendom

en Faith voelde zich een slaaf van hem. Brad had gelijk.

Faith bleef de dagen daarna depressief en tijdens het ontbijt en het avondeten spraken Alex en zij nauwelijks met elkaar. Eindelijk, twee dagen nadat Alex met zijn ultimatum was gekomen, stuurde Brad haar weer een mailtje.

'Hallo. Hoe is het met je? Het is aan jouw kant zo stil geworden. Is er iets mis? Ik maak me zorgen over je. Laat me weten dat je nog leeft. Liefs, Brad.'

Met een lange zucht begon ze te typen, maar er viel niet veel te melden.

'De oorlog verloren. Alex heeft me meegedeeld dat een rechtenstudie onmogelijk is. Naar zijn idee komt die in conflict met mijn verantwoordelijkheden jegens hem. Hij heeft de hele week niet met me gesproken. Hij heeft me de wet voorgeschreven en dat was dat. Nu voel ik me ellendig. Bovendien heeft het hier de hele week geregend. Ik voel me werkelijk miserabel. Wat moet ik nu met de rest van mijn leven doen? Liefs, Fred.'

Hij antwoordde vrijwel meteen, want hij zat achter zijn bureau toen haar mailtje binnenkwam. Zodra hij dat had gelezen, was hij ernstig van streek. Hij dacht erover haar te bellen, maar besloot toch een e-mail terug te sturen.

'Dit klinkt beroerd. Hou je staande, Fred. Je bent depressief omdat je het gevoel hebt de controle over je leven te hebben verloren. En terecht, want dat is ook zo. Ik zal je niet zeggen wat je moet doen, want jij bent de enige die daarover kan beslissen. Maar als je hem je dit laat aandoen, als hij je bevelen kan geven en ultimatums kan stellen, zul je steeds depressiever worden. Heb je het idee dat je wat kunt doen om weer iets van je macht terug te krijgen? Iets waar jij je prettig bij voelt? Jij moet besluiten wat en in welke mate, maar je moet wel iets doen. Je kunt je niet als een kind laten behandelen. Hij dient jouw behoeften ook te respecteren, en als hij dat niet kan, moet je het zelf doen, want anders zul je daar een hoge prijs voor moeten betalen. Dat weet ik, omdat ik iets dergelijks heb meegemaakt. Het daarmee gepaard gaande risico lijkt heel groot, zeker met mensen zoals hij en Pam. Maar als je geen actie onderneemt, zul je jezelf verliezen, en dat is geen goede zaak.

Stel voor jezelf vast wat je moet doen om het gevoel te hebben dat je je leven iets meer – of veel meer zo je wilt – in de hand hebt, knijp dan je neus dicht en spring in het diepe. Dat is het waard. Ik zal je hand zo goed mogelijk vasthouden. Nu moet je je paraplu pakken en een eindje gaan wandelen, want ik heb de indruk dat je best wat frisse lucht kunt gebruiken. Ik ben hier als je me nodig hebt, en als je hem vermoordt, zal ik je verdedigen. Het zou ongetwijfeld een te rechtvaardigen moord zijn. Liefs, Brad.'

Ze glimlachte terwijl ze dat las en wiste de brief om te voorkomen dat iemand ooit zou kunnen lezen wat hij had geschreven. Dat deel over het vermoorden van Alex zou de meisjes van streek kunnen maken, om het zachtjes uit te drukken. Verder besloot ze zijn raad op te volgen. Ze trok laarzen en een regenjas aan en ging naar buiten. Brad had gelijk. Ze had frisse lucht nodig, en op deze manier had ze tijd om na te denken. Ze liep Lexington Avenue af en ging terug over Fifth Avenue, langs het park. Onder het lopen besefte ze niet dat ze al twee uur onderweg was. Het deed haar echter bijzonder goed. Brad had volkomen gelijk. Ze moest weer iets van haar macht terugkrijgen. Alex behandelde haar alsof ze zijn bezit was, een object dat hij had gekocht. Ze was niet langer bereid hem dat te laten doen, en dat was voor haar een immense verandering. Ze had gehoopt dat hij redelijk zou zijn en met haar plan akkoord zou gaan, maar omdat dat niet was gebeurd, wist ze nu wat ze moest doen. Ze zou de formulieren naar Continuing Ed. en de toelatingscommissie van de universiteit sturen. Dat was tenminste een begin. Later kon ze besluiten wat ze met die rechtenstudie wilde gaan doen. Op deze manier zou ze in elk geval een keus hebben. De stoomcursus voor het toelatingsexamen zou de volgende week beginnen, en daar hoefde Alex niets van te weten. Ze had nog drie maanden om met hem te overleggen, het toelatingsexamen te doen, de formulieren in te vullen om zich in te schrijven voor de universiteit. Alleen al het besluit om die eerste cursus te gaan volgen gaf haar het gevoel iets onder controle te hebben.

Die middag verstuurde ze de formulieren. Toen ze in de brievenbus vielen, stond ze daar in de regen glimlachend naar te kijken. Haar maag was verkrampt van angst, maar tegelijkertijd was haar hart lichter en haar hoofd helderder. Ze wist dat ze het juiste had gedaan. Ze rende terug naar huis en belde Brad op kantoor.

'Ik heb het gedaan!' zei ze jubelend, en hij wist meteen wie hij aan de lijn had. Ze voelde zich als een jong meisje dat op school net een tien voor taal had gekregen.

'Wat heb je gedaan?' vroeg hij met een glimlach terwijl hij achterover leunde in zijn stoel.

'Je had gelijk. In de eerste plaats ben ik in de regen gaan wandelen. Twee uur lang. Toen ben ik naar huis gegaan, heb de formulieren ingevuld en die verstuurd. Ik heb ze net in de brievenbus op de hoek gedaan en ik voel me geweldig. De cursus als voorbereiding voor het toelatingsexamen begint de volgende week. Ik zal er niets over tegen Alex zeggen. Ik ga er gewoon heen.' Ze voelde zich oneerlijk maar wel machtig, en had het idee alles veel meer in de hand te hebben.

'Op zijn minst heb ik iets gedaan om wat macht terug te krijgen. Ik voel me weer mens.' Het verbaasde haar hoe snel haar acties een eind hadden gemaakt aan haar gevoel van ellende.

'Daar ben ik blij om, Fred. Ik heb me zorgen over je gemaakt. Je klonk behoorlijk beroerd.' Erger dan dat, in feite. 'En verder ben ik heel trots op je!'

'Hoe is het tussen twee haakjes met jou? Het spijt me dat ik het alleen maar over mezelf heb gehad, omdat ik me de hele week zo beroerd heb gevoeld.'

'Dat is geen wonder. Die kleine toespraak van Alex was niet direct bedoeld om je een geweldig gevoel te geven. Dat weet ik, want ik heb dat met Pam meegemaakt toen ik zelfstandig ging werken. Dreigementen, ultimatums, schuldgevoelens, beschuldigingen. Ik dacht dat ze me zou verlaten als ik het kantoor van haar vader de rug toekeerde, maar uiteindelijk wist ik dat ik dat risico moest nemen. Als ik dat niet had gedaan, zou ik mijn zelfrespect hebben verloren en was het met mijn leven regelrecht bergafwaarts gegaan.'

'Jij bent dapperder dan ik,' zei ze, onder de indruk van wat hij had gedaan. Pam leek een gemene griet, en dat was ze ook.

'Jij doet het prima. Geef jezelf maar een tien met een griffel voor wat je vandaag hebt gedaan. Ik ben echt trots op je, Fred.'

'Dank je. Ik ben ook trots op mezelf. Als jij me niet had toegesproken, zou ik hier nog steeds zitten huilen.' Hij vond het verschrikkelijk aan een huilende Faith te denken en was blij als hij haar daadwerkelijk had kunnen helpen. 'Dank je, Brad.' Ze had nog niets definitiefs gedaan om Alex te tarten, maar ze was haar vleugels aan het uitslaan. Net voldoende om haar zelfrespect nieuw leven in te blazen.

'Graag gedaan,' zei hij zacht. Ze gaf hem het gevoel nuttig en belangrijk te zijn, en daardoor had hij het idee haar meer nabij te zijn.

'Hoe gaat het met jouw werk?' Ze klonk nu vrolijk en geïnteresseerd, en leek weer echt te leven.

'Een even groot gekkenhuis als altijd. Volgende week begint het proces tegen de jongen die van moord met voorbedachten rade is beschuldigd, en ik moet daar nog heel wat voorbereidingen voor treffen.'

'Denk je dat je zult winnen?'

'Dat hoop ik. Hij rekent erop, en ik ook, al zal het niet meevallen. Hij is een goeie jongen, en hij verdient een kans. Van voorbedachten rade was geen sprake. Maar als je een kind een wapen in handen geeft – of wie dan ook – gebeuren er nare dingen en raakt iemand gewond. Zo gaat het nu eenmaal. Laat me daar maar niet over beginnen. Fred, wat ga je nu doen? Je zei dat je niet van plan was Alex te vertellen dat je die formulieren had opgestuurd?'

'Nog niet.' Ze vond het vervelend dat ze er tegenover haar man over zou liegen, maar ze zou elke morgen niet meer dan drie uur verdwijnen, en daar zou hij nooit iets van te weten komen. Hij belde haar overdag zelden, tenzij om te vertellen dat een

73

bepaald plan was gewijzigd. Elke dag zou ze rond lunchtijd weer thuis zijn. 'Het heeft geen zin er nu al met hem om te gaan ruziën. Dan zouden we elkaar alleen maar gek maken. Mogelijk is het toelatingsexamen te moeilijk voor me. Als ik de cursus heb afgerond, zie ik wel weer verder.'

'Het zal je prima afgaan,' zei hij, en dat meende hij ook. Ze was een van de intelligentste vrouwen die hij kende, had het op school altijd goed gedaan en was al eerder toegelaten tot een rechtenstudie.

Ze wisten echter allebei dat ze uiteindelijk de confrontatie met Alex hierover zou moeten aangaan. Als ze op de universiteit werd toegelaten, zou ze een beslissing moeten nemen. Ze kon eigenlijk niet geloven hoeveel beter ze zich voelde nu ze de formulieren had verstuurd. Haar depressie was er totaal door verdwenen. Ze had niet langer het idee machteloos en kwetsbaar te zijn.

'Fred, je hebt juist gehandeld. Nu kan ik maar beter weer aan het werk gaan,' zei hij spijtig. 'Ik zou liever met jou blijven praten, maar de plicht roept.'

'Bedankt, Brad. We spreken elkaar spoedig weer,' beloofde ze hem. De rest van de middag rommelde ze in huis en ze was in een verbazingwekkend goed humeur toen Alex uit kantoor naar huis kwam. Zingend maakte ze het eten klaar.

Alex maakte daar een opmerking over zodra hij de keuken in liep.

'Jij bent in een goede bui! Wat heb je vandaag gedaan?' vroeg hij voorzichtig toen ze naar hem glimlachte. Hij had dezelfde spanning verwacht als die morgen. In plaats daarvan leek ze relaxed en opgewekt.

'Niet veel. Ik heb een lange wandeling gemaakt en wat boodschappen gedaan,' zei ze vaag. Hoewel ze het haatte tegen hem te liegen, vond ze dat ze geen keus had.

'Het heeft de hele dag geregend,' zei hij, en hij keek achterdochtig, alsof hij haar niet geloofde.

'Dat weet ik, maar toch heb ik in die regen heerlijk gewandeld,' zei ze terwijl ze het eten op tafel zette. Ze vertelde hem niet over het gesprek met Brad. Daar was geen enkele reden voor. Hij was haar geheime vriend geworden, haar voorvechter, net zoals hij dat in hun jonge jaren was geweest. Het kon geen kwaad, en Alex zou er toch geen belangstelling voor hebben gehad. In haar vriendinnen was hij ook nooit geïnteresseerd geweest, tenzij hun echtgenoot belangrijk was. Voor Brad zou hij evenmin belangstelling hebben, omdat die slechts een jeugdvriend van Jack was.

Alex vroeg niet verder naar de reden van haar goede humeur. In plaats daarvan at hij zwijgend, en zij vroeg hem hoe het met Unipam ging. Hij leek blij dat ze daarnaar informeerde en gaf haar een kort overzicht van de geboekte vooruitgang. Het was een van die zeldzame keren dat ze echt met elkaar spraken. Tegen het eind van de avond voelde ze zich meer met hem verbonden en had ze hem zijn houding ten aanzien van haar plan haar studie te hervatten vergeven. Ze hoopte nog steeds hem in de eerstkomende maanden te kunnen overtuigen. Ze gingen vroeg naar bed en het was niet verbazingwekkend dat ze dichter naar hem toe kroop nu hij zich een beetje voor haar leek open te stellen. Ze bedreven de liefde en dat gebeurde zoals altijd wat plichtmatig en niet met veel fantasie, maar het was prettig en bekend, en het schonk bevrediging. Als hij erover zou nadenken, zou hij inzien wat een verschil het uitmaakte als hij wat aardiger tegen haar deed. Met een beetje inspanning zouden ze er wellicht zelfs echt van kunnen genieten. Hij dacht echter niet veel over hun relatie na en had dat ook nooit gedaan. Hun huwelijk was domweg iets dat hij – net als de aanwezigheid van Faith – als vanzelfsprekend beschouwde.

Die maandag begon Faith aan de cursus en dat was tegelijkertijd opwindend en zenuwslopend. Ze zou een ongelooflijke hoeveelheid lesstof in zich moeten opnemen, en ze kon zich niet voorstellen hoe haar dat in acht weken kon lukken. Elke dag was ze na de lessen om één uur thuis.

De daaropvolgende weken voor Thanksgiving verliepen zonder een aanvaring tussen Alex en haar. Ze deed haar uiterste best hem niet te irriteren en daar was hij blij mee, ervan overtuigd dat ze het licht had gezien. Dat was ook zo, maar wel een ander licht dan hij dacht. Hij had het eveneens druk. Hij vloog naar Boston en Atlanta en ging nog een keer snel op en neer naar Chicago. Faith werd geheel in beslag genomen door de cursus. De twee andere cursussen waarvoor ze zich had ingeschreven zouden pas in januari beginnen. Verder was ze Thanksgiving aan het organiseren, opgewonden over het feit dat ze Eloise en Zoe weer zou zien. Een paar keer sprak ze Brad over de telefoon en hij stuurde af en toe een mailtje. Hij zat tot over zijn oren in het werk en ze hoorde eigenlijk pas echt weer van hem toen het twee dagen voor Thanksgiving achter de rug was. Tot haar grote vreugde en zijn opluchting was zijn cliënt vrijgesproken van moord met voorbedachten rade. Hij had wegens doodslag drie jaar voorwaardelijk gekregen, met aftrek van de tijd die hij in voorarrest had doorgebracht: zeven maanden. Voor Brad was het een belangrijke overwinning.

'Het was kantje boord,' gaf hij toe toen hij haar na het vonnis belde. 'De jury heeft zes dagen beraadslaagd. De moeder van dat arme joch was vrijwel hysterisch, en hij was zelf doodsbang. Dat was ik in feite ook. Het liet zich moeilijk voorspellen tot welke uitspraak de jury zou komen, want beide partijen waren met heel goede argumenten gekomen. Eind goed al goed. Ze zullen een heerlijke Thanksgiving hebben,' zei hij opgelucht. 'Hoe gaat het met jou?'

'De meisjes komen morgen naar huis en daar verheug ik me ontzettend op. We zullen hier eten, met ons vieren.' Ze hadden geen uitgebreide familie. Alex' ouders waren al jaren geleden overleden en nu was haar familie er ook niet meer.

'Brad, wat ga jij doen?' vroeg ze, gelukkig nu ze voor het eerst weer iets van hem hoorde. Praten met hem was de laatste maanden een door haar gekoesterde gewoonte geworden, en ze kon maar moeilijk geloven dat hij zoveel jaren uit haar leven was verdwenen. Het was zoiets als het weerzien van een lang verloren gewaande broer, en ze vond het heerlijk om met hem te praten. Hij gaf haar degelijke adviezen en zorgde ervoor dat ze zich echt lekker in haar vel voelde zitten. Net als haar kinderen stond hij hoog op haar lijst van degenen voor wie ze op Thanksgiving dankbaar moest zijn.

'Pam geeft een immens diner,' zei hij in antwoord op haar vraag, en hij klonk vermoeid. Hij had twee slopende weken achter de rug om het proces voor te bereiden, te pleiten en de uitspraak af te wachten. 'Ik geloof dat ze dertig of veertig gasten heeft uitgenodigd. De tel ben ik al een tijdje geleden kwijtgeraakt. Ze heeft ook wat collega's van haar kantoor gevraagd. Haar vader zal er natuurlijk zijn, plus haar stiefmoeder, hun kinderen en een stel oude vrienden. Verder een paar lui die ik nog nooit eerder heb ontmoet en waarschijnlijk deel uitmaken van de besturen en commissies waar zij in zit. Pam vindt het heerlijk veel mensen om zich heen te hebben.'

'En jij?' vroeg Faith zacht. Ze had het soort stem dat hem altijd tot rust bracht, en ze was een van die mensen die immer vrede brachten en troost boden. Ze had iets moederlijks dat hem altijd had ontroerd, en tegelijkertijd iets vrouwelijk naïefs waardoor ze jonger leek dan ze was.

'Wil je de waarheid horen? Ik zou die dag liever hebben doorgebracht met een paar mensen van wie ik hou. Pam zou zich echter bedrogen voelen als ze er geen grootse gebeurtenis van kon maken. Zo is ze nu eenmaal. 's Morgens moet ik trouwens sowieso op kantoor zijn, want na dat proces heb ik heel wat achterstallig werk in te halen.'

'Met Thanksgiving? Kun je het weekend niet vrij nemen? Je klinkt uitgeput.'

Hij glimlachte. 'Dat ben ik ook, Fred. Doodop. Maar er zijn andere jonge mensen die op me rekenen en ik kan hun zaken niet terzijde schuiven voor het weekend. Ik kan de tijd goed gebruiken.'

'Hoe zit het met de jongens? Komen die naar huis?'

'Nee, daar is Zambia te ver weg voor. Ik wil begin volgend jaar proberen naar hen toe te gaan. Het moet daar geweldig zijn. Ze zijn stapel op dat land. Ben jij er ooit geweest?'

'Nee, maar Alex wel. Hij is een paar jaar geleden met een groep

77

vrienden op safari gegaan, en ik wilde met hem meegaan. Maar geen van de andere vrouwen zou haar echtgenoot vergezellen en toen ben ik met de meisjes naar Bermuda gegaan.'

'Dat is iets geciviliseerder,' zei Brad glimlachend. 'Hoe laat ga jij Thanksgiving vieren?' vroeg hij geeuwend. Niet omdat ze hem verveelde. Hij was domweg afgedraaid door het proces. Afgeknapt. Het enige dat hij wilde doen was naar huis gaan, een douche nemen en zijn bed in kruipen. Maar hij had haar eerst willen bellen om de overwinning samen met haar te vieren. De laatste tijd maakte hij zich merkwaardig genoeg zorgen over haar als ze elkaar niet om de paar dagen over de telefoon hadden gesproken of een mailtje hadden gestuurd.

'We dineren gewoonlijk rond een uur of drie 's middags. Dat is een beetje eigenaardig tijdstip, maar de meisjes vinden het prettig, want dan kunnen we om een uur of vijf, zes naar een film gaan, of kunnen zij gaan stappen met hun vrienden. En jij?'

'De gasten komen rond de klok van zeven en het diner begint om acht uur. Ik zal je bellen voordat ik van kantoor vertrek. Tegen de tijd dat ik naar huis ga en Pams vrienden ontvang, zul jij wel klaar zijn met eten.' Hij liet het klinken alsof hij een vreemde in zijn eigen huis was, en tegenwoordig was dat soms ook zo. 'Tussen twee haakjes: hoe gaat het met die cursus?' Ze had hem daar een aantal keren over geschreven en hij had de indruk dat die een uitdaging voor haar betekende.

'Geweldig, maar het is tegelijkertijd ook heel beangstigend. Ik heb me in geen jaren mentaal zo ingespannen.' Als Alex er niet was, studeerde ze thuis ook altijd.

'Fred, ik ben trots op je,' zei hij voor de zoveelste keer, en dat was hij ook.

Een paar minuten later verbraken ze de verbinding. Faith ruimde die avond de kamers van de meisjes op en zette er vazen met verse bloemen neer. Ze wilde dat alles voor hun thuiskomst perfect zou zijn en ze voelde zich gelukkig en ontspannen toen ze naar haar eigen kamer ging. Ze begon iets te zeggen tegen Alex en besefte toen dat hij met een boek in zijn handen in slaap was gevallen. Ze legde het neer op het tafeltje naast zijn bed en deed zijn lampje uit. Hij zag er vredig en knap uit, en ze kon er niets aan doen dat ze zich afvroeg waarom hij soms zo rigide was en het haar en de meisjes zo moeilijk maakte. Toen dacht ze opeens aan Charles Armstrong. In sommige opzichten verschilden Alex' standpunten niet zo veel van de zijne. Hij had immens hoge verwachtingen van zijn kinderen. Hij wilde dat ze hard studeerden, goede cijfers haalden en succesvol waren. Dat had Charlie ook van Jack geëist toen die jong was, al had hij van haar veel minder verwacht, omdat ze 'maar' een meisje was. Alex had dezelfde ouderwetse ideeën, hoewel hij die iets had aangepast omdat hij dochters in plaats van zoons had. Hij behandelde Faith echter vrijwel net zo als Charlie haar moeder had behandeld, alsof ze een deel van de tijd niet bestond en niet zou begrijpen wat hij met zijn dagen deed, alsof ze op de een of andere manier minder competent was dan hij. Het was een subtiele vorm van devaluatie die haar als kind had geïrriteerd. Het had haar dwarsgezeten dat haar moeder zich door Charlie zo had laten behandelen. Nu besefte ze dat zij hetzelfde had gedaan. Ze had zich door Alex laten kleineren, bekritiseren en negeren. Het toelaten dat hij haar ronduit verbood rechten te gaan studeren, was iets dat haar moeder zou hebben gedaan. Terwijl ze naast hem in bed ging liggen en hij zacht snurkte, nam ze zich plechtig voor dat het nu anders zou gaan. Het tij was langzaam aan het keren.

Ze kon niet anders dan zich afvragen of ze met Alex was getrouwd omdat hij op Charlie leek. Zijn zwijgen en afstandelijkheid waren haar bekend, hoewel die in het begin niet zo opvallend waren geweest. Iets aan hem moest in die tijd bij haar een snaar hebben geraakt. Wat haar nu angst aanjoeg was dat ze net zo was geworden als haar moeder, en dat wilde ze nu juist absoluut niet. Het belangrijkste verschil was dat haar moeder had gejammerd en geklaagd en bitter was geworden, en uiteindelijk lang had geleden. Dat was wel het allerlaatste dat Faith voor zichzelf wilde. Haar moeder had hulpeloos geleken tegenover de dominante Charlie, en dat was geen voorbeeld dat Faith haar dochters wilde geven. Voor hen wilde ze het toonbeeld van waardigheid, integriteit en kracht zijn. Ze had daar wel strijd voor moeten leveren, een strijd waarbij Alex niet had gewild dat zij als overwinnaar uit de bus zou komen. Tussen hen woedde er al jarenlang stilzwijgend een oorlog. De ijsman, zoals Zoe hem noemde. Het trieste was dat dat niet helemaal waar was. Ergens had hij een warm hart, dat Faith in de beginjaren van hun huwelijk had gekend en waarvan ze had gehouden, maar dat door de jaren heen bedekt was geraakt met lagen ijs. Het was moeilijk om er nog bij te komen en ze kon er alleen af en toe een glimp van opvangen.

Terwijl ze die avond in slaap viel, hoopte ze dat het een fijne Thanksgiving zou worden. Er was geen enkele reden waarom dat niet zo zou zijn, zeker met de meisjes erbij. Opeens voelde ze zich weer nuttig. Zij hadden haar nodig, of in elk geval hadden ze haar vroeger nodig gehad. Nu zou dat weer zo zijn, al was het maar voor een paar dagen. De wetenschap dat ze weer thuis zouden zijn maakte haar gelukkig en gaf haar het idee veilig en bemind te zijn. Het stemde haar triest te beseffen dat Alex haar dat gevoel niet meer gaf. De meisjes waren de enigen die haar nog vreugde schonken.

5

Faith schrok toen ze zag dat Eloise en Zoe in de korte tijd sinds ze uit huis waren onafhankelijke jonge vrouwen waren geworden. Eloise was in september naar Londen vertrokken, en Zoe in augustus naar Brown. In die opmerkelijk korte tijd waren ze allebei drastisch veranderd. Eloise zag er opeens stijlvol en wereldwijs uit. Ze was iets afgevallen, had een nieuwe garderobe gekocht in Londense boetiekjes, en was stapel op haar werk. Ze had heel veel mensen leren kennen en ze had een nieuwe vriend: een jonge Engelsman die ook bij Christie's werkte. Hoewel Faith blij was te zien hoe goed het Ellie verging, besefte ze ook hoe leeg haar nest nu in werkelijkheid was, en dat dat zo zou blijven. Dat stemde haar triest. Eloise had het erover dat ze twee of drie jaar in Engeland wilde blijven – zo niet langer – en daarna misschien een baan zou aannemen in Parijs of Florence. Alles wat ze leerde vond ze prachtig, net als de mensen met wie ze werkte. In haar wereld was alles oké. Zoe was echt stapel op Brown. Dat was alles wat ze had gehoopt dat het zou zijn. Ze had besloten beeldende kunst als hoofdvak te nemen, en economie als bijvak. Ze wilde uiteindelijk een galerie runnen, of een bedrijf starten dat kunst kocht voor belangrijke verzamelaars. Hoewel ze pas achttien was, had ze al een duidelijk doel voor ogen.

Faith genoot van de opwinding haar twee dochters thuis te hebben. Het huis leek weer gevuld met lawaai en gelach. Deuren werden dichtgesmeten, de meisjes renden de trap op en af en laat die avond hoorde ze hen in de keuken. Tegen die tijd sliep Alex al. Eloise en hij hadden in zijn studeerkamer een lang gesprek gevoerd terwijl Faith en Zoe in haar kamer hadden zitten kletsen. Faith liep op haar tenen de trap af om zich bij de meisjes te voegen.

'Hallo, mam.' Zoe keek haar grinnikend aan. Ze zat op het aanrecht met een lepel ijs uit de bak te eten en Eloise zat op haar gemak in een stoel thee te drinken.

'Het is heerlijk dat jullie er weer zijn,' zei Faith glimlachend. 'Dit huis lijkt wel een graftombe zonder jullie.' Zoe bood haar een lepel ijs aan. Ze nam een hap en gaf Zoe toen een kusje op haar blonde, tot haar middel reikende haar. Eloise had haar haar kort laten knippen en dat stond haar goed.

'Wat gaan jullie dit weekend doen?' vroeg ze terwijl ze naast Eloise aan tafel ging zitten en naar haar glimlachte. Ze was een mooi meisje, dat iets langer was dan haar zuster. Ze hadden allebei Alex' lengte en slungelachtige gestalte, het perfecte figuur van hun moeder en een gezicht als een camee. Ze waren allebei diverse keren als model gevraagd, maar tot Faith grote opluchting waren ze daar geen van tweeën in geïnteresseerd geweest. Ze vond dat een angstaanjagende wereld, vol mensen die hen zouden hebben uitgebuit en vol gevaren in de vorm van mannen en drugs, en ze was zich er terdege van bewust dat ze met beide meisjes geluk had gehad.

'Ik zal al mijn vriendinnen kunnen zien, want ze zijn allemaal naar huis gekomen,' zei Zoe opgetogen.

'Ik ook,' zei haar oudere zus. 'Er zijn een heleboel mensen die ik wil zien.' Hoewel een aantal vriendinnen van haar een baan in een andere stad had aangenomen, of verder was gaan studeren, woonden velen van hen nog in New York. Ze had twee jaar voor Christie's in New York gewerkt voordat ze haar hadden overgeplaatst, en het leek de perfecte baan voor haar.

'Ik wou dat jullie langer konden blijven,' zei Faith melancholiek. 'Het is zo fijn jullie thuis te hebben. Ik weet niet wat ik zonder jullie met mezelf moet doen.'

'Mam, je zou een baan moeten zoeken,' zei Ellie praktisch. Faith kwam niet met de mededeling dat ze over een paar weken het toelatingsexamen voor de universiteit zou doen. Zoe was inmiddels met een van haar vriendinnen aan het bellen, en hoorde daardoor niet wat de twee anderen zeiden.

'Misschien doe ik dat een dezer dagen ook wel,' zei Faith nonchalant. 'Papa vindt dat ik liefdadigheidswerk moet gaan doen, of bridgelessen moet nemen.'

'Dat zou leuk zijn,' zei Eloise, die slokjes van haar thee nam en haar vader niet wilde tegenspreken. Gewoonlijk was ze het uit principe met hem eens, en dat was ook altijd zo geweest. Ze vond hem geweldig. Zoe leverde daarentegen kritiek op bijna alles wat hij zei en deed. Ze had het gevoel dat hij er voor haar nooit was geweest, terwijl Ellie hem de perfecte vader vond. Zij had veel meer kritiek op Faith en had in haar tienerjaren voortdurend ruzie met haar gemaakt, terwijl Zoe daarentegen altijd een makkelijk kind voor Faith was geweest. Dat was ze nog steeds. Hoewel de meisjes erg veel op elkaar leken, hadden ze totaal verschillende persoonlijkheden en dachten ze over alles heel anders.

Ze zaten een uur met zijn drieën in de keuken over koetjes en kalfjes te praten. Toen zette Faith de vuile vaat op het aanrecht en deed de lichten uit, waarna ze naar boven gingen, naar hun kamers. Faith ging naast Alex liggen en sliep die nacht als een roos, in de wetenschap dat haar dochters thuis waren. De volgende dag stond ze heel vroeg op, maakte de dressing klaar, zette de kalkoen in de oven en dekte de ontbijttafel voordat de anderen naar beneden kwamen.

Ze ontbeten laat en zaten in hun pyjama de krant te lezen terwijl Faith de kalkoen controleerde en in de eetkamer de tafel dekte. Zoe bood aan om te helpen, en Ellie zat met haar vader te praten. Er hing een ontspannen sfeer waarvan ze allemaal genoten. Zelfs Alex leek het prettig te vinden wat tijd met hen door te brengen. Pas om twaalf uur gingen ze allemaal weer naar boven om zich aan te kleden. Gewoonlijk kwamen ze op Thanksgiving om twee uur 's middags in de huiskamer bij elkaar en gingen ze om drie uur aan tafel.

Toen de meisjes aangekleed en opgemaakt weer naar beneden kwamen, gingen ze naast hun vader zitten om naar een voetbalwedstrijd te kijken. Ellie was een heel grote voetbalfan en vertelde Alex dat ze met vrienden naar een aantal rugbywedstrijden was geweest, maar dat dat toch niet hetzelfde was, en op dat moment ging Zoe Faith in de keuken helpen. Om drie uur staken ze de kaarsen aan. De tafel zag er schitterend uit en ze waren klaar om te gaan eten. Gewoonlijk lunchten en dineerden ze op deze dag niet. In plaats daarvan genoten ze – bijna traditiegetrouw – 's avonds laat van de restjes van het immense maal dat Faith had bereid. Het was een traditioneel feestmaal en het zag eruit als iets uit een tijdschrift. De kalkoen was goudbruin, er waren marshmallows, spinazie, erwten, aardappelpuree, veenbessensaus en kastanjepuree, met pompoen en appeltaart als dessert. Het was voor iedereen de lievelingsmaaltijd van het jaar.

Faith sprak zoals altijd het gebed uit en Alex sneed de kalkoen aan. Het stemde Faith een beetje triest te denken aan de jaren toen Jack en Debbie op deze dag bij hen waren geweest, net als Charlie en haar moeder. Het was eigenaardig je te bedenken dat zij allemaal waren overleden en alleen haar directe familie er nog was, maar ze probeerde daar niet lang bij stil te staan. Ze spraken over van alles en nog wat: zaken, politiek en studeren. Ze waren al met het dessert bezig toen Alex naar Faith keek en met een spottende blik in zijn ogen zijn dochters meedeelde dat hun moeder erover had gedacht weer te gaan studeren. Hij zei het alsof het iets heel dwaas was en hij keek vooral geamuseerd.

'Gelukkig is ze bij haar positieven gekomen. Ze had het krankzinnige idee haar rechtenstudie weer op te pakken en toen heb ik gezegd dat ze daar een beetje te oud voor is. In dat geval zouden we volgend jaar met Thanksgiving boterhammen met pindakaas hebben gegeten terwijl zij voor haar examens aan het blokken was,' zei hij.

Ellie lachte, Faith keek gekwetst en Zoe keek haar vader nijdig aan. Dit soort dingen deed hij, en dat haatte zij. Ze vond het afschuwelijk wanneer hij haar moeder kleineerde, wat maar al te vaak gebeurde.

'Pap, dat vind ik helemaal geen krankzinnig idee,' zei Zoe bot terwijl ze hem over de tafel heen vastberaden aankeek. Ze wilde haar armen om haar moeder heen slaan om haar tegen hem in bescherming te nemen. Net als Faith was zij ook vaak neerbuigend door hem behandeld. 'Ik vind het juist een geweldig idee.' Toen keek ze naar haar moeder, die van streek leek. 'Mam, ik hoop dat je nog steeds van plan bent dat door te zetten.' Ze hadden het er een aantal keren over gehad en ze wilde dat haar vader wist dat zij het plan goedkeurde. Hij keek geërgerd zodra Zoe het woord had genomen, maar dat deed haar niets. Ze was niet bang voor hem en ze had een eigen mening.

'Dat zullen we nog wel eens zien, schatje. Papa denkt dat ik dan niet kan doen wat ik voor hem moet doen, hoewel ik meen daar wel toe in staat te zijn. We zullen het er nog wel een keer over hebben,' zei ze, proberend het gesprek in een andere richting te sturen terwijl hij haar veelbetekenend aankeek.

'Faith, in dat opzicht valt er niets te bespreken. Die beslissing hebben we een tijdje geleden al genomen en ik dacht dat we het erover eens waren.'

Ze wist niet wat ze tegen hem moest zeggen. Ze wilde niet tegen hem liegen, wilde op Thanksgiving niet een oorlog beginnen terwijl de meisjes thuis waren. Ze was er ook nog niet aan toe hem te vertellen over de cursus en het toelatingsexamen in december. Het was de verkeerde plaats en het verkeerde moment om dat met hem te bespreken, maar hij leek er in aanwezigheid van de meisjes een punt van te willen maken om te laten blijken dat hij het laatste woord had. Zoe ging er direct tegenin, zelfs nog voordat Faith iets had kunnen zeggen.

'Volgens mij moet mam weer gaan studeren. Het enige dat ze doet, is hier in huis zitten wachten tot jij weer thuiskomt, pap. Dat is geen leven voor haar. Verder ben jij vaak op reis. Waarom zou ze geen advocaat kunnen worden als ze dat wil?'

Faith was ontroerd omdat Zoe het voor haar opnam, maar ze wilde het onderwerp zo snel mogelijk laten rusten, voordat het in een ruzie ontaardde, wat onvermijdelijk zou gebeuren.

'Ze is te oud om nog advocaat te kunnen worden,' zei Alex koppig. 'Verder heeft ze een baan. Een fulltime baan. Ze is mijn vrouw. Dat zou voor haar voldoende moeten zijn, en ik denk dat ze dat ook weet.' Alex keek streng van Zoe naar Faith, en Ellie staarde naar het restant van haar dessert omdat ze zo mogelijk niet aan de discussie wilde meedoen. Zij vond dat haar moeder parttime werk moest zoeken, of vrijwilligerswerk moest gaan doen. Ook naar haar idee was een rechtenstudie iets te veeleisend.

'Alex, waarom bespreken we dit niet wanneer de meisjes weer weg zijn?' zei Faith. Ze wilde de weinige tijd die ze samen hadden niet verpest zien, en al zeker niet op Thanksgiving. Hij bleef haar echter strak aankijken en zijn stem werd een decibel hoger.

'Faith, dat onderwerp is gesloten. Ik wilde de meisjes alleen vertellen waarover jij hebt gedacht. Het is een belachelijk idee, en dat weet je. Het is geen optie. Ik meende gewoon dat het de meisjes zou amuseren te horen met welke gedachte jij hebt gespeeld.' De manier waarop hij het zei vernederde haar en hoewel ze het niet had gewild, reageerde ze nijdig.

'Het is niet belachelijk, Alex. Ik meen het serieus en ik vind het een verdraaid goed idee,' zei ze. Hij keek stomverbaasd en Ellie leek zich steeds ongemakkelijker te gaan voelen. Ze haatte het wanneer haar ouders het oneens waren. Zoe keek namens haar moeder razend en had wel iets weg van een vulkaan die op het punt stond uit te barsten toen haar oudere zuster tussenbeide kwam.

'Mam, volgens mij zou je er veel mee op je schouders nemen. Mijn vriendinnen die rechten studeren haten die studie allemaal en kunnen het tempo nauwelijks bijhouden. Pap heeft gelijk. Het zou je moeite kosten er voor hem te zijn.' Het leek haar een redelijk argument om tegen dat plan aan te voeren, maar Zoe keek haar meteen met van woede flitsende ogen aan. 'Misschien zou pap dan een keer een offer moeten brengen, omwille van haar. Dat is een heel nieuw idee, nietwaar?' Ze keek even naar Alex, en Faith raakte in paniek door de wending die het gesprek had genomen. Ze keek waarderend naar Zoe, maar probeerde het tij te keren voordat het te laat was. 'Ik denk dat papa en ik dat samen moeten regelen. Maar wel bedankt, schatje. We hoeven nu niet meteen een beslissing te nemen,' zei ze als eeuwige vredestichter, hoewel haar hart bonsde door wat hij tegen haar had gezegd.

'Dat hebben we al gedaan, Faith. Nogmaals: dat onderwerp is gesloten.'

'Dan had jij er niet over moeten beginnen,' zei Faith in alle redelijkheid. 'Ik zou dat niet hebben gedaan. Verder is dat onderwerp nog niet gesloten. Ik heb me ingeschreven voor twee cursussen aan de School of Continuing Education, en ik begin in januari.' Ze vertelde hem niet dat ze van plan was het toelatingsexamen te doen zodat ze zich desgewenst voor een rechtenstudie zou kunnen inschrijven om daarna af te wachten hoe het zou gaan. Toch kon ze zichzelf wel een trap geven omdat ze in feite al te veel had gezegd. Ze wilde Thanksgiving voor de meisjes niet verpesten door een oorlog te beginnen, maar hij had haar zo neerbuigend en vernederend bejegend dat ze de verleiding niet kon weerstaan hem te laten weten dat hij niet alles volledig onder controle had. Daar had ze echter meteen spijt van toen hij met een vuist op de tafel sloeg, waardoor al het zilver en kristal – en de meisjes – een sprongetje maakten. Net als Faith waren ze stomverbaasd, en of Faith het nu had gewild of niet: de machtsstrijd was weer uitgebroken en hij was niet van plan die te verliezen.

'Faith, trek die aanvragen in. Bel die school. Het heeft geen enkele zin zoiets te doen. Je gaat géén rechten studeren en die beslissing is definitief. Ik zal dat niet toestaan!'

Ze wilde die cursussen alleen volgen om zich voor te bereiden op haar studie en weer in het gewenste ritme te komen. Bovendien was het een intelligentere bezigheid dan met vriendinnen gaan lunchen of winkelen.

'Wie denk je verdomme wel dat je bent?' schreeuwde Zoe terwijl haar vader ging staan en razend keek.

'Hoe durf jij zo'n toon tegen mij aan te slaan?' schreeuwde hij terug terwijl er tranen in de ogen van Faith verschenen. Ze wilde niet dat dit gebeurde. Ze wilde dat alles perfect voor de meisjes zou zijn terwijl ze thuis waren. Ze had het gevoel dat het allemaal haar schuld was, omdat ze aan het ruziën waren over haar.

'Zoe, alsjeblieft,' zei Faith zacht in een poging haar te kalmeren. Alex was echter woedend om wat ze had gezegd. Het was de culminatie van veel oude ruzies tussen hen. Zoe stond kritisch tegenover hem, al vanaf de tijd toen ze nog een jong meisje was. Zo fel als nu was ze echter nog nooit eerder van leer getrokken. Ze kon de manier waarop hij tegen haar moeder en over haar moeder sprak niet uitstaan, en het kostte Faith moeite zichzelf te verdedigen. Het feit dat ze als kind jarenlang aan kritiek onderhevig en gedomineerd was geweest, had zijn tol geëist.

'Nee, mam,' zei Zoe, die zich met tranen in haar ogen naar haar toe draaide. 'Ik begrijp niet dat je hem zo tegen je laat praten. Ik word er misselijk van, en als jij niet tegen hem zegt dat hij daarmee moet ophouden, zal ik dat doen.' Toen draaide ze zich trillend van woede weer naar Alex om. 'Je hebt zo verdomd weinig respect voor haar, en dat is altijd zo geweest. Hoe kun je haar zo behandelen? Kun je haar niet als een mens bejegenen, gezien alles wat ze voor jou, voor ons allemaal, doet? Wanneer is het haar beurt om eens met respect te worden behandeld? Waarom zou ze geen rechten kunnen gaan studeren als ze dat wil? Eerlijk gezegd zou ik volgend jaar liever hotdogs eten als ik wist dat zij gelukkig was.'

Toen nam Ellie het woord. Ze keek superieur en geïrriteerd en Faith wenste dat ze een toverstokje had waarmee ze hen allemaal in het gareel kon krijgen. 'Jij verpest altijd alles,' zei ze tegen haar jongere zuster. 'Je zit voortdurend op pap te vitten.'

'Mijn hemel! Kijk toch eens naar de manier waarop hij onze moeder behandelt! Vind jij dat oké? Vind je dat zij dat verdient? El, pap is geen heilige. Hij is gewoon een man en hij behandelt mam uiterst beroerd.'

'Hou daarmee op!' schreeuwde Faith tegen hen. Ze gedroegen

zich allemaal abominabel en dat deden ze helaas vanwege haar. De maaltijd was beëindigd op een nare manier die ze geen van allen ooit zouden vergeten. En dat alles omdat Alex er melding van had gemaakt dat Faith rechten wilde gaan studeren. Ze was ook razend op zichzelf omdat ze nijdig had gereageerd en daarmee de toon had gezet die door de meisjes was overgenomen. Ze had het idee dat ze verstandiger had moeten zijn en vond het verschrikkelijk dat zij er de reden van was dat iedereen van streek was geraakt. Zonder nog iets te zeggen stormde Alex de kamer uit, marcheerde zijn studeerkamer in en smeet de deur achter zich dicht.

'Kijk nou eens wat jullie hebben gedaan!' schreeuwde Ellie tegen haar zuster en haar moeder. 'Jullie hebben alles voor pap verpest.'

'Onzin!' schreeuwde Zoe terug. 'Jij neemt hem altijd in bescherming, maar hij is hiermee begonnen. Hij heeft mam in onze aanwezigheid gekleineerd. Hoe leuk denk je dat dat voor haar is?'

'Je had niet tegen hem moeten zeggen dat je die formulieren hebt opgestuurd,' zei Eloise verwijtend tegen haar moeder. 'Je wist dat hij daardoor van streek zou raken. Waarom heb je dat ter sprake gebracht?' Zij was ook in tranen.

'Ik was van streek,' zei Faith verontschuldigend omdat ze de twee meisjes tot bedaren wilde brengen. Ze vond het verschrikkelijk als ze ruzie maakten – zeker over haar – en voelde zich dan ook schuldig. 'Als ik had besloten weer te gaan studeren, zou ik hem dat uiteindelijk sowieso hebben verteld. Ik heb echter nog geen definitieve beslissing genomen.' Ze werd heen en weer geslingerd tussen het verlangen haar poot stijf te houden en de even sterke wens Zoe en Ellie niet van streek te maken. Ze kon altijd nog besluiten van alles af te zien.

'Mam, je moet dit doorzetten,' zei Zoe woest. 'Ik zal het jou, of pap, nooit vergeven als je dat niet doet. Je wilt weer gaan studeren en je hebt evenveel recht als wij en onze vader om te doen wat je wilt.'

'Niet wanneer je vader daar zo erg door van streek raakt en het voor zoveel herrie tussen jullie beiden zorgt.' Faith leek kapot. Waarom moesten anderen zo'n hoge prijs betalen voor iets dat voor haar zo redelijk leek?

'Hij komt er wel overheen,' zei Zoe, die nijdig naar Eloise keek. Ze haatte het wanneer haar zuster het opnam voor hun vader als die het mis had. Ellie verdedigde hem altijd, waar het ook om ging, en dat leek haar onredelijk. 'Mam moet ook een eigen leven hebben,' zei ze toen Ellie de eetkamer uit liep om haar vader te gaan troosten.

Faith was inmiddels afwezig de tafel aan het afruimen en de tranen stroomden over haar wangen. 'Ik vind het verschrikkelijk als Ellie en jij ruzie maken,' zei ze triest terwijl Zoe een arm om haar heen sloeg en haar dicht tegen zich aan hield.

'Mam, ik vind het verschrikkelijk wanneer hij jou als oud vuil behandelt. Dat doet hij altijd. Hij doet het gewoon om jou in aanwezigheid van ons te martelen.'

'Martelen doet hij me niet,' zei Faith, die de borden neerzette en Zoe een knuffel gaf. 'Ik wil je bedanken omdat je me hebt verdedigd, maar het is geen goed idee als iedereen erdoor van streek raakt. Zo is hij nu eenmaal,' zei Faith, die hem het veel gemakkelijker kon vergeven dan Zoe dat ooit zou kunnen. Zij had nog heel wat met hem te vereffenen, en daar zou haar hele leven mee gemoeid zijn. Ook dat vond Faith afschuwelijk. Ze had Zoe echter nooit tot andere gedachten kunnen brengen, want Alex had haar te lang te hard aangepakt.

'Hij is arrogant en onattent, hautain, onbeleefd en koud,' zei Zoe, die dat als zijn grootste fouten zag, toen Ellie de kamer weer in kwam. Haar vader had tegen haar gezegd dat hij alleen wilde zijn.

'Je bent een kreng,' zei Eloise vanaf de andere kant van de kamer.

'Meisjes, hou hiermee op!' schreeuwde Faith. Toen pakte ze de borden en liep de eetkamer uit. Het was een nachtmerrieachtig einde van wat een heerlijke middag had moeten zijn. Zoe kwam achter haar aan en Ellie ging naar boven om vriendinnen te bellen. Faith was verpletterd door de ramp waarop de middag was uitgedraaid.

'Mam, ik vind het verschrikkelijk jou alleen te laten,' zei Zoe verontschuldigend. 'Ik heb namelijk om zes uur een afspraak.' Het liep toen al tegen zessen.

'Dat hindert niet, schatje. Ik denk niet dat we voor dit alles vanavond een oplossing kunnen vinden, en ik hoop dat iedereen morgen tot bedaren is gekomen.'

'Morgen zal hij nog net zo reageren, mam, want zo is hij nu eenmaal.'

'Hij is nog altijd je vader en je moet hem respecteren, hoe oneens je het ook met hem bent.'

'Respect zal hij eerst moeten verdienen,' zei Zoe, die van geen wijken wilde weten. Ze was heel principieel en integer en Faith was de enige voor wie ze respect had. Haar vader had dat jaren geleden al verloren.

Ze gaf Faith een zoen en vertrok tien minuten later. Even daarna kwam Eloise naar beneden, met haar hoed en haar tas. Ze had met vrienden afgesproken en ze wilde zo snel mogelijk de deur uit, want de sfeer in huis was loodzwaar na de uitbarsting aan het eind van de maaltijd.

'Het spijt me dat het allemaal zo gelopen is,' zei Faith triest tegen haar. Ze had alles perfect willen laten zijn en ze had niet gerekend op de ruzie die zij had veroorzaakt.

'Het is niet erg, mam,' zei Ellie weinig overtuigend. Ze leek nog steeds van streek te zijn, net als de anderen.

'Ik had niet moeten reageren op wat je vader zei,' zei Faith verontschuldigend. Anders dan Zoe dat zou hebben gedaan, zei ze niet dat hij haar niet had moeten tarten. Hij had haar zonder respect bejegend, of Eloise nu bereid was om dat toe te geven of niet. 'Ik red me wel.'

'Ja, dat weet ik... Mam, ik hoop dat je niet gaat studeren, want dat zou pap zo van streek maken.'

En ik dan, wilde Faith schreeuwen. Wat voor een leven zal ik hebben als ik niet ga studeren? Helemaal geen leven! 'We zullen er wel een oplossing voor vinden,' zei ze. 'Maak je er geen zorgen over. Ga vanavond lekker stappen. Hoe laat denk je thuis te zijn?'

'Dat weet ik niet.' Ze glimlachte. Ze was vierentwintig jaar oud en ze had al een eigen appartement in Londen, waardoor ze er niet meer aan gewend was door haar moeder te worden gecontroleerd. 'Laat. Blijf maar niet voor me op.'

'Ik wilde alleen weten op welk tijdstip ik me zorgen moet gaan maken.' Ze glimlachte eveneens. 'Soms vergeet ik hoe oud je bent.'

'Ga naar bed. Over mij hoef je echt niet in de rats te zitten.'

Zoe had gezegd dat ze om tien uur thuis zou zijn, en ze maakte zich over beide meisjes zorgen als ze uit waren omdat ze mooi en veel kwetsbaarder waren dan ze dachten.

Eloise vertrok een paar minuten later en Faith was het uur daarna bezig met het afruimen van de tafel en het opruimen van de keuken. De restjes werden opgeborgen, het aanrecht was schoon, de eetkamertafel zag er weer smetteloos uit en de afwasmachine draaide op volle toeren.

Het was na zevenen toen ze de lichten uitdeed en op de deur van de studeerkamer van Alex klopte. Lange tijd werd daar niet op gereageerd, maar ze wist dat hij er was. Uiteindelijk deed ze de deur op een kiertje open en gluurde naar binnen. Hij zat in een stoel een boek te lezen en keek met gefronste wenkbrauwen op.

'Mag ik binnenkomen?' vroeg ze vanaf de andere kant van de kamer. Ze had respect voor hem en de ruimten die van hem privé waren.

'Waarom? Er valt niets te zeggen.'

'Volgens mij wel. Het spijt me dat het uit de hand is gelopen. Ik raakte van streek door wat jij zei.'

'Faith, je had er al in toegestemd dat idee om weer te gaan studeren op te geven, en nu ben je op die belofte teruggekomen. Het heeft geen enkel nut deze lente cursussen te gaan volgen. Ik neem aan dat die met rechten te maken hebben?' Ze knikte en hij keek boos en koud.

Ze voelde dezelfde ijskoude, afkeurende wind die de mannen

in haar leven haar vanaf haar kinderjaren hadden toegeblazen. Deze keer was ze echter vastbesloten anders te reageren. 'We waren het er niet over eens. Jij hebt me bevolen me naar jouw wensen te schikken.' Ze ging in een stoel tegenover hem zitten. Het was een gezellige, met hout gelambriseerde kamer met een leren bank, twee grote leren stoelen en een open haard die Alex op winteravonden vaak aanstak. Deze avond had hij dat echter niet gedaan, want daar was hij niet voor in de stemming geweest. 'Alex, dit is belangrijk voor mij. Ik heb een nieuw doel in mijn leven nodig, een reden om te leven, iets waarop ik me kan concentreren nu de meisjes het huis uit zijn.' Ze wilde hem laten begrijpen hoeveel dit voor haar betekende en hoopte dat hij er dan mee akkoord zou gaan.

'Je hebt al een doel. Je bent met mij getrouwd. Je bent mijn echtgenote.' Dat was de enige rol die hij voor haar kon zien en hij was niet van plan daar nu verandering in te brengen. Zo vond hij het prima, of het nu voor haar voldoende was of niet. 'Ik heb meer nodig dan dat. Jij bent een drukbezet man. Jij hebt een leven. Ik heb dat niet.'

'Dat is een trieste uitspraak over ons huwelijk,' zei hij, en hij keek nors. Haar smeekbeden waren aan dovemansoren gericht. 'Misschien is het dat,' zei ze zacht. 'Misschien is het een nog triestere uitspraak over mezelf. Ik heb een doel in mijn leven nodig, een groter doel dan ik nu heb. Vierentwintig jaar lang ben ik fulltime moeder geweest, en nu heb ik geen baan meer. Dat valt niet mee.'

'Zo is het leven. Alle vrouwen worden ermee geconfronteerd wanneer hun kinderen het huis uit gaan om te gaan studeren.'

'Veel vrouwen hebben een carrière. Ik wil een van hen zijn, en het enige dat ik verder tegen je kan zeggen is dat ik mijn best zal doen jou er geen hinder van te laten ondervinden.' Ze was aan het smeken, maar niets wees erop dat hij op zijn besluit zou terugkomen.

'Faith, het zal beroerd tussen ons gaan als jij niet van je plan afziet.'

'Alex, ga me niet dreigen. Dat is niet eerlijk. Zo zou ik tegen jou niet doen. Als dit belangrijk voor jou was, zou ik proberen je zo goed mogelijk te steunen.'

'Voor mij is het belangrijk dat je níet gaat studeren.' Er was sprake van een patstelling, en Faith had er geen idee van hoe ze dit zou kunnen oplossen of zou kunnen krijgen wat ze hebben wilde. Ze vond het verschrikkelijk om op te geven. Er leek opeens zoveel op het spel te staan. Niet alleen de vraag of ze wel of niet ging studeren. Dit ging over respect, eigenwaarde en een nieuw leven waarnaar ze wanhopig verlangde. Hun oude leven was voor hem echter stukken comfortabeler.

'Kunnen we dit voorlopig laten rusten?' Ze wist niet wat ze anders moest doen. Het enige waarop ze kon hopen was dat hij na verloop van tijd milder zou worden, als hij aan het idee was gewend.

'Ik zal dit niet nog eens met je bespreken,' zei hij, en toen maakte hij haar aan het schrikken. 'Faith, je doet maar wat je wilt. Ik veronderstel dat je dat sowieso zult doen. Verwacht echter geen steun van mij. Ik ben er honderd procent tegen, en ik wil dat je dat heel duidelijk weet. Als je het doorzet, gebeurt dat op jouw eigen risico.'

'Wat betekent dat?' Zijn bedekte dreigement joeg haar angst aan, wat nu precies zijn bedoeling was geweest.

'Wat ik heb gezegd.'

Ze vroeg zich af of hij haar op de een of andere manier zou straffen als ze weer ging studeren. Diep in haar hart wist ze echter dat dat de moeite waard was. Dit moest ze gewoon doen. Wat er verder ook zou gebeuren. Deze ene keer in haar leven zou ze iets helemaal voor zichzelf doen.

'Kom je naar boven?' vroeg ze zacht, dankbaar dat hij een beetje gas had teruggenomen, ook al had hij een dreigement geïmpliceerd. Misschien was dit alles wat hij kon opbrengen. Ze was in elk geval blij dat het hierbij was gebleven, want het had veel beroerder kunnen zijn.

'Nee,' zei hij. Hij keek weer naar het boek en sloot haar zoals altijd buiten.

Ze ging staan en raakte even zijn schouder aan terwijl ze de kamer uit liep. Daar reageerde hij totaal niet op. Hij leek wel een standbeeld. Ze liep naar boven om een bad te nemen, en ging toen in haar eigen kleine studeerkamer zitten wachten tot Zoe thuiskwam. Ze controleerde haar e-mail. Er was geen boodschap van Brad.

Thanksgiving was beslist een moeilijke dag geweest, maar ze had een overwinning behaald. De prijs daarvoor was echter hoog. In elk geval had ze deze ronde gewonnen, hield ze zichzelf in het stille huis troostend voor. Hij had gezegd dat ze kon doen wat ze wilde en deze ene keer was ze dat ook vast van plan. Voor haar zou het het begin van een nieuw, dapper leven worden. In feite was dat al zo.

6

Brad bleef op Thanksgiving tot vijf uur op kantoor. De jongens waren in Afrika en Pam had hem verteld dat ze met vrienden ging golfen. Hun gasten zouden om zes uur arriveren, maar ze zouden niet voor zeven of acht uur aan tafel gaan. Ze had veertig mensen uitgenodigd, van wie hij minstens de helft niet kende, en hij had niet eens de moeite genomen daar bezwaar tegen aan te tekenen. Dat was zinloos. Pam deed wat ze wilde doen, en als hij protesteerde, zorgde ze domweg voor betere argumenten om hem te overtuigen. Uiteindelijk kreeg ze altijd haar zin, misschien omdat hij te weinig energie had. Die bewaarde hij liever voor belangrijkere dingen, zoals zijn werk. Hij handelde veel papierwerk af en werkte een deel van de verdere achterstand weg. Op een sentimenteel moment schreef hij een lange brief aan zijn zoons, waarin hij vertelde hoe trots hij op hen was, en hoe dankbaar hij was voor hun bestaan. Het waren geweldige jongens en hij bewonderde hun lef om een jaar naar Afrika te gaan. Ze werkten in een wildreservaat waar ze gewonde dieren verzorgden en andere dieren hielpen die in het wild op de een of andere manier in de problemen waren gekomen. In hun vrije tijd verleenden ze assistentie in het dorp. Dylan leerde de kinderen en hun ouders lezen en Jason was greppels aan het graven voor een nieuwe riolering. Hun brieven waren tot dusver heel enthousiast en opgewonden geweest. Het was een onvergetelijke ervaring voor hen. Ze zouden er blijven tot juli, en hij had zichzelf en Pam beloofd dat hij wat tijd zou vrijmaken om hen een paar weken te bezoeken. Tot dusver had hij daar echter de kans niet voor gehad, evenmin als Pam. Zij was heel wat minder enthousiast over een reis naar Afrika dan hij. Ze was doodsbang voor ziekten, ongelukken en insecten. Haar idee van een avontuur was een vliegtuig pakken naar L.A. en daar bij vrienden in Bel-Air logeren.

Door de jaren heen hadden zij en Brad een paar reizen gemaakt, maar nooit naar exotische oorden. Gewoonlijk waren ze naar Europa gegaan, of naar een plaats ergens in de Verenigde Staten. Ze hadden in luxueuze hotels gelogeerd en in drie- en viersterrenrestaurants gegeten. Pam vond het heerlijk om naar een kuuroord te gaan als ze daar tijd voor had, en te golfen met zakenrelaties of cliënten die ze voor het kantoor probeerde binnen te slepen. Bijna alles wat Pam deed had het doel er op de een of andere manier zelf beter van te worden, sociaal of beroepshalve. Ze ondernam zelden iets omdat het gewoon leuk was. Ze had altijd een plan, en ze leek totaal niet op Brad. Hij had geen maatschappelijke ambities, verlangde er niet naar de wereld te runnen, had geen behoefte aan gigantisch veel geld en was alleen hartstochtelijk ten aanzien van zijn werk. De rest ging langs hem heen. Pam plaagde hem daar soms mee en had geprobeerd hem te leren hoe hij hebzuchtig en succesrijk moest zijn. Het waren lessen die hij tot haar grote verdriet had geweigerd te leren. Sinds hij voor zichzelf was gaan werken, had ze die strijd opgegeven. Meestal – bijna altijd zelfs – gingen ze ieder hun eigen gang, en dat werd door Brad als een opluchting ervaren. De energie die zij in haar maatschappelijke en zakelijke leven stopte putte hem uit. Opscheppen, in de krant staan of indruk maken op mensen in haar wereld waren zaken die hem totaal niet interesseerden.

Brad sloot de brief aan zijn zoons af met de mededeling dat hij van hen hield. Gedurende de afgelopen vier maanden hadden ze slechts een paar keer gebeld. In het wildreservaat was geen telefoon. Daar waren alleen radio's die in verbinding stonden met boerderijen in de buurt en de dichtstbijzijnde stad. Om naar huis te bellen moesten ze uren op het postkantoor in de stad wachten op een buitenlijn. Het leek hem iets als op een andere planeet zijn. Maar ze schreven af en toe wel, en dat deed hij ook. Pam bleef pakjes sturen met vitamines en middelen tegen insecten die door haar secretaresse waren gekocht, en tot dusver waren al die pakjes op twee na gestolen of zoekgeraakt. Ergens in Zambia waren medewerkers van de posterijen of douanebeambten die haar vitamines slikten en geen last meer hadden van insecten. Hij ging er echter vanuit dat de jongens het goed maakten.

Hij dacht erover Faith te bellen voordat hij wegging van kantoor, maar toen hij op zijn horloge keek, besefte hij dat ze waarschijnlijk op het punt stond aan tafel te gaan. Het was echt geweldig dat hij haar weer had gevonden. Ze was een deel van zijn jeugd, zijn geschiedenis, een herinnering aan een voor hem gelukkige tijd. Zijn ouders waren gescheiden en hij had altijd het gevoel dat de ruzie die daarmee gepaard was gegaan hun beider dood had veroorzaakt. Zijn moeder was op drieënveertigjarige leeftijd aan borstkanker overleden, na geobsedeerd te zijn geweest door de dingen die Brads vader haar had aangedaan, en zijn vader had twee jaar later een hartaanval gekregen. Ze waren bitter geworden en dat ook gebleven: boze mensen die er alleen in waren geïnteresseerd elkaar kwaad te berokkenen. Zijn vader had geweigerd de begrafenis van zijn ex bij te wonen, als laatste belediging aan haar adres, en Brad was de enige geweest die daardoor gekwetst was. Hij had zich plechtig voorgenomen nooit te trouwen. Toen hij Pam had leren kennen en haar mee uit had genomen, had het haar veel moeite gekost hem tot een huwelijk over te halen. Toen haar dat uiteindelijk was gelukt door met een hard ultimatum te komen, had hij zich even plechtig voorgenomen nooit te scheiden. Hij wilde niet dat zijn zoons hetzelfde verdriet zouden kennen. Toen hij met Pam was getrouwd en de woorden 'in voor- en tegenspoed' over zijn lippen had laten komen, had hij dat gemeend. Hij wist dat hij voor het leven met haar was getrouwd, wat er later ook zou gebeuren.

Toen hun paden langzaam uit elkaar begonnen te lopen en zij hem telkens weer teleurstelde, had dat hem filosofisch gemaakt. Hij wist dat hij voor haar ook een teleurstelling was. Naar haar idee was hij niet ambitieus genoeg, noch in dezelfde dingen geïnteresseerd als zij. Sinds de jongens van school waren gekomen, hadden Pam en Brad geen enkele gezamenlijke interesse meer, en slechts een paar vrienden die ze allebei mochten. Brads waarden waren volstrekt anders dan de hare en de enige vreugde die ze nog deelden, was die in hun zoons.

Brad deed de lichten uit en stapte in de Jeep die hij voor zijn werk gebruikte. Thuis in de garage stond een Mercedes, maar die nam hij nog slechts zelden. Zo'n wagen zond het verkeerde signaal uit voor een door de rechtbank toegewezen advocaat, of iemand die voornamelijk pro Deo werkte en behoeftige jongeren verdedigde die van geweldsdelicten waren beschuldigd. De Mercedes maakte hem verlegen en hij had erover gedacht hem te verkopen, ondanks het feit dat Pam net een Rolls voor zichzelf had gekocht. Het verschil qua auto's leek – in elk geval in zijn ogen – een symbool van alle andere verschillen tussen hen.

Hij maakte zichzelf niet wijs dat hij gelukkig met haar was. Hoewel hij al lange tijd geen illusies meer koesterde ten aanzien van zijn huwelijk, was hij vastbesloten daar nooit consequenties uit te trekken. Pam voelde zich ook prettig bij de status quo. Hij vermoedde dat ze van tijd tot tijd een kortstondige affaire had, en hij had twee jaar lang een relatie onderhouden met een getrouwde secretaresse. Die was op een gegeven moment gescheiden en toen meer van hem gaan verlangen. Hij had haar ten aanzien van zijn plannen nooit een rad voor ogen gedraaid en ze waren als vrienden uit elkaar gegaan. Dat was nu drie jaar geleden en sinds die tijd had Brad geen verhouding meer gehad. Hij zou zich eenzaam hebben gevoeld als hij daar eens over had nagedacht, maar dat stond hij zichzelf niet toe. Hij accepteerde de situatie zoals die was en begroef zich in zijn werk.

Gedurende de laatste twee maanden had het praten met Faith echter een andere dimensie aan zijn leven toegevoegd. Hij had geen romantische ideeën ten aanzien van haar. Integendeel. Voor hem was ze heilig en hij koesterde de vriendschap die ze hadden. Ze leek hem perfect te begrijpen en deelde veel van zijn standpunten. Omdat ze zich zelf eenzaam voelde, kon ze hem benaderen op manieren die anderen nooit zouden hebben gedurfd. In zijn gedachten was ze nog steeds een jonger zusje, en dat had tot gevolg dat hij haar volkomen kuis bejegende. Wat hij voor haar voelde was heerlijk. Hij genoot van wat ze tegen elkaar zeiden, van het feit dat hij haar kon helpen en er voor haar kon zijn. Hij was vastbesloten al het mogelijke te ondernemen om haar aan te moedigen weer te gaan studeren, en hij hoopte dat ze dat ook echt zou gaan doen. Hij had het gevoel dat hij een beetje nuttig voor haar was, en daar voelde hij zich prettig bij. Ze was, in alle betekenissen van dat woord, zijn vriendin.

Even na zessen draaide Brad de oprijlaan naar zijn huis op. Hij was van plan geweest om vijf uur thuis te zijn en zich dan om te kleden, maar het had langer geduurd om alles af te handelen dan hij had gedacht. Hij wist dat hij niet meer dan een paar minuten nodig had om een douche te nemen en andere kleren aan te trekken. Hij schrok toen hij zag dat er al gasten waren gearriveerd. Ze stonden in hun smoking in de grote hal en keken verbaasd toen ze hem in een spijkerbroek en een sweatshirt naar binnen zagen komen.

Pam stelde hem voor aan een stuk of tien mensen die hij nog nooit had ontmoet, en toen verdween hij naar hun slaapkamer. Ze deelden die kamer – en het bed – nog steeds, hoewel ze al vijf jaar niet meer samen de liefde hadden bedreven. Dat zat hem niet meer dwars en hij had al zijn seksuele impulsen met andere dingen gesublimeerd. Het enige dat hem daarnet bij het zien van al die mensen aan het schrikken had gemaakt, was dat ze een smoking droegen. Hij was totaal vergeten dat Pam dit jaar een formele gebeurtenis van Thanksgiving had gemaakt – iets wat hij belachelijk vond. Voor hem ging het die dag om familie en mensen om wie je heel veel gaf, die dan om een tafel heen gingen zitten, of bij een fel brandende open haard. Die dag stelde alleen iets voor als je hem deelde met mensen van wie je hield, of met goede vrienden. Niet met onbekenden in smoking en avondjurk die champagne stonden te drinken. Hij had Pam echter beloofd het spel te spelen, en hij vond dat hij het aan haar verplicht was dat in elk geval te proberen. De meeste feestjes die zij gaf meed hij met opzet, of omdat hij niet van zijn werk weg kon. Wel waren er bepaalde gebeurtenissen waarop hij braaf verscheen, zoals Thanksgiving, haar kerstfeest en elk jaar de openingsavond van de opera, het ballet en het symfonieorkest als ze niemand anders had die haar kon begeleiden. Hij moedigde haar altijd aan te proberen iemand te vinden.

Een halfuur later was hij in zijn smoking in de huiskamer. Hij zag er knap en heel verzorgd uit en voor iedereen die hem goed kende was het duidelijk dat hij zich stierlijk verveelde. Hij sprak met haar vader over twee nieuwe cliënten die ze hadden binnengehaald. Dat waren belangrijke bedrijven, en voor Pam was het een echte coup geweest, zoals haar vader zei. Hij was extreem trots op haar. Ze had alles van hem geleerd, haar zakelijke scherpzinnigheid, haar juridische vaardigheden, haar normen en waarden, haar ambities en haar vermogen onder bijna alle omstandigheden terecht of onterecht haar zin te krijgen. Pam was geen vrouw tegen wie je makkelijk nee zei, of die een afwijzing accepteerde. Ze was met gemak de meest vastberaden vrouw die Brad ooit had ontmoet. Hij had geleerd de degens zo mogelijk niet met haar te kruisen en als hij moest voorkomen door haar onder de voet te worden gelopen, deed hij gewoon een stap opzij. Voor hem werkte het op die manier beter en daardoor kon hun huwelijk blijven voortbestaan. Zijn liefde voor haar was verdwenen door de manier waarop ze hem had behandeld, maar zelfs toen dat gevoel dood was had hij zijn uiterste best gedaan om de uiterlijke schijn van hun huwelijk in stand te houden.

'Wil je dat ik je voorstel aan de mensen die je niet kent?' vroeg Pam aan Brad terwijl ze naast hem ging staan en haar vader een arm gaf.

Hij draaide zich glimlachend naar haar toe en zei: 'Ik vermaak me prima. Je vader en ik hebben de loftrompet over jou afgestoken. Hij heeft me verteld dat je de laatste tijd een paar grote successen hebt geboekt. Je doet je werk fantastisch.' Ze keek blij om die lovende woorden. Brad probeerde haar te prijzen als hij vond dat ze dat verdiende, ook al had hij niet veel respect voor de arena waarin zij werkte. Zij maakte hem zelden een compliment. Het merendeel van de tijd besteedde ze geen enkele aandacht aan wat hij deed, hoe belangrijk dat voor hem of de rest van de wereld ook leek te zijn. De invloed die Brad op hun zoons had, verontrustte haar ook. Ze achtte hun altruïstische neigingen van geen enkel belang, en ze had een aantal jaren geprobeerd de jongens ervan te overtuigen dat ze rechten moesten gaan studeren om daarna op het kantoor van hun grootvader te gaan werken. Dat zou een immense overwinning voor haar zijn geweest. Tot dusver was geen van de jongens daar tot grote opluchting van Brad echter voor gezwicht.

Ze was aantrekkelijk om te zien, zij het niet op een heel vrouwelijke manier. Ze was lang en atletisch, en ze had een sterk, gespierd lichaam. Ze tenniste en golfde veel en ze was geweldig in vorm. Ze had bruine ogen en haar dat even donker was als dat van Brad, waardoor men haar eerder aanzag voor zijn zuster dan voor zijn echtgenote. Mensen hadden vaak gezegd dat ze op hem leek.

Pam liep van Brad en haar vader vandaan en voordat ze aan tafel gingen zette Brad zijn beste beentje voor. Hij stelde zich aan een aantal mensen voor en dronk twee glazen wijn om de avond wat draaglijker te maken. Hij sprak met een vrouw die met Pam tenniste. Ze leidde een reclamebureau waarvan Brad wel had gehoord, maar terwijl hij naar haar luisterde, dwaalden zijn gedachten af en uiteindelijk liet hij haar alleen en liep naar een kleine groep advocaten die bij de bar stonden. Brad kende hen bijna allemaal en had met een paar van hen op het kantoor van Pams vader samengewerkt. Het waren aardige kerels en het gesprek was gemakkelijk en bekend. Dat ging niet op voor de twee vrouwen die aan tafel naast hem geplaatst bleken te zijn. Ze waren allebei heel sociaal en getrouwd met mannen van wie Brad had gehoord maar die hij nooit had ontmoet.

Het was uitputtend om te proberen een gesprek gaande te houden, en na het diner kon hij tot zijn grote opluchting wegglippen. In de huiskamer wemelde het van de voldane, gelukkige mensen die cognac aan het drinken waren, en de meesten leken van plan te zijn de hele avond te blijven. Pam was op dat moment in een verhit debat verwikkeld over de een of andere recente belastingwet die zijn belangstelling niet had, en de bedrijfstak waarmee hij zich bezighield, interesseerde die lui nog minder.

Brad werd overspoeld door een golf van uitputting toen hij zijn studeerkamer in glipte, het licht aandeed en de deur achter zich sloot. Hij deed zijn satijnen vlinderstrikje af en liet dat op de tafel vallen. Toen ging hij in zijn bureaustoel zitten en zuchtte. De avond had eindeloos lang geduurd en het enige waaraan hij kon denken was dat hij de jongens zo erg miste. Hij verlangde naar de feestdagen zoals ze die hadden gehad toen zij nog klein waren, toen Thanksgiving voor hem nog iets betekende en geen excuus was om veertig vreemden thuis uit te nodigen. Pam maakte van elke gelegenheid gebruik om de kamer te vullen met mensen die bruikbaar voor haar waren – liever dan met degenen die in hun leven echt iets te betekenen hadden. Van die laatste categorie waren er overigens nog maar heel weinig mensen over: Pam en hij hadden geen gemeenschappelijke vrienden meer. De zijne waren strafpleiters en advocaten die pro Deo werkten, de hare waren mensen die tot de beau monde behoorden of daartoe wilden gaan behoren, en directeuren van bedrijven die ze naar haar kantoor wilde lokken. Brad wist dat geen enkele avond voor haar compleet was tenzij ze had 'gescoord' zoals ze dat zelf noemde.

Hij keek naar zijn computer en wenste dat hij Jason en Dylan een e-mail kon sturen om ze een prettige Thanksgiving te wensen. In plaats daarvan typte hij het e-mailadres van Faith in. Bij haar was het bijna twee uur 's nachts.

'Hallo... Ben je nog wakker? Hoe was jouw Thanksgiving? Je zult dit waarschijnlijk morgenochtend pas lezen. Ik ben eindelijk ontsnapt. Een volledige dierentuin. Veertig mensen aan tafel, allemaal in avondkleding. Ik kan het niet helpen om slechts de absurditeit en de leegheid in te zien van het vieren van Thanksgiving in smoking. Ik heb de jongens gemist. Daar gaat het bij feestdagen in feite om. Hoe is het jou vergaan? Was het vredig en aangenaam? Je moet gelukkig zijn nu je de meisjes thuis hebt. Ik ben jaloers op je. Morgen moet ik werken. Twee nieuwe jongens in de gevangenis, en een derde die mij waarschijnlijk als advocaat toegewezen zal krijgen. Wat is er helemaal in het begin van hun leven met die kinderen gebeurd? Het zou prettig zijn als ze mij niet nodig hadden en een gelukkig en normaal leven konden leiden – wat dat dan ook behelst. Ik voel me zo stom omdat ik deze avond heb doorgebracht met een stel vreemden die zich allemaal als ober hadden verkleed. Pam vond het prachtig. Wou dat ik hetzelfde kon zeggen. Sorry voor mijn geklaag. Ik ben gewoon moe, denk ik. Spreek je spoedig weer, en tussen twee haakjes: een gelukkige Thanksgiving. Liefs, Brad.'

Hij rommelde wat in papieren op zijn bureau omdat hij geen zin had om zich weer onder de gasten te mengen. Hij was van plan via de achtertrap naar boven te gaan en zijn bed in te duiken, want hij had morgen een lange dag voor de boeg, en Pam was eraan gewend dat hij haar feesten vroeg verliet. Dat deed hij altijd discreet, om de gasten niet te storen en niemand het gevoel te geven dat hij of zij ook moest vertrekken. Hij was er zeker van dat Pam en vele anderen na middernacht nog op zouden zijn, en vond het heerlijk zich niet in hun midden te hoeven bevinden.

Hij deed net de lichten in zijn studeerkamer uit toen zijn computer hem meedeelde dat er post was. Hij klikte op de knop en zag dat Faith hem had gemaild. Glimlachend ging hij weer zitten.

'Hallo... leuke verrassing. Ik ben nog op. Jouw Thanksgiving klinkt heel duur. Wij waren met zijn vieren, maar gemakkelijk is het niet geweest. Het begon oké, de kalkoen was goed en iedereen zat lekker te eten. Aan het eind van de maaltijd is er een immense ruzie ontstaan over mijn wens om weer te gaan studeren. Zoe heeft tegen haar vader geschreeuwd, Alex werd zowat getroffen door een beroerte en de meisjes kregen onderling ruzie. Iedereen trok zich terug in zijn eigen hoek en toen zijn beide meisjes met vrienden gaan stappen en is Alex naar bed gegaan. Zoe is nu weer thuis. Ellie nog niet. De meisjes zijn woedend op elkaar, of waren dat in elk geval, en Alex wilde na het eten niet met me praten. Het is eigenlijk mijn schuld. Hij deed denigrerend over dat studeren van mij. Toen ben ik uit mijn slof geschoten en heb ik tegen hem gesnauwd. Daardoor werd hij woedend, met als gevolg dat hij een paar heel harde dingen heeft gezegd en Zoe me meteen ging verdedigen. Ik had er in eerste instantie gewoon niet op moeten reageren. Dan zou alles goed zijn gegaan. Ik ben volwassen en ik had beter moeten weten. Ik denk dat hij een tere plek raakte. Uiteindelijk heeft hij gezegd dat ik moest doen wat ik wilde, maar op een hoop ellende moest rekenen als ik het verknalde. Het is een soort overwinning, al had ik die liever niet behaald ten koste van de goede verstandhouding tussen de meisjes. Ze hebben al zo weinig tijd samen en het eten was op het laatst een regelrechte ramp. Ik hoop dat ze het voor hun vertrek weer bijleggen. Waarom worden zaken altijd zo gecompliceerd? Wat is er gebeurd met een gezellige, vredige Thanksgiving met mensen die van elkaar houden, niet woedend op elkaar worden en aardige dingen zeggen? In elk geval waren de meisjes hier, en daar ben ik dankbaar voor. Sorry voor het gejammer. Ik was aan het proberen op te blijven tot Ellie thuis is om haar mijn excuses aan te bieden, maar het is twee uur 's nachts en ik ga naar bed. Jij ook een gelukkige Thanksgiving, grote broer. Liefs, Fred.'

Het maakte hem gelukkig die brief te lezen en hij had met haar te doen. Het klonk alsof ze een gespannen middag achter de rug had. In elk geval hadden Pam en hij eens een keer geen ruzie gemaakt. Hij wist wel beter en deed zijn best scènes te vermijden.

Snel typte hij een reactie naar Faith, voor het geval ze nog niet naar bed was gegaan. Ze wist echter hoe snel hij normaal gesproken reageerde, dus had ze besloten nog een paar minuten te wachten voordat ze naar bed ging. Natuurlijk zou ze iets van hem horen. Hun e-mails waren als een zakje snoep dat van hand tot hand ging. Ze konden geen van beiden de verleiding weerstaan zo mogelijk meteen te reageren.

'Lieve Fred. Klinkt alsof je een zware dag hebt gehad. Dat vind ik triest voor je. Maar je hebt ook een overwinning behaald als Alex je stilzwijgend "permissie" (ik haat te erkennen dat hij macht over je heeft) heeft gegeven om weer te gaan studeren. Dat is echt goed nieuws. De zon die achter een wolk schijnt, in dit geval. Sorry wat de meisjes betreft. Moet voor hen ook moeilijk zijn als Alex hen in zo'n positie plaatst. Indien je nog een beetje lijkt op degene die je vroeger was, toen je Jack en mij tot bedaren bracht als we eens een keertje ruzie hadden, ben je de absolute vredestichter. Dat zul je nog wel zijn, vermoed ik zo. Maar je kunt niet alles voor iedereen fixen, Fred. Het is oké als ze het soms oneens zijn, of jou tegenover hem verdedigen. Het belangrijkste is dat jullie samen waren en jij voor jezelf bent opgekomen. Het is goed voor hen om dat te zien, ook al heeft het voor enige onenigheid in de gelederen gezorgd. Daar komen ze wel overheen. Nu het belangrijkste. Ik vind het werkelijk geweldig dat hij je voor je studie het groene licht heeft gegeven, al is het alleen maar omdat je je er nu minder schuldig over zult voelen en het echt kunt gaan doen. Ik vind dat je volgend jaar aan de rechtenfaculteit moet beginnen.

Tussen twee haakjes: er is iets wat ik je steeds vergeet te vertellen. Over een paar weken, vlak voor de kerstdagen, moet ik naar New York. Daar wordt een nationale conferentie voor strafpleiters gehouden en ik heb het idee dat ik er wel wat interessante dingen kan oppikken. Ik zal er maar twee dagen zijn, en het dan ook nog eens behoorlijk druk hebben. Hoop dat je wat tijd kunt vrijmaken om met me te dineren of te lunchen.'

Waar hij deze keer het dankbaarst voor was, was dat ze contact hadden gehouden. In feite hadden ze nu een steviger band dan in jaren het geval was geweest. Hij was vast van plan haar deze keer niet meer uit het oog te verliezen. Omwille van vroeger, omwille van Jack, en omwille van zichzelf. Zij was daar ook dankbaar voor. 'Ik zal je de data en mijn werkschema sturen als ik weer op kantoor ben. Het zal leuk zijn je te zien. Hoop dat het weer dan niet al te beroerd is. Kan het me niet permitteren ingesneeuwd te raken. Het is al moeilijk genoeg om er een paar dagen tussenuit te knijpen. Welterusten, Fred. Terug naar de collegebanken voor jou!!'

Ze glimlachte toen ze dat alles las en stuurde nog een kort berichtje terug. 'Dank voor de aanmoedigende woorden. Jij laat de dag een minder groot fiasco lijken. Ik ben er de hele avond door van streek geweest. Kan bijna niet wachten tot ik je weer kan zien en zal proberen je in mijn drukke schema in te passen,' schreef ze plagend. 'Ik zal mijn secretaresse vragen je te laten weten welke dag me uitkomt. Nu even serieus. Ik sta geheel en al tot je beschikking. Zeg me maar wanneer. Slaap lekker en voor morgen een goede dag. Liefs, Fred.'

Hij las het, glimlachte en zette zijn computer uit. Voor hem was het een lange dag en een saaie avond geweest. Voor haar een trieste. Maar in elk geval hadden ze elkaar. Dat was iets. Het gekoesterde geschenk van vriendschap en broederlijke/zusterlijke liefde tussen twee oude vrienden. Wat Brad betrof ging het daar bij Thanksgiving om, en hij was dankbaar dat hij haar had.

7

De sfeer tussen Zoe en Ellie was nog steeds gespannen toen Zoe zondagochtend terugvloog naar Brown. Ze hadden met zijn allen ontbeten en de twee meisjes leken met elkaar te praten, maar Faith had gemerkt dat dat niet bepaald van harte ging. Het speet haar met name dat ze de tijd niet hadden om het voor hun vertrek weer bij te leggen. Eloise zou die avond naar Londen vliegen, en Alex verdween voor de lunch om de middag met een vriend door te brengen. Voor zijn vertrek nam hij afscheid van Eloise.

'Het spijt me dat alles met Thanksgiving uit de hand is gelopen,' zei Faith verontschuldigend tegen haar. Ze was met name van streek door de kloof tussen de twee meisjes.

'Ik vind nog steeds dat pap gelijk heeft en je niet weer moet gaan studeren. Het zal te veel spanningen voor jou met zich meebrengen, en je zult geen tijd meer over hebben voor hem.' Haar vader was altijd de eerste aan wie ze dacht.

'Ik moet iets beters met mijn tijd kunnen doen dan bridgen of met vriendinnen lunchen,' zei Faith om haar ideeën te blijven verdedigen. Ellie keek echter niet overtuigd. Terwijl ze daar stond oogde ze lang, mooi en koel. Ze leek veel op Alex toen die jonger was en had dezelfde ietwat afstandelijke houding. Ze had grenzen die mensen niet mochten overschrijden tenzij zij daar door haar toe werden uitgenodigd. Vrijwel net als Faith leek Zoe echter geen of in elk geval weinig grenzen te hebben. Terwijl Faith naar Ellie keek, had ze het idee dat iets daar ergens midden tussenin goed zou zijn geweest.

'Het zal hem van streek maken als je dit doorzet,' zei Ellie waarschuwend.

Faith knikte. 'Ik zal mijn best doen om ervoor te zorgen dat dat niet gebeurt en als het wel het geval mocht zijn, kan ik er altijd nog mee stoppen.' Dat was geen sterke positie om in te nemen, maar ze wilde zichzelf bewegingsruimte geven.

'Dat zal wel,' zei Eloise vaag. 'Misschien zou je er domweg niet aan moeten beginnen.'

'Ik ben alleen wat lessen aan het volgen,' zei Faith glimlachend. 'Of ik echt weer rechten ga studeren staat nog niet vast.' Ze zou fatsoenlijke cijfers voor het toelatingsexamen moeten halen om überhaupt een kans te maken.

'Mam, neem geen overhaaste beslissingen,' zei Eloise waarschuwend, alsof Faith het kind was en niet de moeder. 'Probeer ook aan pap te denken.' Faith wilde haar vragen wanneer ze dat niet had gedaan. Bij alles wat ze met haar leven deed en had gedaan had ze rekening gehouden met hem. Ze besefte echter ook dat ze dat haar dochters niet altijd had laten zien. Het was iets wat ze discreet deed terwijl ze haar leven om hem heen plande. Ze leek er echter geen waardering voor te krijgen, noch van hem, noch van de kinderen. In elk geval niet van Ellie. Zoe was zich veel meer bewust van de offers die haar moeder bracht.

Eloise ging naar boven om haar koffer verder te pakken en Faith maakte een sandwich en een kop soep voor haar klaar. Hoe ongemakkelijk het gesprek ook was verlopen en hoe gespannen het diner op Thanksgiving ook was geweest, ze vond het heerlijk dat Ellie naar huis was gekomen en bedankte haar daarvoor.

'Tot over een paar weken,' zei Faith terwijl ze Ellie voor haar vertrek omhelsde. Ellie was van plan voor de kerstdagen naar huis te komen en had stellig verklaard dat haar moeder niet hoefde mee te gaan naar het vliegveld. Ze was prima in staat zelf een taxi te nemen en gaf daar zelfs de voorkeur aan. Alex zou dat ook liever hebben gedaan. Faith en Zoe vonden het altijd prettig gezelschap te hebben, en in dat opzicht verschilde Eloise erg veel van hen.

Toen beide meisjes waren vertrokken, was het verbazingwekkend stil in huis. Faith werd er depressief van terwijl ze hun kamers controleerde, de bedden afhaalde en de lakens waste. Ze had drie keer in de week huishoudelijke hulp, maar als moeder gaf ze er de voorkeur aan hun kamers en hun was voor haar rekening te nemen. Dat was alles wat ze nog voor hen kon doen. Terwijl ze rondliep door het stille huis, werd haar in herinnering gebracht hoe leeg haar leven zonder haar dochters was.

Die avond was ze echt opgelucht toen Alex thuiskwam. Hij had de middag doorgebracht in een scheepvaartmuseum met een vriend uit Princeton die hem had gevraagd toe te treden tot de raad van bestuur. Alex zei dat hij zich had geamuseerd en hij leek iets blijer dan normaal om Faith te zien, wat haar verbaasde. Ze vroeg zich af of hij de meisjes ook miste. Hoewel hun afwezigheid op hen beiden van invloed was, had Faith er de meeste moeite mee.

Faith en Alex brachten samen een rustige avond door. Hij vertelde haar over het scheepvaartmuseum en de plannen die hij voor die week had. Het was het langste gesprek dat ze in maanden hadden gevoerd en na de ruzie aan het eind van het diner op Thanksgiving en de felheid waarmee hij had gezegd dat ze niet mocht gaan studeren, wist ze echt niet wat haar overkwam. Het gaf haar ook de kans hem te vertellen hoe eenzaam ze zich zonder de meisjes voelde.

'Je wist dat dit uiteindelijk zou gebeuren,' merkte hij zinnig op, ogenschijnlijk verbaasd dat dat haar zo dwarszat. Hij kon zich moeilijk voorstellen dat haar dochters vierentwintig jaar lang niet alleen haar hart hadden gehad maar ook haar baan waren geweest. Indien hij degene was geweest die dat alles had verloren, zou hij het hebben begrepen. 'Je moet andere dingen vinden om te doen. Weer gaan studeren lijkt me zo extreem. En zo zinloos. De meeste advocaten willen op jouw leeftijd met pensioen gaan in plaats van aan een carrière beginnen.'

'Er zouden daardoor een hoop deuren voor me opengaan. Al het andere lijkt kortetermijnwerk. Dit zou een heel nieuw leven zijn, en wie weet wat ik er uiteindelijk mee zal doen. Daar ben ik zelf nog niet eens zeker van.' Hij leek het nog steeds niet te begrijpen, maar hij vatte het niet meer zo persoonlijk op, en dat ervoer ze als een opluchting. Het feit dat hij tegen haar praatte zorgde voor een gezellige avond en maakte het gemis van de meisjes iets minder groot. Het was een van die voor hen zeldzame avonden en hij leek het haar – voorlopig in elk geval – te hebben vergeven dat ze weer wilde gaan studeren. Het kon ook zijn dat hij zijn afkeer daarvan even in de wacht had gezet. Daardoor was er een beetje onverwachte en zeer gewenste warmte tussen hen ontstaan.

De eerste twee weken daarna hield Faith zich bezig met de voorbereidingen voor Kerstmis. Ze kocht cadeautjes voor Alex en de meisjes. Hij ging een paar keer op reis en ze zagen elkaar zo weinig dat het onderwerp van haar studie niet meer ter sprake kwam. Gedurende de weinige tijd dat ze hem tussen de zakenreizen door zag, deed hij niets anders dan eten, een paar woorden zeggen en naar bed gaan. Zij was niet alleen druk in de weer voor de kerstdagen, maar had ook beloofd om te helpen met het organiseren van een liefdadigheidsfeest voor Sloan-Kettering in de lente. Ze had al gezegd dat ze misschien slechts de eerstkomende weken assistentie zou kunnen verlenen, want als ze in januari eenmaal studeerde, had ze daar de tijd niet meer voor. Ze hadden gezegd dat dat prima was, en ze waren dankbaar voor de tijd die ze er wel aan kon besteden.

Zij en Brad stuurden elkaar nog regelmatig mailtjes, maar na Thanksgiving waren het korte berichten geweest. Hij moest zich op twee processen voorbereiden en een fiks aantal nieuwe casussen evalueren. Het was een gekkenhuis voor hem. Toen ze twee weken na Thanksgiving in haar keuken yoghurt zat te eten voordat ze naar een vergadering bij Sloan-Kettering ging, maakte ze haar post afwezig open. Ze zou de twee rechtencolleges op de School of Continuing Education kunnen gaan volgen, zag ze. De ene cursus betrof het staatsrecht, de andere was algemener van opzet. Het was prettig die bevestiging onder ogen te hebben, en haar plannen leken er reëler door.

Ze vertelde het Brad toen die haar belde. Hij beloofde haar mee uit te nemen en een fles champagne te bestellen om het te vieren wanneer hij in New York was. Daar reageerde ze verheugd op.

'Wanneer kom je hierheen?' Ze was zijn reis bijna vergeten. De tijd was omgevlogen nu ze zich bij de feestcommissie had aangesloten, inkopen voor de kerst moest doen en zich voorbereidde op het toelatingsexamen van de universiteit.

'Vandaag over een week. De veertiende. Tot de zestiende. Ik hoop uit de grond van mijn hart dat je dan vrij bent.' Hij had haar die data al eerder gegeven, maar niet precies gezegd wanneer hij haar zou kunnen zien, en daar was hij nog steeds niet zeker van. Een ding stond echter wel vast: hij wilde zoveel mogelijk tijd samen met haar doorbrengen.

'We hebben nog niets gepland. Ik zal het navragen bij Alex. Hij heeft het op kantoor behoorlijk druk. Misschien kunnen we samen gaan dineren, of op zijn minst lunchen.'

'Zorg er maar voor dat je tijd voor me hebt!' zei hij waarschuwend.

'Dat zal ik doen.' Ze praatten nog een paar minuten over studeren, en de eerste twee dagen daarna maakte ze zich zorgen over het toelatingsexamen dat ze zou moeten afleggen. Ze bad dat ze het er goed van af zou brengen. Ze onderschatte zichzelf altijd, al jarenlang. Alex hielp in dat opzicht niet. Soms kleineerde hij haar zonder dat dat zijn bedoeling was, en andere keren deed hij het met opzet.

'Wanneer ga je pap vertellen dat je in januari echt van start gaat?' vroeg Zoe bezorgd toen ze het daar over hadden. Ze wist hoe belangrijk het voor haar moeder was dat hij zijn goedkeuring hechtte aan wat ze deed, en ze was bang dat Faith ervan af zou zien als haar vader van geen wijken wilde weten. Naar haar idee zou dat rampzalig en deprimerend voor Faith zijn. Net als Brad wilde ze haar moeder dolgraag een nieuw leven zien opbouwen door weer te gaan studeren.

'Dat zal ik dit weekend doen. Ik hoop dat hij dan in een goed humeur is.'

'Dat hoop ik ook,' zei Zoe bezorgd. 'Ik zal voor je duimen, mam. Haal diep adem en doe je best. Wat hij ook zegt... je moet het juiste doen. Dat zou jij ook tegen mij zeggen.'

'Ja, dat zal wel.' Ze klonk niet overtuigd.

Toen het gesprek werd gevoerd, was het bijna even moeilijk als Faith al had gevreesd. Die zaterdag zagen ze elkaar nauwelijks. Alex werkte de hele dag op kantoor om te proberen bij te raken met de diverse projecten die voor het eind van het jaar afgerond moesten zijn, en die avond gingen ze naar een diner. Ze arriveerden er laat en hij was uitgeput toen ze thuiskwamen. Hij ging regelrecht naar bed en viel meteen in slaap. Uiteindelijk dwong ze zichzelf zondagmiddag het onderwerp aan te snijden. Hij zat in de huiskamer naast de open haard wat papieren te lezen die hij van kantoor mee naar huis had genomen. Faith bracht hem een kopje thee en ging bij zijn voeten op de grond zitten.

'Alex,' begon ze voorzichtig. Ze wist echter dat ze de duik in het diepe zou moeten nemen. Hij moest weten wat ze van plan was en daarover wilde ze niet tegen hem liegen. Zolang die kwestie niet was opgelost, voelde ze zich misselijk. Ze wist wat ze wilde doen. 'Kan ik je even spreken?'

Hij keek haar aan, geïrriteerd omdat ze hem stoorde. 'Wat is er aan de hand?' Hij had net zo goed kunnen zeggen: 'Doe het snel.' Hij was niet in de stemming om te praten.

Ze besloot het kort te houden. 'Ik heb me ingeschreven voor de twee cursussen aan de universiteit van New York en die beginnen in januari. Je weet hoeveel dat voor me betekent.' Hij wist al dat ze de benodigde formulieren had ingevuld, maar ze had nu definitief het besluit genomen door te zetten en voelde zich verplicht hem daar deelgenoot van te maken. Het bleef eindeloos lang stil terwijl Alex haar aankeek en een slokje van zijn hete thee nam. 'Ik weet dat het idee dat ik weer ga studeren je niet aanstaat, maar dit is nog niet de rechtenfaculteit. We kunnen afwachten hoe alles gaat en bekijken of we het aankunnen. Ik ga maar twee cursussen volgen en als we er echt niet tegen kunnen, zullen we daar aan het eind van het trimester allebei een idee van hebben. Ik wil het wel echt proberen, Alex, en ik zal mijn best doen jou er niets van te laten merken.' Ze had het gevoel dat ze hem bij die beslissing moest betrekken en hem de kans moest geven er wellicht mee akkoord te gaan.

Hij bleef haar lang en hard aankijken, en hij kende haar goed. Hij wilde niet dat ze weer ging studeren. Hij wist echter ook dat een afwijzende reactie van hem nu onvermijdelijk van invloed zou zijn op hun relatie.

'Ik wil je in dit verband mijn zegen niet geven,' zei hij uiteindelijk terwijl zij voelde dat haar maag zich omdraaide, 'maar ik wil ook de verantwoordelijkheid niet op me nemen om het je te verbieden. Ik denk dat ik dit aan jou moet overlaten, Faith. Ik vind het dwaas: een echt slecht idee. Ik zie niet in hoe je ervoor kunt zorgen dat we er niets van zullen merken. Wat dat betreft draai je jezelf naar mijn idee een rad voor ogen. Als je je studie goed wilt doen, zal dat tijd kosten, waardoor je minder tijd zult overhouden voor mij, en zelfs voor de meisjes als ze thuis zijn.'

Daar had ze al over nagedacht en ze was tot de conclusie gekomen dat het het ongemak voor hen allen de eerstkomende jaren waard was. Het enige dat ze hoefde te doen, had ze zichzelf voorgehouden, was haar tijd goed indelen.

'Ik wil het graag proberen,' zei ze terwijl ze hem smekend aankeek. Het hart van iedere man zou daardoor zijn gesmolten, behalve het zijne. Alex had zichzelf beter afgeschermd dan de meeste andere mannen en trok zich niets aan van de grillen van een vrouw.

'Doe dan maar wat je wilt. Maar zelfs als het je lukt die twee cursussen te volgen, is echt rechten gaan studeren nog een heel ander verhaal. Het zal al je tijd opslokken. Maak jezelf wat dat betreft niets wijs. Ik zal dat niet tolereren,' zei hij onheilspellend, waarna hij de papieren weer zijn volledige aandacht gaf. Het onderwerp was gesloten. Hij leverde er verder geen commentaar op en feliciteerde haar niet met haar plannen. Hij had ze niet goedgekeurd, en er ook geen veto over uitgespro-

ken. Hij had de verantwoordelijkheid op haar schouders gelegd. Zij pakte wat ze gekregen had en ging stilletjes de kamer uit, meer dan bereid om alle verantwoordelijkheid voor wat ze wilde doen op zich te nemen en zich tot het uiterste in te spannen om er een succes van te maken. Ze ging naar haar studeerkamer, belde Zoe in haar studentenhuis en zei dat ze weer ging studeren. In haar stem klonk triomf door.
'Heeft papa ja gezegd?' Zoe klonk stomverbaasd.
'Min of meer. Niet met zoveel woorden. Hij zei gewoon dat hij me niet zou tegenhouden en het een slecht idee vond, maar het wel aan mij overliet.'
Zoe slaakte een kreet van vreugde. Net als Faith vond ze het prachtig. Het was echt een overwinning voor haar moeder.
Daarna stuurde Faith Brad een e-mail, met de mededeling dat Alex haar plannen niet had geblokkeerd. Dat was het beste dat ze van hem had kunnen krijgen. Het lag niet in zijn aard om meer steun te geven dan dat, of om terug te komen op wat hij in eerste instantie had gezegd. Voor haar was het goed genoeg. Hij hoefde er niet over te jubelen. Niet eisen dat ze zich terugtrok, of haar alles domweg verbieden, was voldoende geweest.
Daarna maakte ze voor Alex het avondeten klaar. Hij had het niet één keer over haar plannen. Die avond was hij stilletjes en voordat hij van tafel opstond zei hij dat hij die week naar Los Angeles zou gaan. Hij zou dinsdag vertrekken en vier dagen wegblijven. Hij vertelde haar niet veel over de reis, maar verzekerde haar dat hij zaterdag terug zou zijn, op tijd voor een feest ter ere van Kerstmis dat ze elk jaar bijwoonden. Faith stelde geen vragen. Ze wilde hun staakt-het-vuren geen geweld aandoen en de voortgang die ze had geboekt daarmee teniet doen. Toen er die avond een e-mail van Brad binnenkwam, was ze in haar studeerkamer.
'Ik was aan het tennissen toen jouw mailtje arriveerde. Sorry, Fred. Bravo! Wat heb je met hem gedaan? Wat heb je moeten opgeven om te krijgen wat je hebben wilde? Of zou ik dat liever niet willen weten? Ik ben zo blij voor jou!! Geweldig

nieuws!! Verheug me er ontzettend op je deze week te zien. Ik arriveer woensdagavond en vertrek vrijdagmiddag weer. Kun je woensdagavond met me gaan eten? Misschien kan ik donderdagavond ook. Dat weet ik pas als ik het programma heb bekeken. Ik zal je bellen zodra ik in het hotel ben gearriveerd en het je dan laten weten. Mijn toestel landt om vijf uur, en na zessen moet ik in het hotel zijn. Tot spoedig ziens en nogmaals gefeliciteerd! Ik ben trots op je, Fred. Liefs, Brad.' Hij was altijd warm en enthousiasmerend, en zij verlangde er ook erg naar hem te zien. Het kwam prima uit dat Alex weg zou zijn. Ze wilde voor hem niet verborgen houden dat ze Brad zag, maar met Alex in de buurt had ze moeilijker flexibel kunnen zijn ten aanzien van de tijd die ze met Brad doorbracht. Zijn reis naar L.A. was perfect getimed.

De eerste dagen daarna had ze het verschrikkelijk druk, en ze liet de commissie van het liefdadigheidswerk weten dat ze tot half januari beschikbaar zou zijn en er daarna mee moest stoppen. Ze reageerden begrijpend en ze bleef een dag op hun kantoor. Een andere dag bracht ze zoet met het doen van kerstinkopen. Zoe zou dat weekend naar huis komen, meteen nadat Brad weer was vertrokken. Het zou een hectische week worden, en ze was van plan samen met Zoe de kerstboom te kopen. Ze wist nog niet precies wanneer Ellie naar New York zou komen, want daar was ze nogal vaag over geweest. Die dinsdagavond belde Eloise Faith voordat ze naar haar werk ging. Het was bijna middernacht in New York, en vroeg in de morgen in Londen.

'Hallo, schatje, wat een aangename verrassing.' Faith had haar nog niet verteld dat ze weer ging studeren. Die mededeling wilde ze bewaren tot haar dochter thuis was.

'Ik hoop dat ik je niet wakker heb gebeld,' zei Eloise voorzichtig.

'Nee. Ik was bezig de laatste hand te leggen aan het schrijven van de kerstkaarten.' Ze had een schitterende foto van hen vieren gevonden, die de vorige zomer op een zeilboot bij Cape Cod was gemaakt, en die had ze als kerstkaart gebruikt. Ze verstuurde elk jaar een foto van hen, maar het werd steeds moeilijker er een te vinden waar ze alle vier op stonden, en ze was blij dat ze deze had. 'Wanneer kom je naar huis?'

Er volgde een korte stilte. 'Ik... eh...' Faith werd triest toen ze die woorden hoorde. 'Ik wil iets met je bespreken. Ik weet niet wat je ervan vindt. Ik ben uitgenodigd om in Sankt Moritz te gaan skiën.' Haar stem klonk schuldig en bezorgd.

'Dat lijkt me leuk. Mondain oord. Ga je erheen met iemand die ik ken?'

'De ouders van Geoff huren daar elk jaar een chalet en hij heeft me uitgenodigd om mee te gaan.' Geoff was de jongeman met wie ze nu drie maanden omging. Faith dacht niet dat het serieus was. In elk geval had Ellie niet gezegd dat het dat was. Maar hij leek een aardige jongen en ze amuseerden zich samen prima.

'Ik heb de indruk dat ik een dezer dagen naar Londen moet komen om kennis met hem te maken. Is het serieus, El?' vroeg ze veelbetekenend.

Eloise lachte. 'Mam, gaan skiën betekent nog geen huwelijk.'

'Dat is goed nieuws. Voor nu, in elk geval.' Ellie was jong, maar net als Zoe ook verstandig. Ze zou na drie maanden wel niet meteen over een vaste verbintenis denken, al kon je daar natuurlijk niet honderd procent zeker van zijn, zoals Faith zichzelf in herinnering bracht. Het was beslist wel de meest serieuze relatie die Ellie de laatste tijd had gehad. 'Wanneer was je van plan daarheen te gaan?'

Er volgde opnieuw een stilte. 'Ik... eh... Tja, hij heeft me uitgenodigd van de eenentwintigste december tot nieuwjaarsdag.' Het was eruit.

'Kerstmis?' Faith klonk stomverbaasd. 'Je komt voor de kerstdagen niet naar huis?'

'Daar heb ik echt niet genoeg tijd voor. We kunnen alleen die week vrij nemen, plus het weekend ervoor en erna. Christie's is die week namelijk gesloten. Als ik naar huis kom, zal ik dus niet met hem kunnen gaan skiën. Ik dacht... ik hoopte eigenlijk dat jij het niet erg zou vinden... Ik vind het een beetje gemeen van mezelf om mee te gaan, maar het zou echt heerlijk zijn.' Het zou de eerste keer zijn dat de meisjes met Kerstmis niet allebei thuis waren.

'O, meisje. Ik verheugde me zo op je komst. Het zal geen echt kerstfeest worden als we maar met zijn drietjes zijn. Zou je misschien iets eerder naar huis kunnen komen om dan de zesentwintigste naar Sankt Moritz te gaan?' Ze probeerde zich vast te klampen aan een strohalm, maar alleen al het idee dat Éloise niet naar huis zou komen, deed tranen in haar ogen blinken. Ze ervoer dat als een immense klap.

'Ik kan niet meèr dagen vrij krijgen,' zei Eloise, en ze klonk gespannen en van streek. 'Mam, als het van jou niet mag, is dat oké. Ik begrijp het wel...' Het was duidelijk dat ze liever met Geoff naar Sankt Moritz wilde gaan dan naar huis komen. Nu had Faith het idee dat ze een monster zou zijn als ze er niet mee akkoord ging.

'Kan ik er een paar dagen over nadenken? Je vader is vanmorgen naar L.A. vertrokken, en ik zou dit graag met hem willen bespreken.'

'Dat heb ik al gedaan,' flapte Eloise eruit.

Faith was opnieuw geschokt. Alex had daar tegenover haar met geen woord over gerept. Die twee waren altijd aan het samenzweren. Ze opereerden als bondgenoten tegenover de anderen. 'Werkelijk? En wat zei hij?'

'Hij zei dat hij het prima vond.'

Dat maakte Faith echt van streek. Hij had Eloise toestemming gegeven zonder het ook maar met haar, Faith, te bespreken. Het leek gemeen, zeker omdat hij wist hoeveel het voor haar betekende Ellie met de kerstdagen thuis te hebben. Hierdoor zou zij ook de gemenerik lijken te zijn als ze nee zei.

'Ik denk dat er door mij niet veel meer te zeggen valt,' zei Faith, die zich verdrietiger voelde dan ze in haar stem liet doorklinken. 'Ik zou graag willen dat je naar huis kwam, en daar hebben we ons ook op verheugd. Ik wil je er echter niet van weerhouden iets leuks te gaan doen. Jij bent degene die de knoop moet doorhakken, schatje.'

'Ik ga graag mee,' zei Eloise eerlijk, en Faith ervoer dat als een klap in haar gezicht.

'Oké. Ik begrijp het. Maar ik wil niet dat je dit blijft doen. Ik wil dat Kerstmis voor ons allemaal heilig is, en dat jij en je zus dan naar huis komen. Deze keer mag je wegblijven, maar zorg ervoor dat je hier volgend jaar hoe dan ook weer bent. Zo nodig kun je Geoff dan meenemen als jullie tegen die tijd nog steeds met elkaar omgaan.'

'Maak je daar geen zorgen over, mam,' reageerde Eloise opgelucht. 'En bedankt. Ik moet nu gaan.' Een paar seconden later had ze de verbinding verbroken. Faith zat in haar studeerkamer en voelde zich verpletterd terwijl de tranen over haar wangen stroomden.

Ze was hen aan het kwijtraken. Dat viel op geen enkele manier te ontkennen, en het kon alleen maar beroerder worden. Vriendjes, echtgenoten, banen, vrienden en vriendinnen, reisjes. Duizenden dingen zouden nu in hun leven komen en hen van haar vandaan houden. Het idee dat Ellie met de kerstdagen niet thuis zou zijn, brak bijna haar hart. Ze was nog meer van streek door het feit dat Alex het plan had goedgekeurd zonder haar daar iets over te vertellen. Daardoor had hij haar gezag ondermijnd en haar in een lastige positie geplaatst. Terwijl ze de lichten in de studeerkamer uitdeed en naar boven en naar bed ging, vroeg ze zich af hoe ze Ellies cadeautjes nog op tijd bij haar zou kunnen krijgen. Ze kon alleen maar hopen dat Zoe niet op een idee werd gebracht als ze dit hoorde. Was het mogelijk dat de ruzie met Thanksgiving Eloise ertoe had aangezet niet naar huis te komen? Dat liet zich moeilijk bepalen. Misschien was het leven er domweg de oorzaak van. Dit was iets wat ze in het vervolg moest verwachten, hoe pijnlijk het ook was – wellicht met name voor haar.

Pas toen ze het licht in haar slaapkamer uitdeed, herinnerde ze zich dat Brad de volgende dag zou komen. Ze had zich daarop verheugd, maar Eloises telefoontje had alles verpest. Natuurlijk zou het goed zijn hem te zien, en hij deed haar altijd denken aan haar broer Jack. Maar zijn bezoek was geen substituut voor Eloises thuiskomst met de kerstdagen. Daar bestond geen plaatsvervanger voor en haar gevoel iets te hebben verloren kon op geen enkele manier worden weggestreken. Toen ze in bed ging liggen, leek haar hart loodzwaar.

8

Faith dacht erover Zoe de volgende morgen te bellen om haar van de plannen van Ellie op de hoogte te stellen. Uiteindelijk besloot ze dat toch niet te doen. Zoe had die week examens, en bovendien wilde Faith haar uit eigenbelang niet op een idee brengen. Ze wilde niet dat ze zou besluiten in Vermont te gaan skiën of met vrienden naar de westkust te gaan. Zij was pas achttien en Faith kon haar de wet nog voorschrijven. Kerstmis was Kerstmis, en ze wilde haar hoe dan ook thuis hebben. Ze besloot Zoe later in de week te vertellen dat Ellie naar Sankt Moritz zou gaan, al bestond natuurlijk de mogelijkheid dat de meisjes elkaar om de een of andere reden al eerder spraken. Ze belden elkaar echter zelden. Het tijdverschil maakte dat ingewikkeld en ze leefden in heel andere werelden. Toch was Faith nog steeds van slag omdat Ellie haar vader als eerste had gebeld en hij Ellies plannen had goedgekeurd zonder het met haar te bespreken. Het gaf haar het gevoel buitengesloten te zijn en het idee dat ze op een frontale botsing aanstuurden – wat in zekere zin ook het geval was. Dat kwam door de aard van hun relatie en hun karakters. Eloise en Alex waren allebei stilletjes, introvert en niet direct tot communiceren geneigd. Toen Faith er eens wat dieper over nadacht, besefte ze dat ze was vergeten Ellie te vertellen over haar studie. Ze was zo van streek geweest omdat Ellie van plan was niet naar huis te komen, dat haar dat domweg was ontschoten. Misschien had Alex het haar verteld, maar dat betwijfelde ze. Hij zou het niet als goed nieuws hebben beschouwd, en als hij er wel iets over had gezegd, zou Ellie er beslist iets over hebben gezegd, al was het maar in de vorm van kritiek. Ze was heel beslist een vaderskindje en dat had ze zojuist opnieuw bewezen.

De rest van de dag was Faith druk bezig met boodschappen doen en andere zaken die moesten worden afgehandeld. Ze kocht papier om de cadeautjes in te pakken, levensmiddelen en dingen waar Zoe om had gevraagd. Om vier uur was ze weer thuis en ze zat in bad toen Brad belde. Zodra ze zijn stem hoorde, glimlachte ze en voelde zich zoals wanneer ze vroeger iets van Jack hoorde.

'Hallo, Fred. Ik heb me net ingeschreven in mijn hotel. Wat zijn onze plannen?'

'Die zijn er voorzover ik weet niet. Ik sta geheel tot je beschikking. Alex is in L.A., en dat komt perfect uit. Zal ik iets te eten voor je klaarmaken?' Ze had een paar extra dingen gekocht voor het geval hij dat wilde, maar hij schoot in de lach. 'Wat voor een grote broer zou ik zijn als ik mijn jongere zusje niet mee uit eten nam? Wat zou je denken van een diner in SoHo of iets dergelijks? Of blijf je soms liever in het centrum?'

'Jij mag het zeggen.' Ze glimlachte verheugd. Het was op zich al heerlijk om zijn stem te horen. 'Het enige dat ik wil, is jou zien.'

'Dan bedenk ik wel iets. Om halfacht haal ik je op. In East Village is een Italiaans restaurant waar ik vroeger heel graag kwam. Ik zal de receptionist vragen of dat nog steeds een goed restaurant is.'

'Ik verheug me er ontzettend op je te zien.' Glimlachend legde ze de hoorn op de haak en besefte dat het vooruitzicht hem te zien de scherpe kantjes van Ellies besluit een beetje wegnam. Ze was echt van streek geweest door het idee dat ze de kerstdagen niet met zijn vieren zouden doorbrengen. Ze besefte echter ook dat Brad hetzelfde moest meemaken – of nog erger – omdat zijn zoons allebei in Zambia waren. Dat stemde een mens somber. De tijd om koekjes en melk voor de kerstman neer te zetten en kousen bij de schoorsteen op te hangen, was voorbij. Kerstmis vieren zonder een van haar dochters, of zonder allebei haar dochters, was een verschrikkelijk vooruitzicht. Ze had Ellie echter weer uit haar gedachten gezet toen Brad om halfacht aanbelde. Ze had een zwarte broek aan, een zwarte wollen trui, een grote rode wollen jas en hooggehakte zwart-suède laarzen. Haar glanzende blonde haar was in een keurige paardenstaart opgestoken en ze had grote gouden oorbellen in. 'Mijn hemel, Fred! Je lijkt wel een van de hulpjes van de kerst-man.' Hij sloeg zijn armen om haar heen voor een dikke knuf-fel en tilde haar daarbij van de grond op. Dat had hij ook ge-daan toen ze nog kind waren. Zodra hij haar weer had neergezet, zette hij een stap naar achteren en glimlachte van genoegen. 'Je ziet er geweldig uit. Alle mannelijke rechtenstu-denten zullen voor je vallen.'

'Dat is niet waarschijnlijk. Ik ben oud genoeg om hun moeder te kunnen zijn.' Zij vond hem er ook fantastisch uitzien. Hij was een beetje bruin omdat hij had getennist in Californië, en door zijn teint leken zijn ogen groener. Zijn donkere haar was dik en goedverzorgd. Hij had het geluk dat hij nog niet ka-lende was, en zijn lichaam oogde zelfs in het pak en de jas die hij aanhad sterk en gespierd.

'Fred, jij ziet er niet uit als een moeder. Ben je er klaar voor om uit eten te gaan? Ik heb een tafeltje gereserveerd in een res-taurant dat me door de receptionist van mijn hotel is aange-raden.'

'Voor mijn part eten we hotdogs in de metro. Ik ben gewoon blij je te zien,' zei ze, en ze deed de voordeur op slot. Er stond een taxi op hen te wachten en Brad pakte haar hand terwijl hij naar de weg liep. Hij was heel opgewekt en blij haar te zien. Ze ging naast hem op de achterbank zitten en onderweg praat-ten ze honderduit. Ze vertelde hem over het voor haar zo te-leurstellende telefoontje van Ellie.

'Dat doet pijn, hè?' zei hij uit de grond van zijn hart. 'Ik vond Thanksgiving zonder Dylan en Jason vreselijk. Het was onze eerste feestdag zonder hen, en de kerstdagen zullen niet veel beter zijn. Pam heeft een nieuwe vorm van martelen bedacht: een diner op de eerste kerstdag waarvoor ze honderd mensen heeft uitgenodigd. Met een beetje geluk zal ik in de gevangenis zijn om een cliënt te bezoeken. Waar de jongens volgend jaar ook zijn... ik ga naar hen toe. Dat had ik dit jaar al moeten doen. Misschien zouden jullie allemaal naar Sankt Moritz moeten gaan om Eloise te verrassen.'

Faith schoot in de lach. 'Dat zou ze vast leuk vinden, net als die vriend van haar, maar niet heus. Wij hebben in elk geval Zoe nog thuis. Ik heb het haar nog niet verteld, want ik wilde niet dat ze net als haar zuster een soortgelijk geweldig idee zou krijgen.' Zoe was echter pas achttien jaar en Faith kon er dus nog op staan dat ze naar huis kwam. Gezien de leeftijd van Eloise was dat moeilijker, vooral als haar vader haar al permissie had gegeven. 'Ze heeft Alex eerder gebeld dan mij, en hij heeft kennelijk tegen haar gezegd dat hij het best vond. Ik wilde niet al te moeilijk doen, dus ben ik er ook mee akkoord gegaan. Alex heeft er tegenover mij niet eens melding van gemaakt.' Haar klachten over Alex waren niet nieuw voor Brad, want ze deelde die nu al twee maanden met hem. Hij vond dat Alex haar slecht behandelde – en dat ook altijd had gedaan – al had hij dat tot dusver voorzichtig verwoord. Hij wilde haar niet beledigen, maar zijn standpunt leek heel veel op dat van Jack destijds, en haar broer had er nooit een geheim van gemaakt dat hij een grondige hekel aan Alex had.

'Het is verbazingwekkend hoe kinderen spelletjes kunnen spelen, nietwaar? Net als onze levensgezellen. Pam heeft een keer tegen de jongens gezegd dat ze met de kerst niet van school naar huis hoefden te komen omdat ze zonder hen een cruise wilde maken. Dat heeft ze mij pas verteld nadat ze de tickets had gekocht, en tegen die tijd hadden de jongens al andere plannen gemaakt. Ik ben twee weken ontzettend zeeziek geweest en heb tegen haar gezegd dat ik van haar zou scheiden als ze zoiets nog eens deed.' Faith had echter de stellige indruk dat Pam nog steeds deed wat ze wilde. 'De jongens waren door het dolle. Ze zijn toen meegegaan met een vriend die in Las Vegas woonde en hebben de feestdagen doorgebracht met een paar showgirls. Ze noemen het nog steeds hun favoriete kerstfeest.' Hij grinnikte en zij lachte met hem mee. Hem zien en bij hem zijn deden haar op een prettige manier aan haar broer denken. Het niet alleen bij e-mails te hoeven houden was het beste kerstcadeau dat ze had kunnen krijgen. Hij was haar de afgelopen maanden opmerkelijk toegewijd geweest en deze keer waren ze geen van beiden van plan het contact met de ander weer te verliezen. Ze waren beiden gaan rekenen op hun regelmatige e-mail en telefoontjes.

Onderweg naar het restaurant had hij het over de laatste zaken die hem waren toegewezen en toen ze langs de universiteit reden, bracht hij haar optimistisch in herinnering dat zij daar spoedig rechten zou studeren. Zij glimlachte. Het was makkelijk om met hem over van alles en nog wat te praten en ze gaf tegenover hem toe dat ze heel verdrietig was geweest toen Ellie had gezegd dat ze niet naar huis zou komen.

'Fred, zoiets is ook moeilijk,' zei hij terwijl hij haar meelevend aankeek. 'We moeten een behoorlijk dikke huid hebben. Het is niet gemakkelijk hen te zien opgroeien en het nest uit te zien vliegen. Ik heb mijn jongens dit jaar vreselijk gemist. Maar het is hun taak hun vleugels uit te slaan, en de onze om hen uit te laten vliegen. Nogmaals: ik weet dat het moeilijk is.' Hij nam haar hand in de zijne en bleef die vasthouden tot ze het restaurant hadden bereikt. Het verbaasde haar hoe gezellig dat was. Het was een aanbiddelijk Italiaans etablissementje. De ober nam hen mee naar een tafeltje in een rustige hoek en Faith liet haar jas over de rugleuning van haar stoel hangen, voor het geval ze het koud kreeg. Brad kon er niets aan doen dat het hem opnieuw opviel hoe aantrekkelijk ze was. 'Soms vergeet ik hoe je eruitziet,' zei hij plagend. 'Als ik je mailtjes krijg, ben je in mijn gedachten weer tien jaar oud, of op zijn hoogst veertien. En dan blijk je als ik je zie opeens volwassen te zijn.' 'Het is gek, maar mij overkomt iets dergelijks. In mijn gedachten ben jij altijd een jaar of veertien, en ik twaalf. Kun je je de keer nog herinneren dat we een kikker in Jacks bed hadden gestopt?' Ze schoten allebei in de lach.

'Ja. Hij heeft me er bijna om vermoord en toen ik de eerstvol-

125

gende keer bij jullie kwam logeren had hij als wraak een slang tussen mijn lakens gelegd. Ik haatte die slangen van hem.'

'Ik ook.' Ze gaven hun bestelling op en namen er een halve fles witte wijn bij. Het was een perfecte plek om bij elkaar te zijn. Rustig, sfeervol en vredig. En omdat Alex er niet was, hadden ze alle tijd van de wereld.

'Wat denk je dat er zal gaan gebeuren als je eenmaal echt gaat studeren?' Ze vonden allebei dat de voorbereiding voor het toelatingsexamen eigenlijk niet telde, ook al was dat hard werken. 'Denk je dat Alex eraan zal wennen, of dat hij over de rooie zal gaan?' vroeg Brad nieuwsgierig toen ze hun salade op hadden en op het hoofdgerecht wachtten. Van de cursus voor dat toelatingsexamen wist Alex niets af, en dus had hij daar ook geen bezwaar tegen kunnen maken.

'Ik denk dat hij zal gaan klagen, maar we zien en spreken elkaar eigenlijk nauwelijks. Hij komt thuis, eet zijn eten en gaat naar bed. Een paar dagen per week is hij op zakenreis. Hij heeft veel minder aandacht van mij nodig dan hij denkt,' zei ze praktisch. Dat alles had ze goed doordacht.

'En jij? Wat wil jij van hem, Fred?' vroeg Brad nadrukkelijk. Het was het soort vraag waarmee Jack vaak was gekomen, maar die zij zichzelf zelden stelde. Faith was een vrouw die weinig eiste en slechts sporadisch toegaf ergens behoefte aan te hebben. In emotioneel opzicht had ze lange tijd voor zichzelf gezorgd, net zoals ze dat als kind had gedaan, al had Jack haar toen wel gesteund.

'Ik heb niet veel nodig,' zei ze zacht terwijl ze naar haar handen keek. 'Ik heb alles wat ik hebben wil.' Nu keek ze hem weer aan.

'Ik bedoelde dat niet in materiële zin. Ik wilde vragen wat je van hem nodig hebt om te kunnen léven.' Het was een vraag die hij zichzelf kortgeleden ook had gesteld.

'Mijn leven gaat zoals het gaat. Bovendien is Alex niet iemand die openstaat voor de behoeften van anderen.' Hij was gesloten, en dat was hij ook altijd geweest. Dat had ze al lange tijd geaccepteerd.

'Wat prettig voor hem als hij daarmee weg kan komen. Wie is er voor jou, Fred?' De vraag was bot en ter zake en Faith haalde haar schouders op. Om een diversiteit van redenen had ze zichzelf in een geïsoleerde positie gemanoeuvreerd. Ze had tijd nodig gehad om te rouwen om Jacks dood en ze had al haar energie in de meisjes gestoken. Alex ging niet vaak meer met haar uit, omdat hij geheel en al opging in zijn werk. Vooral na Jacks dood was ze van haar vrienden vervreemd geraakt. Ze was heel eenzaam geworden, waardoor ze nu erg dankbaar was voor Brads vriendschap. Het was makkelijk voor hem open te staan omdat hij deel had uitgemaakt van haar jeugd en zo'n nauwe band met Jack had gehad. In sommige opzichten was ze nog niet over de dood van haar broer heen.

'In feite heb ik niets anders nodig dan mijn kinderen. Zij zijn er voor mij altijd.' Ze had haar behoeften tot hen beperkt en dat was het enige dat er nu toe deed.

'Werkelijk? Ik heb niet de indruk dat Ellie tot dat team behoort als ze met de kerstdagen naar Sankt Moritz gaat. Zij komt tegemoet aan haar eigen behoeften, al is dat standaardgedrag van kinderen.' Hij nam geen blad voor zijn mond over wat hij waarnam en het zat hem dwars dat Eloise zo aardig voor haar vader was en zo moeilijk deed tegenover Faith.

'Ze is nog jong,' zei Faith snel omdat ze gewoontegetrouw meteen bereid was excuses voor haar gedrag aan te voeren. Dat deed ze voor iedereen. Als mensen om haar heen kritisch waren, ondernam zij altijd een poging om met excuses te komen en te vergeven. Ze was onrzettend genereus.

'De waarheid is dat onze kinderen er – in elk geval het merendeel van de tijd – niet voor ons zijn. Dat is hun taak ook niet. Ze zijn te druk bezig met het op poten zetten van hun eigen leven,' zei Brad filosofisch. 'Maar daardoor vraag je je soms wel eens af wie er voor ons is. Zo er al iemand voor ons is. Het is geweldig wanneer je een grote familie hebt: broers en zussen en een wederhelft die je steunt. Maar als dat niet zo is, wie is er dan nog? Het is tussen twee haakjes geen strikvraag. Ik weet het antwoord erop zelf ook niet. Onderweg hierheen heb ik er in het vliegtuig over nagedacht. Pam heeft het zo druk met haar eigen leven en de dingen die haar bezighouden dat ik er niet zeker van ben of zij er zou zijn als ik haar nodig had. Het is nogal wat om dat te beseffen! Kortgeleden moest ik voor een gewone routinecontrole naar het ziekenhuis, en toen werd me gevraagd met wie ze in geval van nood contact moesten opnemen. Daar heb ik even over nagedacht en vervolgens de naam van mijn secretaresse ingevuld. Als ze Pam belden, meende ik, zou zij dat telefoontje niet aannemen. Daardoor zijn mijn ogen geopend.'

'Wat ga je daaraan doen?' vroeg ze terwijl er voor hem een grote, sappige biefstuk werd neergezet, en voor haar een gegrilde tong.

'Helemaal niets,' zei hij eerlijk, 'maar af en toe doet het me goed om de werkelijkheid onder ogen te zien. Vroeger had ik veel illusies over hoe een huwelijk zou moeten zijn. In werkelijkheid is dat nooit zo geweest. In elk geval het onze niet, noch dat van mijn ouders. Zij hebben elkaar jaren gehaat voordat ze gingen gescheiden. Toen hebben ze elkaar heel wat lelijke dingen aangedaan en jaren daarna spraken ze nog maar nauwelijks met elkaar. Ik heb nooit zo'n huwelijk willen hebben, en dat is nog steeds zo. Pam en ik haten elkaar godzijdank niet, maar ik weet niet meer wat we nog wel voor elkaar voelen, als we al iets voor elkaar voelen. Ik neem aan dat we vrienden zijn, of iets dergelijks. Of misschien alleen vreemden die toevallig op hetzelfde adres wonen.' Het was pijnlijk om dat toe te geven, maar hij had zich er al jaren geleden bij neergelegd, net zoals Faith vrede had gesloten met de manier waarop Alex haar behandelde en met het feit dat hij zich zo weinig met haar dagelijkse leven inliet. Ze hoopte echter wel dat hij er voor haar zou zijn als ze ooit ziek werd. Door de bank genomen was hij al lange tijd meer geïnteresseerd in zijn eigen leven. Ze kon zich niet herinneren wanneer het zo was geworden, of hoe het vroeger was geweest. Waarschijnlijk niet veel anders. Ze was gewoon druk bezig geweest met de meisjes en had de tijd niet gehad op te merken hoe afwezig hij was. Ook als hij lichamelijk aanwezig was, was hij er met zijn hart en zijn gedachten niet bij.

'Het zegt eerder iets over ons dan over hen, weet je,' zei Faith. 'Aan hun behoeften wordt voldaan. Ze schijnen geen van beiden veel van ons nodig te hebben of werkelijk bij ons te zijn betrokken. Wij zien het anders en willen meer, vermoed ik, maar we zijn bereid genoegen te nemen met het weinige dat ze ons geven. Wat denk je dat dat over ons zegt?'

'Vroeger dacht ik dat ik daarmee tot het kamp van de goeie jongens behoorde, maar de laatste tijd ben ik daar niet meer zo zeker van. Ik denk dat het eerder een kwestie is van lafheid en het willen handhaven van de status quo dan van wat anders. Ik wil geen onrust. Ik wil geen ruzie met haar maken. Een echtscheiding heb ik nooit geambieerd. Ik geef er de voorkeur aan mijn leven te beëindigen zoals het is begonnen, op hetzelfde pad, met hetzelfde huis, dezelfde echtgenote en hetzelfde werk dat ik nu doe. Ik denk dat ik veranderingen haat door de manier waarop ik ben opgegroeid. Mijn ouders dreigden elkaar voortdurend met vertrekken. Ik heb me aldoor heel bezorgd afgevraagd wat er dan zou gebeuren en toen gingen ze uiteindelijk echt scheiden. Zo wil ik nu niet leven. Dat soort verrassingen kan ik missen als kiespijn.'

'Ik wil dat ook niet,' zei Faith met een voldane zucht. Het was prettig er met hem over te praten. Vroeger deed ze dat met Jack, maar na zijn overlijden was er niemand geweest om die leegte te vullen.

'We moeten er wel een hoge prijs voor betalen,' zei Brad toen hij de laatste hap van zijn biefstuk nam en zijn mes en vork op zijn bord legde. Faith had niet meer dan de helft van haar vis opgegeten, maar ze had een kleine maag, iets waarvan haar kleine gestalte getuigde. 'Je offert veel op als je compromissen sluit, zeker als je bereid bent iemand anders de voorwaarden te laten bepalen. Ik denk dat ik daarmee kan leven, want anders zou ik het niet doen. Het is de prijs die je voor vrede moet betalen.' Hij was opmerkelijk eerlijk en daar bewonderde ze hem om. Hij wist wat hij had opgegeven en hij leek zich daar prettig bij te voelen. In wezen verschilde zijn leven niet zoveel van het hare, behalve dan dat Alex iets dictatorialer tegenover haar was dan Pam ten opzichte van Brad. Zij leken het te hebben opgelost door ieder huns weegs te gaan. Zij en Alex hadden nog een leven samen, in elk geval meestal, ook al communiceerden ze weinig met elkaar en deelden ze hun gedachten nauwelijks. Ze had hem al jaren niet meer in vertrouwen genomen.

'Het is soms eenzaam,' zei Faith zacht, alsof ze bang was die woorden over haar lippen te laten komen. Het was iets dat ze slechts zelden ook maar tegenover zichzelf toegaf, maar het leek geen kwaad te kunnen dat nu tegen Brad te zeggen. Ze voelde zich veilig bij hem, en dat was altijd al zo geweest.

'Dat is het,' zei hij instemmend, en hij nam haar hand weer in de zijne. Het was geweldig om bij haar te zijn. 'Fred, mis jij Jack even erg als ik?' vroeg hij na een lange stilte.

Ze knikte en keek hem met tranen in haar ogen aan. 'Ja, zeker in deze tijd. Hoewel Kerstmis niet anders zou moeten zijn dan de rest van het jaar, is het dat op de een of andere manier wel.'

'Maar ik mis Debbie niet,' zei Brad eerlijk, en Faith schoot in de lach.

'Mijn hemel, nee. Ze was zo'n kreng. Over alles opofferen voor de lieve vrede gesproken! Ik zal nooit begrijpen hoe Jack het met haar heeft uitgehouden. Ze deed verschrikkelijk tegen hem. Ik weet niet hoe vaak ze hem verlaten heeft, of daarmee heeft gedreigd. Ze zou mij krankzinnig hebben gemaakt. Alex gaat in elk geval zijn eigen gang, en ik heb de indruk dat Pam dat ook doet. Debbie gooide de deur voortdurend voor Jacks neus dicht.'

'Toch was hij gek op haar,' bracht Brad Faith in herinnering.

'Ik heb er ook nooit iets van begrepen. Ik denk dat het een van de redenen is waarom we elkaar steeds minder vaak zagen. Zij had een grondige hekel aan mij en ik was niet bijzonder op haar gesteld. Ze is zo'n beetje tussen Jack en mij gekomen.'

'Ze is weggelopen zonder ook nog maar één keer om te kijken, weet je,' zei Faith terwijl ze tegen haar rode jas aan leunde die haar als een reusachtige bloem leek te omgeven. 'Haar advocaat heeft ons laten weten dat ze ging hertrouwen en verhuizen. Ze heeft niet één keer gebeld of geschreven. Ik heb nooit meer iets van haar gehoord.'

'Dat is niet eerlijk,' zei Brad, en Faith was dat met hem eens. 'Ik heb een grote hekel aan haar, maar toch wou ik dat Jack en zij kinderen hadden gekregen. Het zou nu zo heerlijk zijn om in elk geval zijn kinderen nog te hebben. Nu rest er bijna niets meer van hem dan herinneringen,' zei Faith, die weer tegen haar tranen vocht.

Brad kneep in haar hand. 'We hebben elkaar, Fred. Dat heeft hij ons nagelaten. Alle goede tijden die we hebben gedeeld, al die herinneringen, al die jaren toen we nog jong waren.'

Ze knikte en kon even niets zeggen.

Ze besloten geen dessert te nemen en bestelden een cappuccino. Faith was verbaasd toen Brad haar recht aankeek en zei: 'Fred, denk jij dat er goede huwelijken bestaan? Dat vraag ik me soms af, weet je. Als ik om me heen kijk naar de mensen die we kennen, hebben ze naar mijn idee geen van allen iets wat ik wil hebben. Het klinkt cynisch, maar ik begin te geloven dat dromen nooit uitkomen. Als we aan een relatie beginnen draaien we onszelf allemaal een rad voor ogen over wat we krijgen en hoe het na verloop van tijd zal worden, maar uiteindelijk eindigt iedereen zoals jij en ik. We sluiten compromissen die ons verdomd veel kosten en zijn dankbaar voor onze kinderen en oude vrienden die ons erdoorheen slepen.'

'Dat is een trieste visie, Brad. Ik denk graag dat er mensen zijn die wel gelukkig zijn. Ik heb vrienden die dat zijn. Naar mijn idee, in elk geval. Ik kan niet zeggen dat ik het niet ben. Ik heb alleen niet wat ik dacht met Alex te zullen hebben. Het is anders, en daarmee is alles gezegd.' Wat ze niet tegen hem zei, was dat ze steun kreeg van haar geloof, dat een andere dimensie aan haar leven had toegevoegd. Net als Jack was ze altijd heel gelovig geweest. Brad had hen beiden daarom bewonderd en benijd.

'Fred, ik denk dat je jezelf in de maling aan het nemen bent. Als we in ons huwelijk hadden wat we willen hebben, zouden we elkaar omwille van het verleden geen mailtjes aan het sturen zijn. Dan zouden onze kinderen niet in zo'n grote mate het middelpunt van ons leven zijn. In dat geval zouden we ons zelfs gelukkig kunnen voelen wanneer ze eindelijk volwassen zijn en het huis uit vliegen. Wat denk jij dat je met Alex hebt? Wat zou je kunnen zeggen als je eerlijk bent? Ik denk dat ik in Pam een vriendin en een zakenrelatie had. Nu we niet meer samenwerken, zijn we alleen vrienden. Als we dat al zijn. In feite zijn we twee mensen die samen een huis delen, en niet veel meer dan dat.' Zij vond dat triest klinken, maar hij leek er geen problemen mee te hebben. Hij was opmerkelijk eerlijk tegenover haar en tegenover zichzelf. Hij had nog maar weinig illusies, en geen dromen.

'Ik denk dat Alex en ik vrienden zijn,' zei ze peinzend. Ze maakte zichzelf echter niet wijs dat ze nog verliefd op elkaar waren. Dat waren ze niet, al was het eens anders geweest. Of in elk geval was zij verliefd geweest op hem. Ze was er niet langer zeker van hoeveel liefde Alex kon voelen. Waarschijnlijk minder dan ze eens had gehoopt. 'We steunen elkaar. Nee, dat klopt niet,' corrigeerde ze zichzelf. 'Ik steun hem, en hij zorgt financieel voor mij. Verder is hij een goede, verantwoordelijke vader. Hij is een man van fatsoen.' Ze deed haar uiterste best meer positieve dingen te bedenken en het kostte haar moeite de woorden te vinden om te beschrijven wat hij voor haar was. Hij was degelijk. Ze kon op hem rekenen. Maar in emotioneel opzicht gaf hij haar al jaren niet veel meer.

'Begrijp je nu wat ik bedoel? Het is niet direct wat een huwelijk naar jouw idee zou moeten zijn, nietwaar? Als ik eens goed naar het mijne kijk zie ik hetzelfde, en net als jij ben ik niet bereid daar verandering in te brengen. Ik denk niet dat dat veel zin zou hebben. Ik vermoed dat ik tot de conclusie ben gekomen dat je krijgt wat je krijgt en daar het beste van maakt. De waarheid luidt echter dat er daardoor veel leegten in je leven blijven. Die vul je met kinderen, vrienden en werk, met dromen, fantasieën, gevoelens van spijt. Wat dan ook. Maar hoe je daar ook je best voor doet en hoe hard je ook probeert jezelf een rad voor ogen te draaien, die leegten blijven bestaan.' 'Ook dat klinkt nogal hard,' zei Faith. Hoewel ze een beetje van streek was door wat hij zei, kon ze hem geen ongelijk geven.

'Ik ben liever eerlijk tegenover mezelf,' ging Brad door. 'Toen ik dat niet was, was ik wanhopig ongelukkig en probeerde ik voortdurend van mijn relatie met Pam iets te maken wat die niet kon zijn, haar te veranderen in iemand die ze nooit is geweest. Zodra ik onze relatie en haar persoon eenmaal had geaccepteerd zoals die waren, heb ik dat alles geaccepteerd, denk ik.'

'Is er iemand anders in je leven?' vroeg ze openhartig. Het was een vraag die ze Jack zou hebben gesteld, maar voor hem was er nooit een ander geweest. Hij was te zeer door Debbie geobsedeerd geweest om haar ooit te kunnen bedriegen, hoewel zij wel vreemd was gegaan en hij dat vreselijk had gevonden toen hij het had ontdekt. Maar wat ze hem ook had aangedaan, hij had haar altijd teruggenomen. Faith had voortdurend het gevoel gehad dat haar broer de begrippen vergiffenis schenken en trouw zijn tot in het absurde doorvoerde. In elk geval ten aanzien van zijn vrouw. Het was echter ook een van de redenen waarom ze van hem had gehouden.

'Er is ooit een keer een ander geweest,' zei Brad even eerlijk als haar broer dat zou hebben gedaan. 'Ik denk dat Pam er een vermoeden van had, maar ze heeft er nooit een punt van gemaakt. Ze wilde het waarschijnlijk niet weten. Zoiets leidt echter nergens toe. Het frustreert iedereen als je getrouwd wilt blijven, zoals ik dat wilde en nog wil. Je kwetst er mensen mee. Ik heb er nooit een goed gevoel over gehad en iets dergelijks ook nooit meer gedaan. Op die manier is het gemakkelijker.' Hij leek vrede te hebben met de situatie zoals die was.

'Zou je van Pam scheiden als je van iemand anders ging houden?' vroeg Faith, die nu nieuwsgierig was geworden. Wat hij had gezegd fascineerde haar, en hij werd evenzeer door haar geïntrigeerd. Hij wilde weten wat haar dreef nu ze volwassen was, en welke compromissen zij had gesloten.

'Nooit,' zei hij, en hij keek absoluut overtuigd. 'Toen ik met Pam trouwde, meende ik wat ik zei. In voorspoed en in tegenspoed. Tot de dood ons scheidt. Ik ga niet dezelfde vergissing maken die mijn ouders hebben gemaakt. Dat ben ik aan mijn kinderen verschuldigd. Zelfs nu ze volwassen zijn, kunnen ze alle ellende van ouders die elkaar haten, niet met elkaar praten en alles vernietigen wat ze hebben opgebouwd, missen als kiespijn. Ik zal niet van Pam scheiden en ik zal niet van iemand anders gaan houden. De geschiedenis zal zich niet herhalen.'

'Ik denk er net zo over,' zei Faith zacht. Hoewel ze absoluut de kans niet had gehad om van een andere man te gaan houden, zou ze die ook niet hebben gepakt als ze hem wel had gekregen. Sowieso al niet om godsdienstige redenen, maar voornamelijk omdat ze haar huwelijk respecteerde. 'Het enige dat je in zo'n geval doet, is problemen inruilen voor andere. Perfecte levens bestaan niet.'

'We zijn twee zielige mensen.' Lachend betaalde Brad de rekening en keek haar toen weer ernstig aan. 'Fred, ik ben blij dat we elkaar weer hebben gevonden. Je bent als een geschenk in mijn leven. Je maakt het opeens allemaal de moeite waard... als een gouden munt die je dacht jaren geleden te zijn kwijtgeraakt en dan achter in een la vindt. Een munt die niet alleen even mooi is als hij eens was, maar zelfs nog waardevoller blijkt te zijn geworden. Ik vind het heerlijk met je te praten, je mailtjes te sturen en die van jou te krijgen. Je maakt mijn dagen echt zonniger.'

Ze glimlachte hem toe, dankbaar voor wat hij had gezegd. Ten aanzien van hem voelde zij hetzelfde. 'Door jouw toedoen ga ik weer studeren. Als ik om drie uur 's nachts huiswerk aan het maken ben, zal ik jou daar de schuld van geven,' zei ze plagend.

'Wanneer je als advocaat bent toegelaten, kun je Alex verlaten en voor mij komen werken.'

'Dan zouden zijn ergste nachtmerries bewaarheid worden.' Ze lachte en ze liepen arm in arm het restaurant uit. Het was toen al na elven en hij moest de volgende dag vroeg op.

'Heb je tijd om me morgen te zien?' vroeg hij terwijl ze Prince Street afliepen en hij een taxi aanhield.

'Natuurlijk. Alex is tot het eind van de week in L.A., en Zoe komt pas in het weekend. Ik ben zo vrij als een vogeltje; alle kerstinkopen heb ik al gedaan,' zei ze trots.

Hij trok een gezicht. 'Daar ben ik nog niet eens mee begonnen. Dat zal moeten gebeuren zodra ik weer thuis ben.' In zijn geval betekende dat een snel bezoekje aan Tiffany voor Pam. Ze was dol op juwelen en gewoonlijk vertelde ze hem precies wat ze kortgeleden had gezien en graag wilde hebben. Om het gemakkelijker voor hem te maken. Verder was het te ingewikkeld om iets naar de jongens te sturen. Hij zou cadeautjes meenemen als hij hen in de lente ging opzoeken. Tot slot wilde hij nog een horloge voor zijn secretaresse kopen, en dat kon ook bij Tiffany. Inkopen doen bleef voor hem beperkt tot twee winkels bezoeken binnen een uur, op de vierentwintigste december. 'Heb je zin om morgenavond weer uit eten te gaan? Ik geloof dat er voor de conferentiegangers een diner staat gepland, maar daar kan ik wel onderuit komen. Zal ik je om zes uur ophalen? Ik zal weer aan de receptionist vragen welk etablissement hij aanraadt, want zijn advies voor vanavond was niet slecht.'

'Ik vond het geweldig. Mijn vis was perfect en de wijn was heerlijk.' Ze had er niet eens één glas van gedronken, en Brad schoot in de lach.

'Fred, je eet nog steeds muizenhapjes. Het is een wonder dat je niet omkomt van de honger.' Zo was ze echter altijd geweest, ook toen ze nog tieners waren. De helft van de tijd had ze alleen onzichtbare hoeveelheden eten opgeknabbeld, en dan iedereen verbaasd door twee hotdogs en een *banana split* weg te werken. Als kind was ze dol op *banana splits* geweest.

In de taxi sloeg Brad een arm om haar heen en kroop zij lekker dicht tegen hem aan. Het was gezellig en ze voelde zich veilig bij hem. Hij gaf voedsel aan een diep verborgen deel van haar dat vanaf de dood van Jack honger had gekend. Het was een deel van haar dat door Alex nooit werd gevoed.

Toen ze bij haar huis waren stapte hij de taxi uit en vroeg de chauffeur te wachten. Hij keek toe terwijl zij het alarm uitzette en zichzelf binnenliet in het keurige huisje.

'Tot morgenavond. Ik zal je bellen voordat ik je kom ophalen, om je te laten weten wat we gaan doen. Wil je naar een luxueus restaurant?' Hij zou haar overal mee naartoe nemen waar ze heen wilde.

Snel schudde ze haar hoofd. 'Ik heb genoten van deze avond. Het kan me niets schelen of we pizza, pasta of *burrito's* gaan eten. Ik wil gewoon bij jou zijn,' zei ze stralend terwijl hij haar nog een knuffel gaf. Deze avond was alles geweest waarop ze had gehoopt.

'Tot morgen!' riep hij vanuit de taxi, en hij zwaaide toen die wegreed. Zij deed de deur dicht en op slot. In haar rode jas liep ze de trap op naar haar slaapkamer, en ze voelde zich vrediger dan in jaren het geval was geweest.

9

Zoals beloofd haalde Brad haar de volgende avond om zes uur op. Hij had haar alleen verteld dat ze eenvoudig gingen eten en ze zich warm moest aankleden. Dat had ze ook gedaan. Ze droeg een dikke jas en een coltrui in dezelfde kleur groen als haar ogen, een zwartfluwelen broek en met bont afgezette laarzen, want het was die dag koud geworden.

'Waar gaan we heen?' vroeg ze.

Hij had de chauffeur het adres al gegeven voordat zij instapte, en hij zei mysterieus: 'Dat zul je wel zien.'

Ze stapten bij Saks Fifth Avenue de taxi uit en staken over. Op dat moment besefte ze dat ze naar Rockefeller Center gingen om onder het eten naar de mensen te kunnen kijken die op de ijsbaan aan het schaatsen waren. Ze namen plaats aan een tafel recht voor het grote raam en het was leuk om sommige schaatsers pirouettes te zien draaien en anderen te zien wankelen en vallen. Iedereen leek zich te amuseren en er waren veel kinderen temidden van de volwassenen.

'Kun je je nog herinneren dat we met zijn drieën vaak in Central Park gingen schaatsen?' vroeg Faith met ogen vol gelukkige herinneringen en een brede glimlach.

Hij had erover gedacht haar daarheen mee te nemen, maar toch hiervoor gekozen. Hij had het idee gehad dat de Wollman Rink in het park haar – en hem – te sterk aan Jack zou doen denken. Ze hadden samen zoveel avonturen beleefd en van elk daarvan genoten. Het was leuk geweest om in New York kind te zijn. Ze hadden aan Upper East Side gewoond, in een buurt even ten noorden van Yorktown, en Brad en Jack hadden op dezelfde school gezeten.

'Natuurlijk herinner ik me dat,' zei hij met een superieure gezichtsuitdrukking. 'Daarom zijn we hier. Misschien kunnen we na het eten zo goed of zo kwaad als dat gaat een rondje schaatsen. Ik heb al een jaar of twintig niet meer geschaatst, want dat doen ze niet veel in Californië.' In hun jonge jaren hadden ze met zijn drieën op zijn minst een of twee keer per week de schaatsen ondergebonden. Jack had zelfs deel uitgemaakt van het ijshockeyteam van de school.

'Schaatsen? Hier?' Ze keek verbaasd en geamuseerd, maar ze vond het een geweldig idee. 'Dat zou leuk zijn!'

'Ik ben blij dat je er zo over denkt, en je mag me overeind hijsen als ik op mijn achterste beland.'

'Reken daar maar niet op. Ik heb sinds onze kinderjaren niet meer geschaatst.' Toen de meisjes nog klein waren, was ze vaak met hen naar een ijsbaan gegaan, maar dan had ze altijd vanaf de zijlijn toegekeken.

'Prima. Dan zijn we aan elkaar gewaagd.'

Ze bestelden en Faith besefte dat ze snel at om maar het ijs op te kunnen gaan. Hij had dit perfect getimed. Hij had voor halfzeven een tafeltje gereserveerd en om precies acht uur waren ze klaar, net op tijd voor de volgende ronde. Ze liepen naar de kleedkamer om schaatsen te huren terwijl een man het ijs met de Zamboni aan het schoonvegen was, en toen ze de schaatsen aan hadden, konden ze meteen de baan op.

Faith waagde zich als eerste op het ijs. Aanvankelijk voelde ze zich onvast op haar benen staan en vroeg ze zich af of het te lang geleden was dat ze dit had gedaan. Maar toen ze twee keer een rondje had gedraaid, verbaasde het haar hoe groot haar zelfvertrouwen werd. Brad schaatste inmiddels naast haar mee, en ook hij vond zijn zeebenen sneller terug dan hij had gedacht. Ooit hadden ze vrij aardig kunnen schaatsen en binnen een halfuur draaiden ze hand in hand rondjes en amuseerden ze zich prima.

'Niet te geloven dat ik dit nog kan!' zei Faith, die zich verbazingwekkend competent voelde, roze blossen op haar wangen had en haren die wapperden in de wind. Ze was blij dat ze na zijn waarschuwing zich warm aan te kleden handschoenen had meegenomen. Ze had er geen idee van gehad wat hij in gedachten had en zich afgevraagd of hij een lange wandeling wilde gaan maken, of iets anders al even bedaagds. Dit had ze nooit verwacht, maar ze vond het prachtig. Het was alsof ze waren teruggegaan in de tijd.

'Fred, jij bent er nog behoorlijk goed in.' Zodra hij dat had gezegd, viel ze. Hij trok haar overeind en lachend reden ze weer verder.

Twee uur later waren ze allebei uitgeput maar zeer tevreden. Met spijt in het hart brachten ze de schaatsen terug, al gaf Brad wel toe dat hij het misschien niet had overleefd als hij nog een uur op de gladde ijzers had moeten staan.

'Ik moet oud aan het worden zijn,' klaagde hij, maar daarmee kon hij Faith niet in de maling nemen. 'Morgen zal ik overal spierpijn hebben.'

'Ik ook. Toch was het elke minuut waard,' zei ze glimlachend. Sinds haar kinderjaren had ze niet meer zoveel lol gehad. Het was een geweldig idee geweest. 'Mijn hemel! Herinner je je alle keren dat ik mee mocht wanneer jullie met al jullie vrienden gingen schaatsen? Jullie probeerden altijd achter de meisjes aan te gaan en dat verpestte ik dan steevast voor jullie beiden. Dat deed ik met opzet omdat ik rond mijn twaalfde of dertiende smoorverliefd was op jou.'

'Waarom ben ik dan niet met jou getrouwd in plaats van met Pam? Stom van me, neem ik aan,' zei hij plagend. Vanaf het begin van hun tienertijd al was er nooit sprake geweest van iets als romantiek tussen hen.

'Ik denk dat ik daar rond mijn veertiende overheen was,' reageerde ze lachend. In feite was dat op haar zestiende gebeurd, toen hij naar de universiteit ging en zij andere jongens ontmoette. Maar acht jaar lang was Brad voor haar het einde geweest en nu ze elkaar hadden teruggevonden, dacht ze er weer net zo over.

Langzaam liepen ze richting Fifth Avenue, gloeiend van de kou en met lichtelijk pijnlijke spieren, maar allebei ontspannen en vredig. Terwijl ze op de hoek stonden en uitkeken naar een taxi, keek Faith naar St. Patrick's Cathedral en kreeg een idee. 'Zullen we een kaars voor Jack gaan opsteken?' vroeg ze heel ernstig, en de blik in haar ogen brak bijna zijn hart. Ze had er een gewoonte van gemaakt dat een aantal keren per week tijdens de mis voor Jack te doen.

'Best.' Hij had al in jaren geen kerk meer van de binnenkant gezien, al was hij vroeger wel meegegaan met haar, Jack en hun moeder. Hij was zelf opgegroeid met de anglicaanse kerk, maar hij hield van de pracht en praal van de katholieken en was een paar keer met hen ter communie gegaan om te zien hoe het er bij hen aan toe ging. Hij was tot de ontdekking gekomen dat de twee kerken niet van elkaar verschilden en dat had hem verwonderd, want hij had de katholieke Kerk tot dan toe altijd mysterieuzer en indrukwekkender gevonden. Jack had hem een keer uitgedaagd te gaan biechten, en het had hem verbaasd hoe aardig de priester was geweest.

Veel van het katholicisme had hem altijd aangesproken, hoewel hij de laatste jaren ook van zijn eigen geloof vervreemd was geraakt. Faith ging nog steeds regelmatig naar de kerk. Alex was echter geen godsdienstig type. Hij had zich er krachtig tegen verzet, en op haar kinderen had ze haar geloofsovertuiging ook nooit kunnen overbrengen. Het was iets dat ze in haar eentje deed, en na de dood van haar broer vaker dan daarvoor – nu meer dan een of twee keer per week. Het gaf haar het gevoel bij Jack te zijn, en vrede te kennen. Dat was de enige manier waarop ze troost had kunnen vinden. Brad zei niets terwijl hij achter haar aan overstak naar de kerk.

Het was even na tienen en de deuren waren nog open. Vanwege de kerst was de kerk schitterend versierd en op een bijzondere manier verlicht. Het interieur zag er indrukwekkend uit toen ze naar binnen liepen en bleven staan om om zich heen te kijken.

Langs de zijmuren waren altaren voor individuele heiligen waarvoor rijen kaarsen brandden, en het hoofdaltaar stond aan het eind van het middenpad, recht voor hen. Faith sloeg een kruis en samen liepen ze de kerk verder in. Het was bijna alsof ze Jack met hen mee kon voelen lopen.

Ze schoven een bank in. Zij ging op haar knieën zitten en bad voor Jack en haar moeder, voor Charlie en tot slot voor haar dochters. Toen draaide ze zich, nog altijd op haar knieën, glimlachend naar Brad toe. Hij had haar nog nooit zo mooi gezien. Het leek wel alsof ze werd omgeven door een aura van vrede en in haar ogen lag een heel tedere blik.

'Ik voel hem hier bij ons,' fluisterde ze. Ze wisten allebei over wie ze het had. Brad knikte met tranen in zijn ogen en knielde toen naast haar neer.

'Ik ook.' Hij boog zijn hoofd en deed zijn ogen dicht.

Het was net als vroeger. Samen schaatsen, en naar de kerk gaan. Jack was de enige die ontbrak, al leek het alsof dat niet zo was.

Het duurde een tijdje voordat ze allebei opkeken. Toen liepen ze langs het hoofdaltaar naar de kleine altaren voor de heiligen. Faith boog uit eerbied een knie toen ze het midden van de kerk passeerden en hij liep achter haar aan naar het altaar van de Heilige Judas, die altijd al haar favoriete heilige was geweest.

Ze deed een biljet van vijf dollar in het offerblok en stak een kaars voor Jack op. Brad stak de zijne aan de hare op. Hij had dat altijd iets magisch gevonden, alsof zo'n krachtig gebaar alleen in goede dingen kon resulteren. Ze bleven een tijdje in gebed verzonken staan, denkend aan haar broer. Toen pakte hij haar hand en liepen ze langzaam verder. Vlak voordat ze de kerk verlieten doopte Faith haar hand in wijwater en sloeg een kruis. Daarna keek ze Brad glimlachend aan.

'Dank dat je met me mee bent meegegaan,' fluisterde ze. Ze was eerder die week al naar de kerk geweest, maar nu hij erbij was deed het haar meer, alsof hun gecombineerde gebeden sterker waren, alsof het meer betekende wanneer ze samen met hem voor Jack kon bidden.

Zwijgend en diep ontroerd liep Brad achter haar aan naar buiten. Het was jaren geleden dat hij in een kerk was geweest en het verbaasde hem hoeveel het voor hem had betekend. Misschien kwam dat uitsluitend door haar en de herinneringen die erdoor aan hen drieën werden opgeroepen.

'Heb je nog een rozenkrans?' vroeg hij terwijl ze hand in hand de trap van St. Patrick's af liepen. Hij voelde zich nog meer met haar verbonden dan in lange tijd het geval was geweest, alsof ze nu zijn zuster was: een bloedverwant en niet alleen een vriendin.

'Ja.'

'Bid je nog steeds rozenhoedjes?' Dat had hem vroeger altijd gefascineerd. Hij hield van de rituelen en de praal. Jack had hem er vaak mee geplaagd en gezegd dat hij zich moest bekeren en voor het priesterschap diende te kiezen.

'Soms. De laatste jaren weer wat meer, vanwege Jack. Af en toe loop ik gewoon even een kerk in om voor hem te bidden.' Brad knikte, omdat hij haar niet naar het waarom wilde vragen. Voor hem was het voldoende dat ze het wilde en het zinnig voor haar was. Dat was altijd zo geweest. Als jong meisje had ze zelfs een paar keer gezegd dat ze non wilde worden. Jack had dat een afschuwelijk idee gevonden en tegen haar gezegd dat ze dat uit haar hoofd moest zetten. Later toonde ze veel meer belangstelling voor een huwelijk en het krijgen van kinderen, en dat had hem stukken gezonder geleken.

'Gaan Pam en jij ooit naar de kerk?' vroeg ze terwijl ze op Fifth Avenue stonden. Het was tijd om haar naar huis te brengen, maar hij vond het verschrikkelijk afscheid van haar te moeten nemen.

Hij glimlachte om haar vraag. 'Pam is een overtuigd atheïst. Ze gelooft stellig dat er geen God bestaat.' Hij zei het zonder een oordeel over haar uit te spreken. Zo was ze nu eenmaal. Zijn eigen overtuigingen waren binnen dat kader qua vorm altijd een beetje vaag geweest, maar hij geloofde wel in God.

'Wat triest,' zei Faith.

Brad glimlachte haar toe. Faith had soms iets heel puurs dat hem altijd al had aangestaan.

'En de jongens?' vroeg ze verder.

'Ik geloof niet dat zij er zeker van zijn, en volgens mij kan het die twee ook niet zoveel schelen. Ik heb me nooit met hun godsdienstige leven bemoeid en altijd gedacht dat ze op een dag zouden doen wat ze wilden. Ik was al in jaren niet meer in een kerk geweest. Gaat Alex ooit met je mee?'

'Hij is net als jij anglicaans en hij komt nooit in een kerk. Ik geloof niet dat hij een atheïst is. Hij haat kerkbezoeken domweg en vindt ze tijdverspilling. Volgens hem is dat iets voor vrouwen. De meisjes hebben er ook nooit belangstelling voor gehad, behalve om af en toe een kaars voor iemand op te steken.'

'In onze jonge jaren vond ik dat altijd iets magisch. Net zoiets als een wens doen. Ik geloofde dat alle gebeden werden verhoord en als ik het me goed herinner heeft je moeder me dat verzekerd.' Zij was een bijzonder gelovige vrouw geweest, waardoor ze heel wat ongelukkige jaren met haar eerste echtgenoot en tijdens het begin van haar huwelijk met Charlie had kunnen overleven, hoewel ze nooit had toegegeven dat ze ongelukkig was geweest. De familie van Faith had in die tijd veel geheimen gehad en veel ontkend.

'Ik dacht vroeger ook dat alle gebeden werden verhoord,' zei Faith triest. Die van andere mensen, zo niet de hare.

'En nu?' vroeg Brad terwijl hij haar strak aankeek.

'Soms ben ik er niet zo zeker meer van.'

'Vanwege Jack?' vroeg hij zacht terwijl hun adem in de koude lucht voor rookwolkjes zorgde. Ze knikte. 'Het is gek, weet je. Ik ben niet gelovig en dat ben ik ook nooit geweest. Ik ben in onze jeugd alleen met jullie en jullie moeder naar de kerk gegaan, maar ik geloof nog steeds in haar stelling dat alle gebeden worden verhoord.'

Faith dacht daar even serieus over na. 'Ik wou dat ik daar even zeker van was.' Zelfs gedurende de ergste momenten had ze zich altijd op haar geloof verlaten. Het leven was echter niet meer zo eenvoudig als het toen had geleken.

'Volgens mij gebeurt dat ook,' verklaarde hij nogmaals stellig.

Hij had een brok in zijn keel en ze kon niet bepalen of de tranen in zijn ogen door de kou of door iets anders werden veroorzaakt. 'En naar mijn idee zou Jack dat ook denken.'
Faith knikte slechts. Toen gaf ze hem een arm en liepen ze langzaam Fifth Avenue op, zonder verder nog iets te zeggen.

10

De volgende dag vertrok Brad uit New York. Hij had haar 's morgens gebeld om te vertellen dat zijn spieren zo stijf en pijnlijk waren dat hij nauwelijks zijn hotelbed uit had kunnen komen, maar hij zich desondanks nog nooit zo geweldig had geamuseerd. Hoewel hij bij haar langs had willen komen om haar gedag te zeggen, bleek hij daar uiteindelijk de tijd niet voor te hebben. Hij moest zich haasten om zijn vliegtuig te halen en belde haar vanaf het vliegveld.

'Ik had je een knuffel willen geven en je een gelukkig kerstfeest willen wensen, Fred,' zei hij triest. Het stelde hem teleur haar niet nog een laatste keer te kunnen zien. 'Ik heb me gisteravond zo geweldig geamuseerd. Beter dan ooit. We moeten het nog eens doen als ik hier weer ben.' Hij had echter geen plannen in die richting. Hij kwam nog maar zelden in New York, behalve voor conferenties als die hij nu net had bijgewoond. Toen hij nog op het kantoor van zijn schoonvader werkte, was hij heel vaak in New York geweest.

'Ik heb het ook geweldig gevonden,' zei ze nostalgisch. Het was zo fantastisch geweest hem te zien en nu hij terugging naar Californië leek het wel alsof ze weer afscheid moest nemen van een deel van Jack. 'Ik ben blij dat we naar St. Patrick's zijn gegaan.'

'Ik ook. Misschien zal ik in San Francisco een keer een kaars voor hem gaan opsteken. Daar geloof ik in. Het lijkt nog altijd iets bijzonders.'

'Dat weet ik,' zei ze instemmend. 'Ik zal met de kerst een kaarsje voor jou opsteken tijdens de nachtmis. Gewoonlijk kan ik

Zoe er wel toe overhalen die ene keer met me mee te gaan.'
Die opmerking riep bij Brad de gedachte op dat hij met haar mee zou moeten gaan in plaats van Pams diner bij te wonen. Pam en hij deden de vierentwintigste december niet veel. Gewoonlijk dineerden ze bij haar vader en gingen dan weer naar huis en naar bed. Nu de jongens er niet waren, hadden ze besloten geen kerstboom te kopen.

'Wanneer komt Zoe naar huis?' Hij was de precieze datum vergeten, maar wist nog wel dat het een dezer dagen zou zijn, en dat Alex de volgende dag naar huis zou komen. Brad was de avond daarvoor een paar minuten binnen geweest toen hij Faith naar huis had gebracht. Ze had hem de studeerkamer laten zien waar haar computer stond en ze haar mailtjes naar hem verstuurde. Het was een gezellige kamer vol foto's en was wat zij 'sentimentele troep' noemde. Hij had het prettig gevonden te zien waar ze hem schreef, want zo zou hij zich een beeld kunnen vormen wanneer ze hem een e-mail stuurde.

'Vanavond,' zei ze tegen hem, 'en daarna zal het een gekkenhuis worden. Jonge mensen die op alle uren van de dag het huis in en uit rennen, overal kleren, en pizza's die laat op de avond worden bezorgd.'

'Ik mis die tijd echt,' zei hij, en hij klonk triest. 'Ik bel je in het weekend, want ik moet beide dagen op kantoor zijn. Zorg goed voor jezelf, Fred.'

'Jij ook, en bedankt voor twee heerlijke avonden. Ik heb ervan genoten.'

'Ik ook.' Zijn toestel werd omgeroepen en hij moest gaan. 'Steek de volgende keer dat je naar de kerk gaat een kaars voor me op. Ik kan altijd wat extra hulp gebruiken.'

'Dat zal ik doen. Een goede vlucht,' zei ze. Snel verbrak hij de verbinding en zij ging zitten, denkend aan hem. Het was zo eigenaardig en geweldig hem weer in haar leven te hebben. Dat was echt een geschenk. Het zien van hem was het mooist denkbare kerstcadeau geweest. Het enige geschenk dat nog mooier zou zijn geweest, was Ellies aanwezigheid. Faith moest Zoe nog altijd vertellen dat haar zuster met de feestdagen naar

146

Zwitserland ging. Maar het enige waaraan ze nu kon denken was de tijd die ze met Brad had doorgebracht, en wat dat voor haar had betekend. Tijdens beide etentjes hadden ze diepgaande gesprekken gevoerd, en ze had het heerlijk gevonden met hem te schaatsen. Het was verbazingwekkend hoe gemakkelijk ze zich nog altijd voor elkaar openstelden. Net als vroeger, maar beter nog omdat ze nu verstandiger waren. Het was zo prettig met hem te praten. In sommige opzichten zelfs gemakkelijker dan met Jack. Zij waren het altijd met elkaar oneens geweest over zaken als het huwelijk van hun moeder. Faith had gezegd dat zij haar hele leven eenzaam en ongelukkig was geweest, terwijl Jack Charlie een fatsoenlijke man vond en meende dat zijn zuster hem te kritisch beoordeelde. Over hun beider wederhelften waren ze het ook nooit eens geweest. Zij had Debbie niet gemogen en hij had Alex gehaat. Met Brad waren er geen loyaliteitskwesties, en ze dachten over de meeste dingen hetzelfde. Het idee dat hij in zijn huwelijk zoveel compromissen had gesloten stemde haar triest. Ze had ook met hem te doen. Pam leek niet de juiste vrouw voor hem te zijn, ook al was het duidelijk dat hij de rest van zijn leven bij haar zou blijven. Dat was nobel van hem, maar het leek in haar ogen op zijn minst misplaatst. Hij had echter hetzelfde over Alex kunnen zeggen. Ze hadden geen van beiden een makkelijk huwelijk en een makkelijke partner, maar ze hadden daar zelf voor gekozen en besloten in die keuze te berusten. Daar respecteerde ze hem om, en tegelijkertijd had ze medelijden met hem.

Die avond verstuurde ze een mailtje om hem te bedanken voor het schaatsen en de etentjes. Net toen ze dat bericht verstuurde, kwam Zoe thuis met vier koffers, haar tennisracket, een cameratas, en haar computer onder een arm. Ze dumpte alles in de grote hal en liep de keuken in, waar ze een glas melk aan het inschenken was toen haar moeder zich bij haar voegde.

'Welkom thuis.' Faith sloeg haar armen om Zoe heen voor een warme knuffel en bood aan iets te eten voor haar te maken. Ze zei dat ze op het vliegveld een sandwich had gegeten, pakte wat ijs en ging met een grijns op de keukentafel zitten terwijl Faith naar haar glimlachte.

'Wat is het heerlijk je te zien!' Ze zou drie weken thuis blijven en dat stemde Faith opgetogen.

'Ik vind het ook fijn weer thuis te zijn,' zei Zoe grinnikend terwijl ze de laatste hap van het vanille-ijs nam. 'Wanneer komt Ellie?'

Het gezicht van Faith betrok zichtbaar. 'Die komt niet. Ze gaat naar Zwitserland, naar Sankt Moritz, om daar met Geoff en zijn familie te skiën.'

'Meen je dat serieus?' Zoe keek stomverbaasd. 'Gaat ze met hem trouwen?' De enige reden die ze kon bedenken voor het feit dat Eloise niet naar huis kwam, was dat ze haar schoonfamilie wilde ontmoeten, of zich wilde verloven.

'Niet dat ik weet. Ze wilde het gewoon voor de lol doen.'

'En dat heb jij goedgevonden?' Zoe kon er niet over uit. De feestdagen waren belangrijk voor Faith en Zoe kon zich niet voorstellen dat haar moeder haar oudere zus zo gemakkelijk permissie had gegeven. Faith zou dat ook niet hebben gedaan als Alex er niet mee akkoord was gegaan.

'Ze schijnt jullie vader eerst te hebben gebeld, en die heeft gezegd dat het wat hem betrof oké was. Daarom heb ik haar deze keer haar zin gegeven, maar eraan toegevoegd dat ze volgend jaar thuis moet zijn. Dus ga je geen ideeën in je hoofd halen.' Faith zwaaide vermanend met een vinger door de lucht en Zoe grinnikte.

'Maak je geen zorgen, mam. Ik ga nergens heen. Maar het zal wel vreemd zijn als zij er niet is.' Zoe keek opeens triest. Het kostte haar moeite zich een kerst zonder haar zuster voor te stellen, ook al konden ze het niet altijd goed met elkaar vinden. Het zou heel vreemd zijn, en ook een beetje triest.

'Dat weet ik,' zei Faith instemmend. 'Je zult drie weken lang enig kind zijn.'

Het gezicht van Zoe klaarde op. 'Dat klinkt eigenlijk best goed. Waar is pap, tussen twee haakjes?'

'Die zit in een vliegtuig dat vanuit Californië naar New York onderweg is. Over een paar uur moet hij hier zijn.' Hij had vanaf het vliegveld gebeld om te zeggen dat hij een dag eerder naar huis zou komen en dat hij doodop was.

'Hmmm,' zei Zoe terwijl ze de telefoon pakte. Een halfuur later was ze in haar kamer haar koffers aan het uitpakken. Ze liet kleren overal op de grond vallen en haar computer stond al bedrijfsklaar. Toen werd er drie keer aangebeld en arriveerden haar beste vriendinnen van de middelbare school. Tegen de tijd dat Alex thuiskwam, stond er luide muziek op, waren de meisjes aan het lachen en zei Zoe dat ze gingen stappen. Er was sprake van een volslagen chaos en Faith straalde toen Alex kreunend hun slaapkamer in liep.

'We zijn bezet door marsvrouwtjes,' zei hij klagend. 'Toen ik binnenkwam, vertrok de pizzabezorger net weer. Iemand anders kwam Chinees eten brengen. Zoe heeft honderd dollar geleend, en er zijn ongeveer tweehonderd meisjes in haar kamer. Ik was bijna vergeten hoe het is als zij thuis is. Hoe lang duurt haar kerstvakantie?' Hij leek uitgeput en wanhopig, en Faith had net namens Zoe de badkraan dichtgedraaid om te voorkomen dat het bad zou overlopen. Toch gaf het feit dat Zoe er was haar het gevoel weer echt te leven.

'Ze blijft drie weken. Hoe was jouw reis?'

'Uitputtend, maar vredig vergeleken hiermee. Denk je dat we haar kunnen vragen de muziek wat zachter te zetten? Ging het altijd zo?' Hij leek overweldigd.

'Ja, en daarom verveel ik me zo als ze er niet zijn.' Ze keek naar hem terwijl hij zijn aktetas neerzette en zich in een stoel liet ploffen.

'Je had me niet verteld dat Eloise voor de kerstdagen niet naar huis zou komen.' Ze probeerde haar stem niet beschuldigend te laten klinken, maar toch was het duidelijk dat ze er niet blij mee was. De hele week dat hij in L.A. was geweest had ze niet met hem gesproken, want ze hadden elkaar geen van beiden ook maar één keer gebeld.

'Ik moet zijn vergeten daar melding van te maken,' zei hij, en hij keek vaag.

'Je had me er iets over kunnen zeggen voordat je haar daar toestemming voor gaf. Toen ze belde, kon ik in feite geen kant meer op.'

'Komt ze naar huis?' Hij keek eerder bezorgd dan schuldig. Als er op dit moment nog iemand in huis was geweest, zou hij gek zijn geworden. Hij was vergeten hoe de meisjes zich thuis gedroegen.

'Nee. Ze zei dat jij tegen haar had gezegd dat ze daar kon blijven. Daardoor kon ik haar niet meer zeggen dat ze niet naar Sankt Moritz kon gaan zonder mezelf een groot kreng te laten lijken. Dus heb ik haar ook toestemming gegeven.'

'Het zal leuk voor haar zijn,' zei hij terwijl hij zijn schoenen uittrok.

'Ik heb tegen haar gezegd dat ze zoiets niet nog eens kan doen. Ik wil dat de meisjes hoe dan ook elk jaar met de kerstdagen thuis zijn en als we daar nu geen punt van maken, zal dat nooit meer gebeuren. Er zal altijd wel iets zijn dat verleidelijker is dan naar huis komen.'

'Het zal prima met haar gaan,' zei hij sussend.

'Dat weet ik, maar ik zal haar toch missen,' zei Faith terwijl de muziek nog een paar decibellen luider werd gezet en ze een deur dicht hoorden slaan.

'Ik niet,' zei Alex eerlijk. 'Bovendien konden de meisjes op Thanksgiving niet met elkaar overweg. Ik dacht dat het wel goed zou zijn als ze elkaar een tijdje niet zagen.'

'Het zou waarschijnlijk beter zijn geweest als dat wel was gebeurd en ze het hadden bijgelegd,' zei Faith koppig. Ze geloofde in nauwe familiebanden en de dingen die daarbij hoorden. Terwijl ze naar Alex luisterde, moest ze denken aan alles wat zij en Brad de afgelopen twee dagen tegen elkaar hadden gezegd. Er waren momenten waarop Alex en zij lijnrecht tegenover elkaar stonden. In feite was dat zelfs meestal zo.

'Denk je dat je Zoe ertoe kunt overhalen de muziek wat zachter te zetten?' vroeg hij nogmaals. 'Ik zal nog gek worden als ze dit drie weken blijft volhouden.' Toen liep hij naar de badkamer om een douche te nemen.

'Wil je iets eten?' vroeg Faith boven de herrie uit terwijl hij bij de deur van de badkamer even bleef staan en gekweld keek. 'Ik heb in het vliegtuig al gegeten, en nu wil ik alleen nog maar naar bed. Die meiden zullen de hele nacht wel opblijven.'

'Ze zei dat ze zouden gaan stappen. Ik zal haar vragen wat minder herrie te maken.'

'Dank je,' zei hij, en toen deed hij de deur dicht. Hij had haar geen zoen of knuffel gegeven als begroeting. Hij was domweg de kamer in gelopen en zijn beklag gaan doen over het lawaai. Dat laatste kon ze hem niet echt kwalijk nemen, maar het zou fijn zijn geweest als hij na drie dagen weg te zijn geweest iets tegen haar te zeggen had gehad.

Een paar minuten later ging ze naar Zoe en haar vriendinnen toe. Op het bed stonden twee geopende pizzadozen. Twee meisjes aten pizza en keken naar de televisie, terwijl Zoe haar haar droogde. In de keuken beneden stonden allerlei Chinese gerechten op hen te wachten. Zoe was thuis!

'Zoe, je vader gaat zo meteen naar bed,' zei Faith. 'Misschien zouden jullie iets minder lawaai kunnen maken.'

'Mam, we gaan straks de deur uit,' schreeuwde Zoe boven de herrie van de föhn uit. 'Zo meteen komen er nog drie vriendinnen van me. Daarna eten we hier een hapje en gaan we stappen.'

'Vergeet niet de televisie en de stereo uit te zetten als jullie naar beneden gaan.'

'Dat beloof ik je.' Zoe hield zich aan haar woord, maar toen de meiden uiteindelijk de trap af denderden, zag Faith de krultang en hete krulspelden van Zoe in de wastafel in de badkamer liggen en bleek ze te zijn vergeten het bad leeg te laten lopen. Het had geen zin haar daarop te wijzen, want dergelijke dingen vergat ze altijd. Ze had ook twee kaarsen in haar kamer laten branden, en daar maakte Faith zich wel zorgen over. Ze was altijd al bang geweest dat ze het huis zouden laten afbranden. Over kaarsen maakten ze voortdurend ruzie en Zoe beschuldigde haar er altijd van paranoïde te zijn.

'Zijn ze de deur uit?' vroeg Alex hoopvol toen Faith hun kamer weer in kwam. Hij had zijn pyjama aangetrokken en lag met gewassen haar en een boek in bed.

'Nee, maar dat zal spoedig gaan gebeuren.' Ze vertelde hem niet over de kaarsen en de krultang, want ze wist dat hem dat ook ongerust zou maken. Op de leeftijd van Zoe waren er momenten waarop ze het lichaam van een vrouw en de geest van een kind had.

Toen Faith naar beneden ging om te kijken wat de meisjes uitspookten, waren ze het Chinese eten uit de dozen aan het oppeuzelen en hysterisch aan het lachen. Ze waren inmiddels met zijn zevenen. Even luchtte het Faith bijna op dat Ellie niet naar huis was gekomen om haar chaos aan de hunne toe te voegen, ook al zou ze er sowieso van hebben genoten. Alex zou dat echter niet hebben gedaan.

'Ik was van plan morgen de kerstboom te gaan kopen,' zei Faith over de hoofden van de anderen heen tegen haar dochter.

'Dan kan ik niet mee, mam. Ik ga mijn haar laten knippen en ik moet mijn vriendinnen zien.'

Het kopen van een kerstboom was een gewoonte die Faith heel graag met haar dochters deelde. Maar tegenwoordig was alles heel anders. Hun tradities leken in rook op te gaan.

'Sorry. Kunnen we het dan de volgende week doen?' vroeg Zoe. Over negen dagen zou het Kerstmis zijn.

'Zondag?' vroeg Faith hoopvol.

'Dan moet ik naar een feest in Connecticut.'

'Wil je hem samen met mij versieren als ik hem koop?'

'Natuurlijk.' Zoe gaf haar een knuffel en toen ging de deurbel weer. Er kwamen nog vier meiden naar binnen en het duurde nog eens een halfuur voordat ze allemaal vertrokken. Zoe beloofde op een fatsoenlijk tijdstip thuis te zijn, maar zei niet hoe laat. Faith bleef in de keuken om de troep op te ruimen, want daar wilde ze de eerste avond dat Zoe thuis was niet over klagen. Het was gemakkelijker het zelf te doen, en lang was ze er niet mee bezig. Toen ze weer naar boven ging, bleek Alex al diep in slaap te zijn. Ze deed het licht uit en ging naar haar studeerkamer. Het huis leek opeens vredig en stil, en ze glimlachte in zichzelf. Ondanks het lawaai en de troep vond ze het heerlijk Zoe thuis te hebben. Van dit leven had ze vierentwintig jaar genoten en het was fijn dat terug te hebben, al was het maar voor een paar weken.

Ze verzond een mailtje naar Brad, hoewel ze wist dat hij nog in het vliegtuig zat. Waarschijnlijk naderde hij op dat moment San Francisco. Het was de tweede e-mail die ze hem die dag stuurde.

'Lieve Brad,' begon ze. 'Hier heerst de chaos. Muziek voor mijn oren. Haardrogers, krultangen, pizza's, Chinees eten, gicchelende meiden, rapmuziek, stereo's, televisie, ijs dat van het aanrecht op de keukenvloer drupt. Zoe is thuis. En nu weer met vriendinnen de deur uit. Temidden van dat alles kwam Alex thuis en hij is regelrecht naar bed gegaan. Hij slaapt nu. Ik geniet van alle drukte en tegen de tijd dat zij vertrekt, zal ik moeten studeren. Hoe is het met jou? Ik hoop dat je een goede reis hebt gehad. Het was heerlijk je weer te zien. Ik heb genoten van het schaatsen, de etentjes en het bezoek aan St. Patrick's. Kom snel terug. Ik mis je nu al. Het was interessant om ideeën over huwelijken, relaties, compromissen en het uiteindelijke resultaat daarvan uit te wisselen. Toen we jong waren, hebben we het nooit over dergelijke dingen gehad. Ik weet niet meer waarover we wel spraken. Volgens mij hebben we gewoon veel gelachen. Met Jack heb ik er wel vaak over gesproken. Gek hoe alles is gelopen, nietwaar? Het had anders moeten gaan, maar dat is niet zo. Zolang de kinderen in de buurt zijn vind ik het niet echt erg. Maar als ze weg zijn, is het moeilijker. Dan ben je je meer bewust van wat je hebt en niet hebt.

Ik wilde morgen met Zoe de kerstboom gaan kopen, maar ze heeft in drie weken slechts een uurtje tijd voor mij. Misschien moeten we dit jaar met Pasen een boom neerzetten. Ik denk dat ik hem zelf maar zal kopen. Dat is niet erg, mits zij hier maar is. Dit huis lijkt een graftombe als zij weg is.

Werk dit weekend niet te hard. Spreek je snel weer. Liefs, Fred.' Daarna bleef ze nog een paar uur achter haar bureau zitten om brieven te beantwoorden. Toen het in New York middernacht was, kreeg ze een e-mail van Brad.

'Hallo. Ben net thuis. Zette mijn computer aan om jou te schrijven en toen was er al een bericht van jou. Stuur me iets van dat lawaai. Fietspompen en skateboards in de grote hal, losse tennisschoenen overal in het huis. Ongelooflijke herrie door stereo's en televisies, en mijn ondergoed dat altijd zoek is. Hoe kunnen ze al mijn shorts dragen en al mijn sokken inpikken? Auto's die op de stoep bij het huis geparkeerd staan. Een groep jongens die alles uit de koelkast aan het verslinden is. Nu word ik geconfronteerd met de keerzijde van de medaille, en ik mis dat alles. Ik wou dat mijn zoons ook thuis waren. Dan zou ik van elke minuut genieten! Fred, ik heb ook genoten van elke minuut met jou. Wat een geschenk je na al die jaren weer te hebben gevonden. Het spijt me dat ik je drie jaar geleden uit het oog ben verloren, en ik beloof je dat dat niet nogmaals zal gebeuren. Je bent te goed om waar te zijn. Waarom heb ik je niet ontvoerd en bij me gehouden toen je veertien was? Ik zat in die tijd achter meisjes zonder hersens en met grote tieten aan. Hoe groter hoe fijner. Maar ja, dan zou Jack me naar de andere wereld hebben geholpen. Zo is het beter. Ik hou van je als een vriend, zusje van me. Dank dat je zoveel zonneschijn in mijn leven hebt gebracht. Als je moeder nog leefde, zou ik haar gaan bedanken voor alles wat je bent – wat je overigens waarschijnlijk niet aan haar te danken hebt. Je bent gewoon wie je bent. Ik ga mijn bed in duiken. Wou dat ik bij je was om de kerstboom samen met jou te versieren. Geef Zoe een knuffel van de oudste vriend van haar moeder. Geef Alex namens mij maar geen zoen, want dat zou hij niet begrijpen. Zorg goed voor jezelf, Fred. Nog maar negen dagen te gaan tot Kerstmis. Acht tot ik cadeaus moet gaan kopen. Liefs, Brad.'

Faith glimlachte in zichzelf terwijl ze dat las. Toen ging ze naar boven om in bed te lezen. Ze wilde wachten tot Zoe thuiskwam. Dat gebeurde om twee uur, en Faith ging haar een nachtzoen geven. Zoe zag er gelukkig en opgewonden uit nu ze haar vriendinnen weer had gezien, en haar beste vriendin wilde deze nacht blijven logeren. Daar had Faith geen bezwaar tegen. 'Tot morgenochtend, meiden,' zei Faith terwijl ze de deur dichtdeed. Toen maakte ze hem weer open. 'Steek alsjeblieft geen kaarsen aan. Ik zou graag willen dat het huis niet voor de kerstdagen afbrandt. Oké?'

'Ja, mam.' Zoe keek geamuseerd. 'Welterusten.'

Alex was aan het snurken toen Faith naast hem ging liggen en ze draaide zich om om naar hem te kijken terwijl ze het licht uitdeed. Met Alex zou ze nooit de discussies kunnen voeren die ze die week met Brad had gehad. Hij zou er het nut niet van inzien, en hij zou ook nooit poëtisch kunnen worden over de heerlijke chaos die kinderen in huis met zich meebrachten. Hij zou niet met haar zijn gaan schaatsen, of met haar St. Patrick's in zijn gelopen om een kaars voor Jack op te steken. Hoe kwam het dat je dergelijke dingen met vrienden kon doen en nooit met de mannen in je leven? Alex was degelijk, serieus en betrouwbaar, en ze waren al eeuwen met elkaar getrouwd. Maar hij zou haar volstrekt negeren als ze met hem probeerde te praten over de offers die je in een huwelijk bracht, of de compromissen die je moest sluiten. Hij zou zoiets nooit kunnen of willen begrijpen. Zij en Alex spraken over andere dingen, zoals kinderen, zaken, zijn meest recente reis of iets wat ze op het nieuws had gehoord. Haar denkbeelden zou ze nooit met hem kunnen delen, evenmin als haar dromen. Zo was het nu eenmaal. Het was zinloos erover te mijmeren of te betreuren wat ze niet had. Bovendien kon ze nu met Brad praten. Hij was een geschenk uit de hemel, net zoals zij dat voor hem was. Vijf minuten later was ze in slaap gevallen en toen ze de volgende morgen wakker werd, was Alex al weg. Hij had zijn toevlucht genomen tot zijn kantoor, om daar achterstallig werk in te halen. Faith stapte het bad uit en wilde een handdoek pakken toen Zoe de badkamer in kwam.

'Mijn hemel, mam! Waar komt die blauwe plek vandaan?' Zoe leek geschokt en Faith keek verbaasd omlaag. Het was haar niet eens opgevallen. Op haar heup had ze een lange zwartblauwe plek.

'Wat? O... dat... Die moet ik laatst hebben opgelopen tijdens het schaatsen,' zei ze terwijl ze zich afdroogde. Hoewel de blauwe plek er indrukwekkend uitzag, deed hij nauwelijks zeer.

'Ben je gaan schaatsen? Sinds wanneer schaats jij?' Zoe keek verbaasd.

'Sinds mijn vijfde jaar, zo ongeveer, al had ik het al heel lang niet meer gedaan. Weet je niet meer dat ik jullie toen jullie klein waren meenam naar het park om te schaatsen?' Jack was zelfs een paar keer met hen meegegaan. Zoe was toen echter waarschijnlijk te jong geweest om zich dat te kunnen herinneren.

'Dat geloof ik wel,' zei Zoe vaag. Daarna had ze meer belangstelling gekregen voor ballet en paarden. 'Met wie ben je gaan schaatsen?' Ze kon zich niet voorstellen dat haar moeder dat in haar eentje had gedaan. Dat leek raar.

'Met een oude vriend van oom Jack. We zijn samen opgegroeid. Hij was een paar dagen in New York en toen zijn we uit nostalgie weer gaan schaatsen. Het was leuk.'

'Wat is hij voor een man?' Zoe keek geïnteresseerd terwijl haar moeder zich aankleedde en ze met elkaar praatten. Dat was een van de dingen waarom Faith het zo heerlijk vond haar thuis te hebben. Dan had ze gezelschap.

'Hij is een aardige man en hij doet me sterk aan oom Jack denken. We hebben elkaar de afgelopen twee maanden e-mails gestuurd. Bij de begrafenis van Charlie ben ik hem toevallig weer tegen het lijf gelopen. Hij woont in San Francisco, is strafpleiter en werkt voor kinderen die een ernstig misdrijf hebben gepleegd. Jij hebt hem ontmoet tijdens de begrafenis van oom Jack, maar je zult je hem wel niet meer voor de geest kunnen halen.' De meisjes hadden die dag veel mensen ontmoet, en ze waren allemaal van streek geweest.

Zoe keek geamuseerd. 'Ben je verliefd op hem, mam? Je ziet er zo leuk uit als je het over hem hebt.'

'Doe niet zo raar. Ik ken hem al mijn hele leven.'

'Er gebeuren wel raardere dingen. Is hij verliefd op jou?'

'Nee. We zijn gewoon goede vrienden, zoiets als broer en zus. We praten over heel veel dingen en hebben vaak dezelfde

ideeën. Waarschijnlijk omdat we samen zijn opgegroeid.'
'Is hij getrouwd?' Zoe was geïntrigeerd, want het klonk haar exotisch in de oren. Ze kon zich niet herinneren dat haar moeder ooit een goede vriend had gehad, ook al wist ze dat sommige getrouwde vrouwen zo iemand wel hadden. Ze dacht ook niet dat haar moeder buitenechtelijke relaties had, ook al vond ze dat haar vader niet aardig tegen haar deed. Zoe was van mening dat zoiets zijn verdiende loon zou zijn geweest, en het Faith misschien goed zou doen. Ze stond veel meer open voor alle mogelijkheden dan haar moeder.
'Ja, hij is getrouwd en hij heeft een tweeling. Twee zoons die ongeveer even oud zijn als Ellie en een jaar in Afrika aan het werk zijn.'
Misschien zou zij hen ooit willen ontmoeten. 'Zijn ze leuk?' Hij had Faith een foto van hen laten zien en ze leken sprekend op hem. 'Dat geloof ik wel.'
'Dan zijn ze dat waarschijnlijk niet,' zei Zoe, en ze liep terug naar haar eigen kamer.
Faith vond het vreemd dat haar dochter zo door Brad geïntrigeerd was. Even later vertrok Zoe naar de kapper en ging Faith de kerstboom kopen. Ze zocht een groot en breed exemplaar uit dat er in de huiskamer mooi zou uitzien, en hij werd 's middags bezorgd. Ze was hem aan het versieren toen Alex thuiskwam. Hij bleef even staan kijken en ging toen zitten alsof hij er niets mee te maken had. Faith stond op een ladder en hing felgekleurde ballen aan de bovenste takken, nadat ze het uur daarvoor met het snoer van de lampjes had geworsteld.
'Wil je helpen?' vroeg ze hoopvol, omdat Zoe nog steeds niet thuis was.
'Jij lijkt alles onder controle te hebben,' zei hij, en toen verdween hij. Hij haatte het versieren van de boom. Zij had dat altijd met de meisjes gedaan, maar die periode leek nu voorbij te zijn. De kinderen hadden er niet langer de tijd voor, of ze hadden hun belangstelling ervoor verloren. Weer een uurtje later bekeek ze haar werk vanaf een afstandje met genoegen. De

boom zag er mooi en feestelijk uit. Ze zette een cd met kerstliedjes op èn ging op zoek naar iets dat op haar bureau lag. Toen ze dat deed, zag ze dat er mail was.

'Hallo, Fred. Deprimerende dag. Moest het met iemand delen. Kreeg een telefoontje van een echtpaar en heb hen daarnet gesproken. Hun vijftienjarige dochter wordt ervan beschuldigd hun zesjarige zoon te hebben vermoord. Uit alles wat ik heb gehoord meen ik te kunnen concluderen dat ze geestesziek is, al is dat niet duidelijk te zien. Het kan zijn dat het tot een proces komt, maar ik denk dat ik van de rechtbank wel toestemming voor een onderzoek door een psychiater kan krijgen. Dan zal ze waarschijnlijk in een gesticht worden opgesloten. Een tragedie voor hen, en ze zijn er kapot van. Wat een kerstcadeau. De foto's van het joch braken mijn hart. Vanavond zal ik het meisje spreken. Nu wordt ze onderzocht. Op sommige dagen hou ik niet van mijn werk. In deze zaak kan ik niet veel betekenen om die mensen te helpen, afgezien van wat kleine technische details. Sorry, maar ik moest even stoom afblazen. Hoop dat jij een fatsoenlijke dag hebt. Beter dan de mijne. Heb je de boom gekocht? Ik durf erom te wedden dat die er heel fraai uitziet. Net als jij. Ik vond die rode jas van je mooi. Heb ik dat tegen je gezegd? Je ziet er in het rood geweldig uit. En op schaatsen. Spoedig meer. Liefs, Brad.'

Hij leek zo down dat ze meteen reageerde.

'Triest, die nieuwe zaak van je. Klinkt afschuwelijk voor alle betrokkenen. De ultieme nachtmerrie. Ze zullen wel het idee hebben beide kinderen te hebben verloren. Jammer dat jij die zaak op je bordje hebt gekregen. Hier is alles prima. De boom is versierd en heel mooi. Zoe is de hele dag ontsnapt. Een zes uur durend bezoek aan de kapper heeft haar drie uur versieren van de boom bespaard. Ze kan nu elk moment thuiskomen. Moet het avondeten gaan klaarmaken. Wilde je alleen even gedag zeggen. Ik heb er op die schaatsen zo goed uitgezien dat ik nu een blauwe plek op mijn heup heb. Zoe schrok zich een hoedje. Ik heb haar verteld waar ik was geweest en met wie. Daar was ze van onder de indruk. Hoop dat je haar de volgende keer kunt ontmoeten. Pas goed op jezelf en probeer wat vrolijker te worden. Liefs, Fred.'

Zoe liep naar binnen toen Faith dat bericht verstuurde. Haar haar zag er geweldig uit en ze had zich ook laten opmaken en manicuren.

'Wat zie jij er geweldig uit!' zei Faith glimlachend vanuit haar bureaustoel.

'Naar wie ben je aan het schrijven?' Zoe keek nieuwsgierig en leek opgemaakt verbazingwekkend veel op Faith als jong meisje.

'Brad. De vriend over wie ik je heb verteld,' zei Faith meteen, en Zoe grinnikte.

'Mam, hou je van hem?' vroeg ze toen serieus.

Faith schudde haar hoofd. 'Zeker niet. We zijn gewoon vrienden.'

'Heb je een verhouding met hem?' Ze was vastbesloten er meer van te maken dan het was.

'Natuurlijk niet. Hij is een vriend. Dat is alles.'

'Mam, volgens mij hou je van hem,' hield Zoe vol. 'Je zou je eigen ogen eens moeten zien als je het over hem hebt. Die stralen, lichten op en dansen.'

'Zoe Madison, je bent weer crack aan het roken geweest,' zei Faith plagend.

'Niet waar. Volgens mij heb ik gelijk. Je bent verliefd.'

'En jij bent het gekste mens dat ik ken,' reageerde Faith lachend.

'Weet pap het? Van hem, bedoel ik.'

'Ik geloof dat ik zijn naam tegenover je vader heb genoemd. Hij had er niet veel belangstelling voor. Godzijdank heeft hij niet zo'n grote verbeeldingskracht als jij, weet je, en Brad heeft die gelukkig ook niet. Als kind ben ik smoorverliefd op hem geweest, maar rond mijn veertiende was ik daaroverheen. Dat is zo ongeveer honderd jaar geleden. Dus nee: ik ben niet verliefd op hem.'

'Misschien zou je dat wel moeten zijn. Je bent behoorlijk ongelukkig met pap,' constateerde Zoe nuchter.

Faith keek hevig geschrokken. 'Dat ben ik niet. Het is afschuwelijk om zoiets te zeggen.'

'Toch is het de waarheid. Hij praat nooit met je, en hij doet
niet aardig tegen je. Hij geeft je nooit een zoen of een knuffel.'

'Je vader is niet zo demonstratief als er anderen bij zijn,' voerde Faith tot zijn verdediging aan.

'Wat doe jij dan? Hem wakker maken als hij al drie uur voordat jij elke avond naar bed gaat slaapt? Mam, ik ben niet stom.
En kijk eens naar de manier waarop hij tegen je praat. Je verdient iets beters dan dat.' Zoe meende het oprecht en Faith
was geschokt. Ze vond het verschrikkelijk dat haar dochter
al die dingen had geobserveerd en daaruit op achttienjarige
leeftijd haar conclusies had getrokken. Niets van dat alles had
echter tot gevolg gekregen dat ze verliefd was geworden op
Brad. Ze betreurde het zeer dat Zoe haar huwelijk met Alex
zo miserabel vond, en erger was misschien nog wel dat ze er
niet ver naast zat. Toch deed het pijn over haar huwelijk te
horen praten alsof dat een grote ellende was. In de ogen van
Zoe was hun huwelijk duidelijk geen succes – net zoals soms
zelfs in de hare. Maar Faith kon ernaar kijken op een manier
die het draaglijk leek te maken, en beter dan het in werkelijkheid was.

'Zoe, wat je zegt is niet waar. Je vader en ik zijn samen gelukkig. We begrijpen elkaar. Hierbij voelen we ons op ons gemak.'

'Nee,' zei Zoe. Zij wist wel beter, en dat gold ook voor Faith,
die echter niet bereid was om dat toe te geven tegenover Zoe
of haarzelf, alleen misschien tegenover Brad. 'Hij voelt zich er
prettig bij, maar jij niet. Hoe kun je je nu op je gemak voelen
bij iemand die je voortdurend kleineert en nooit naar je luistert? Mam, je verdient beter. Het enige dat je doet is er voor
hem een succes van maken. Misschien zul je een dezer dagen
iemand ontmoeten die aardig voor je is, en pap dan verlaten.
Ik wou dat je dat deed. Omwille van jezelf. Ellie zou er natuurlijk een beroerte van krijgen, maar daar komt ze wel overheen. Ik zou het zo fijn voor jou vinden.' Ze had er een vast-

omlijnde mening over, en daar was haar moeder verre van blij mee.

'Zoe!' Faith sloeg haar armen om haar dochter heen en hield haar dicht tegen zich aan. 'Hoe kun je al die dingen over je vader zeggen?'

'Omdat ik van je hou en wil dat je gelukkig bent. Dat ben je niet, mam. Ik ben blij dat je weer gaat studeren. Misschien zul je dan iemand tegen het lijf lopen.'

'Zoe, ik wil geen andere man ontmoeten. Ik ben getrouwd. Ik hou van je vader. Ik ga niet bij hem weg.'

'Toch zou je dat wel moeten doen. Misschien is die Brad iemand voor je.' Ze was vastbesloten haar moeder aan een andere man te koppelen.

'Brad is als een broer voor me,' zei Faith snel.

'Waar heb je het dan in je e-mails over?' vroeg Zoe, nog altijd nieuwsgierig.

'Van alles en nog wat. Jij en Ellie, zijn kinderen, zijn werk, mijn studie. Mijn broer Jack. Zijn vrouw, jouw vader.'

'Klinkt behoorlijk goed. Hoe ziet hij eruit? Hoe oud is hij?'

'Hij is lang, heeft groene ogen, zwart haar en een kuiltje in zijn kin, en hij is negenenveertig.'

'Is hij knap om te zien?'

'Dat denk ik wel. Maar zo zie ik hem niet, omdat hij een soort familielid is.' Wat ze zei was niet helemaal waar, want deze keer – en bij Charlies begrafenis – was het haar eigenlijk pas echt opgevallen hoe knap hij was. Dat wilde ze tegenover Zoe echter niet toegeven, want anders zou die door het dolle raken en de verkeerde conclusies trekken.

'Heb je een foto van hem?'

'Nee.'

'Zie je nu wel? Nu deed je het weer!' Zoe keek opeens triomfantelijk.

'Wat?'

'Je ogen straalden toen je het over hem had. Ik heb gelijk. Je bent verliefd op hem.'

'Zoe Madison, hou op je als een idioot te gedragen.'

'Je zult nog wel merken dat ik gelijk heb. Misschien weet je het zelf nog niet, maar het is wel zo.'

'Ik ken hem negenendertig jaar. Het is een beetje laat om nu nog voor hem te vallen.'

'Daar is het nooit te laat voor. Misschien zal hij zijn vrouw verlaten.'

'Misschien zou jij het krijgen van die krankzinnige ideeën moeten laten varen.'

Toen kwam Alex naar beneden en stak humeurig zijn hoofd om de hoek van de deur. 'Faith, ben je nog niet met het avondeten bezig? Ik ben uitgehongerd. Het is al bijna zeven uur.'

'Sorry, Alex. Ik zal er meteen aan beginnen en iets kiezen wat snel klaar is.' Hij knikte, verdween zijn eigen studeerkamer in en deed de deur achter zich dicht terwijl Zoe nijdig naar haar moeder keek. Ze haatte de manier waarop haar vader tegen Faith sprak.

'Waarom zeg je niet tegen hem dat hij een slavin moet nemen?'

'Zoe!'

'Waarom maakt hij het eten niet klaar, of neemt hij je niet mee uit eten?'

'Hij werkt hard en hij is moe. Hij is de hele week weg geweest en heeft vandaag de hele dag op kantoor doorgebracht.'

'En jij hebt de boom versierd. Verder heb je mijn kamer opgeruimd. Bedankt daarvoor, trouwens. Je hebt mijn ontbijt klaargemaakt en je gaat voor hem warm eten koken. Je zit niet lekker onderuit voor de tv met bonbons.'

Faith lachte om dat beeld en Zoe liep geïrriteerd kijkend achter haar aan de keuken in.

'Eet je thuis?' vroeg Faith terwijl ze in de koelkast keek en zag dat er genoeg biefstuk was voor hen drieën.

'Nee, ik ga buiten de deur eten en ik vind dat jij dat ook zou moeten doen.'

Alex leek niet in de stemming te zijn om haar ergens mee naartoe te nemen en Faith vond het niet erg om voor hem te koken. Dat deed ze al zesentwintig jaar en hoe oneerlijk Zoe het ook vond, zij had er geen problemen mee.

'Waarom neemt hij je niet mee naar een film?'
Zoe had gelijk. Ze waren in maanden al niet meer in een bioscoop geweest, iets wat overigens nooit meer dan een paar keer per jaar gebeurde. Alex vond bioscoopbezoek niet leuk en was meestal moe als hij thuiskwam.

'Zoe, je maakt je te veel zorgen,' zei Faith. 'Eerst veronderstel je dat ik een verhouding heb, en dan denk je dat je vader me niet genoeg mee uit neemt. Waarom verzet je je gedachten niet?' Onder het spreken was ze druk met het eten bezig.

'Ik vind dat je aan een verhouding met Brad moet beginnen,' fluisterde Zoe tegen haar. Toen gaf ze haar een knuffel en ging naar boven. Faith schudde haar hoofd terwijl ze de biefstukken onder de grill legde en geamuseerd in zichzelf glimlachte. Zoe was een geweldige meid, en het was een volslagen krankzinnig idee.

11

Het weekend vloog voorbij terwijl Zoe en haar vriendinnen het huis in en uit liepen. Faith kookte maaltijden voor hen, betaalde pizza's en taxi's, verschoonde bedden, waste handdoeken, hielp kleren uitzoeken en haren invlechten en wachtte 's avonds tot haar dochter weer thuiskwam. Ze was opgelucht toen Zoe met de trein naar het feest in Connecticut ging in plaats van er met een auto naartoe te rijden, en die nacht kwam ze om drie uur weer thuis.

Faith had het gevoel voortdurend als tussenpersoon te moeten optreden omdat Alex door de chaos, het lawaai en de rommel steeds zenuwachtiger werd en hij en Zoe elkaar voortdurend in de haren vlogen. Hij haatte haar muziek en haar taalgebruik, de jongens die langskwamen, de rotzooi die ze allemaal achterlieten en de manier waarop zé zich kleedden. Hij vond hen eruitzien als daklozen en de muziek die ze draaiden was in zijn ogen obsceen, wat in sommige gevallen ook zo was. Faith was er echter aan gewend en zij stond open voor alle trends en grillen van achttienjarigen. Meer dan eens verklaarde Zoe dat haar moeder 'extreem cool' was.

Maandagavond, toen Zoe niet thuis was, belde Ellie vanuit Sankt Moritz. Faith was blij te horen dat alles met haar in orde was. Ze vond skiën geweldig, had ontzettend veel mensen ontmoet en zei dat Geoffreys familie heel erg aardig voor haar was. Ze klonk gelukkig, maar tot grote opluchting van Faith leek ze niet stapelverliefd te zijn. Faith kwam tot de conclusie dat Alex misschien gelijk had gehad en dat het offer haar in Europa te laten blijven de moeite waard was. Ze amuseerde

zich beter dan in New York het geval zou zijn geweest.
'Je had gelijk,' was Faith zo aardig om die avond tijdens het eten tegen hem te zeggen. 'Ze heeft het prima naar haar zin.'
'Ik heb gewoonlijk gelijk,' zei hij zonder te aarzelen. 'Ook ten aanzien van jouw studie. Dat zou een kardinale vergissing zijn.'
Faith wilde dat niet met hem bespreken. Ze wilde er geen ruzie over maken, maar hij nam geen gas terug. 'Ben je in dat opzicht al bij je positieven gekomen?'
Ze wist niet waarom hij daar nu over begon en ze maakte zich zorgen. Over iets meer dan een week zou ze het toelatingsexamen doen en ze voelde zich nog steeds schuldig omdat ze hem daar niets over had verteld. 'Nee, Alex. Ik begin over drie weken.' Ze had het collegegeld uit eigen zak betaald. Haar moeder had haar iets nagelaten toen ze het jaar daarvoor was overleden. Alles wat Jack had geërfd was naar zijn weduwe gegaan, inclusief het geld van zijn levensverzekering. Ze had alles meegenomen toen ze verdween, met uitzondering van een doos met Jacks favoriete bezittingen, die ze voor Faith had achtergelaten.
'Daar zul je spijt van krijgen,' zei Alex terwijl Faith dapper maar tevergeefs probeerde van onderwerp te veranderen. 'Je kunt het eerste trimester zelfs al zakken.'
'Ik wil het echt niet met je bespreken,' zei ze uiteindelijk bot, waarna hij er de rest van de maaltijd het zwijgen toe deed. Daarna ging hij naar boven om te lezen. Faith voelde zich ontmoedigd terwijl ze afruimde, en toen ze daarmee klaar was, stuurde ze Brad een e-mail.
'Mijn hemel,' schreef hij enige minuten later al terug, want zoals gewoonlijk had hij achter zijn bureau gezeten toen de post binnenkwam. 'Waar heeft hij het over? Je hebt op school betere cijfers gehaald dan Jack en ik. Je bent magna cum laude aan Barnard afgestudeerd. Weet hij niet wie je bent? Ik ben de eerste keer niet geslaagd voor het examen om als advocaat te worden toegelaten, maar ik denk dat het jou meteen zal lukken. Waarom laat hij je niet met rust? Als hij er weer over begint, moet je zeggen dat hij kan barsten.' Brad leek geïrriteerd

te zijn. 'Ik geloof in je, en nu moet jij ook in jezelf geloven. Liefs, Brad.'

'Ik denk dat hij nog steeds echt woedend is omdat ik weer ga studeren,' schreef Faith terug, 'al had ik gehoopt dat hij daar inmiddels wel overheen zou zijn.' Het deed haar denken aan alle dingen die Zoe had gezegd. Ze had Brad niet verteld dat Zoe had gesuggereerd dat ze verliefd op hem was en vond dat ze dat moest worden als daar nog geen sprake van was. Ze was er niet zeker van of hem dat zou amuseren, en verder was het geheel bezijden de waarheid. Ze hield van hem als vriend, net zoals hij van haar als vriendin. De schoonheid van een platonische liefde was voor een meisje van de leeftijd van Zoe echter moeilijk te begrijpen. Als je achttien was, draaide alles om seks.

'Ik ben het beu dat Alex aldoor op je aan het vitten is,' schreef Brad op zijn beurt terug. 'Hoe kun je daarmee leven zonder uitgeput te raken?'

'Ik ben eraan gewend. Hij meent het niet echt. Hij is domweg zo,' voerde ze in haar volgende e-mail tot Alex' verdediging aan.

Bij Brad liep alles de laatste tijd ook niet zo soepel. De feestdagen leken bij iedereen het ergste naar boven te halen. Met name bij Pam. Ze ging van het ene feest naar het andere en wilde dat Brad haar vergezelde. Hij had het echter te druk op kantoor en bovendien had hij niets met dat soort sociale evenementen op. Hij had haar al lang geleden meegedeeld dat hij liever had dat ze er met een van haar vrienden naartoe ging. Maar op bepaalde momenten in het jaar stond ze erop dat hij haar vergezelde. Zeker bij de start van het seizoen in september, en rond de kerstdagen. Pam ging naar cocktailparty's, diners en bals, liefdadigheidsfeesten, openingen en feesten ter ere van de feestdagen. Hij deed echter dingen die voor hem veel belangrijker waren, en in de week voor kerst moest hij een kort proces voeren, waardoor hij nergens anders tijd voor had. Dat zorgde voor immense spanningen tussen hen. Pam was nijdig. 'Kun je je assistenten dat voorbereidende werk niet laten afhandelen? Moet je per se alles zelf doen?' Hij had net tegen haar gezegd dat hij die avond ook niet mee kon. De avond daarvoor was hij tot twee uur 's nachts op kantoor gebleven: zijn favoriete ontsnappingsmogelijkheid.

'Pam, ik kan dit soort werk niet aan een ander overlaten, en dat weet je.'

'Waarom niet? Ik ga ook naar de rechtbank, maar mijn assistenten doen de helft van het werk.'

'Jij probeert jongeren niet vrijgesproken te krijgen van een aanklacht wegens moord. Dat is het verschil. In mijn geval staan er levens op het spel.'

'Daar heb je gelijk in, Brad. Ons leven. Ik ben het meer dan zat dat je er nooit bent.' Ze was aan het briesen terwijl ze in een blauwe avondjurk met lovertjes voor hem liep te ijsberen. Ze zag er statig en mooi uit en de blik in haar ogen zou de meeste mannen angst hebben aangejaagd. Brad was echter gewend aan haar en haar driftbuien. Ze maakten niet langer zoveel indruk op hem als eens het geval was geweest, hoewel ze nog steeds af en toe wel angstaanjagend waren.

'Ik dacht dat we hierover jaren geleden al een afspraak hadden gemaakt,' zei hij geïrriteerd.

'Je hebt gezegd dat je in elk geval een paar keer met me mee zou gaan, als het belangrijk voor mij was.'

'Maar niet als ik een proces aan het voorbereiden ben. Dan kan ik niet. Zo eenvoudig ligt het.' Hij weigerde zich door haar te laten intimideren. Dat had ze al te lang gedaan, of geprobeerd te doen.

'Waarom verdomme niet? Hoe zit het met dat vriendinnetje-met-bloedend-hart van je? Verwacht zij niet dat je af en toe met haar uitgaat?'

Brad was geschokt door wat ze had gezegd en keek haar met tot spleetjes samengeknepen ogen aan. 'Wat zei je? Waar heb je het over?

'Ik heb laatst een van je e-mails naar haar gezien. Ging over hoe vriendelijk ze was, en over met haar naar de kerk gaan. Sinds wanneer ben jij gelovig? Wat is zij? Een non?'

'Pam, belangrijker is de vraag wat jij bent. Hoe haal je het in je hoofd in mijn computer te gaan neuzen?'

'Je had hem laten aanstaan toen je in de garage was. Dus nogmaals: waar gaat dat over?'

'Ik ken haar uit mijn jeugd en haar broer Jack was mijn beste vriend. Ze heet Faith en we zijn vrienden. Niets meer dan dat. Ik ben jou geen excuus of verklaringen verschuldigd. Ik heb met haar in New York gedineerd en ja, we zijn naar een kerk gegaan.'

'Wat pathetisch. Ga je met haar naar bed?' vroeg Pam woest. Ze hadden in geen jaren samen de liefde bedreven en dit soort scènes waren daar wat Brad betreft de reden van. Verder was hij er zeker van dat Pam hem door de jaren heen een aantal keren had bedrogen. Hij was echter slim genoeg om daar niet naar te vragen, en het kon hem niet langer iets schelen.

'Nee, ik ga niet met haar naar bed, al heb jij daar niets mee te maken. Ik vraag ook niet naar jouw leven.' Ze waren zwijgend overeengekomen niet meer de liefde te bedrijven. Hij hield domweg niet meer van haar. Bij Pam draaide alles om ambitie, en na een tijdje had Brad het gevoel gekregen met een machine te vrijen. Hij was er niet meer toe in staat en gaf de voorkeur aan een celibatair leven, ook al was zij ervan overtuigd dat hij verhoudingen had. Omdat hij in het begin zo vaak met haar de koffer in was gedoken, kon ze zich niet voorstellen dat hij al in geen jaren meer seks had gehad. Het was een van de offers die hij had gebracht, maar over dit speciale offer had hij het met Faith niet gehad en hij was ook niet van plan daar tegenover haar melding van te maken. Dat was geen informatie die je uitwisselde.

Pam keek echter geschokt door wat hij had gezegd, en iets aan de blik in zijn ogen zorgde ervoor dat ze hem aanstaarde. 'Hou je van haar?'

'Natuurlijk niet. Ze is een vriendin. Niets meer dan dat. Ik ken haar al vanaf de tijd toen ze nog een klein meisje was.'

'Als je niet met haar naar bed gaat maar wel met haar een kerk in bent gelopen, durf ik te wedden dat je van haar houdt.'

'Moet het per se het een of het ander zijn? Kunnen zij en ik niet gewoon vrienden zijn? Verder verklaart dit niet wat je met mijn computer aan het doen was. Ik ga ook niet neuzen in jouw bestanden.'

'Het spijt me. Ik heb het domweg toevallig gezien. Jouw brief stond op het scherm.' Hij vroeg zich af of hij een onaangename opmerking over Pam had gemaakt, maar hij vermoedde van niet omdat zij daar geen commentaar op had geleverd. 'Ze moet een beetje zielig zijn als ze haar leven in een kerk doorbrengt.'

'Met wat zij doet heb jij niets te maken. Laten we het weer hebben over het punt waar het om gaat. Ik moet werken en ik kan niet weg. Eerlijk gezegd zou ik na al deze onzin niet eens meer met je mee willen gaan. Ga dus maar op zoek naar een andere sloeber die je van het kastje naar de muur kunt sturen. Je kent mannen genoeg. Zoek er een uit die je elke avond wil meenemen naar een feest. Ik wil dat niet.' Toen beende hij de kamer uit en liep terug naar zijn studeerkamer. Hij was naar huis gekomen om iets te eten en een dossier op te halen. Hij ging een paar minuten achter zijn bureau zitten en vond wat hij zocht. Hij voelde zich misbruikt omdat Pam zijn e-mail had gelezen en zo over Faith had gesproken. Faith had niets met haar te maken, en hij had niets verkeerds gedaan. Hij was woedend omdat Pam hem ervan had beschuldigd met Faith naar bed te gaan en te suggereren dat hij van haar hield. Voor hen beiden was daar totaal geen sprake van. Ze waren al bijna veertig jaar goed bevriend, en zo'n band was heilig. Dat was iets wat Pam volstrekt niet begreep. Voor haar was niets heilig.

Een halfuur later stormde hij terug naar zijn kantoor, met een zeer opstandige maag en hoofdpijn. Niemand op deze planeet kon hem tot grotere razernij brengen dan Pam. Ze had er slag van hem krankzinnig te maken. Ze was koppig, onredelijk en agressief, en als hij haar er de kans voor gaf, kon ze uren met hem ruziën. Hij was nog altijd van streek toen hij weer op kantoor was en hij besloot Faith te bellen om te kijken of ze er was.

Dat bleek zo te zijn. Alex was weg in verband met een zaken-diner en zij was alleen thuis. Ze was blij en verbaasd zijn stem te horen en zodra hij de hare hoorde, kwam hij vrijwel met-een tot bedaren.

'Sorry dat ik je lastig val,' zei hij verontschuldigend, en zij kon horen dat hij gespannen was.

'Is alles met jou in orde?' Ze klonk bezorgd, en hij glimlach-te. Ze was alles wat Pam niet was. Vriendelijk gevoelig, voor-zichtig, genereus en in alle opzichten zorgzaam.

'Ik ben alleen moe. En mopperig. Ik heb een beroerde dag ach-ter de rug. Hoe was de jouwe?' Hij voelde zich schuldig om-dat hij haar met zijn probleem opzadelde – zeker nu het om Pam ging – maar het was prettig een schouder te hebben om op uit te huilen. Een dergelijke steun en troost had hij in jaren niet meer gehad, eigenlijk nooit. Gedurende de afgelopen twee maanden was ze er altijd voor hem geweest.

'Goed. Alex en Zoe zijn de deur uit, maar niet samen, en ik was aan het genieten van een rustige avond thuis. Het lijkt wel alsof ik hier een motel aan het runnen ben. Ik doe niets anders dan handdoeken wassen, bedden verschonen, kaarsen uitbla-zen en hopen dat het huis niet afbrandt, maar het is fijn haar thuis te hebben. Vertel me eens waarom jouw dag zo beroerd was.'

'Tijdens een hoorzitting vanmorgen is een motie van mij niet aangenomen, en dat had wel gemoeten om uitstel van het pro-ces te krijgen. Ik ben er nog niet klaar voor. Ik moet meer ge-tuigen zien te vinden, want anders zal dit kind ten onrechte worden veroordeeld. Mijn secretaresse is ziek, en daar word ik gek van. Verder ben ik een uur thuis geweest om een hapje te eten en een dossier op te halen, en toen heb ik ruzie gekre-gen met Pam. Over niets bijzonders. Gewoon een hoop klei-nigheden.'

'Wat behelsden die precies?' Faith luisterde altijd naar hem, daar was ze goed in.

'Ze wil dat ik meega naar tienduizend van die ellendige fees-ten. Zij bezoekt er per avond twee of drie en ik heb domweg de tijd niet om voor prins-gemaal te spelen. Dat wil ik ook niet. Ze weet dat ik een gloeiende hekel aan dergelijke dingen hebt en als we ergens zijn, verdwijnt zij altijd prompt. Mijn aanwezigheid is alleen vereist om een entree te kunnen maken. Faith, ik heb geen tijd voor zulke onzin. Die jonge mensen hebben het nodig dat ik mijn werk goed doe.'

'Heeft ze gas teruggenomen?' vroeg Faith kalm.

Hij haalde diep adem, want hij was helemaal opgewonden geraakt door haar te vertellen over de ruzie met Pam. 'Uiteindelijk wel,' zei hij rustiger. Toen raakte hij opnieuw geïrriteerd. Hij had erover gedacht het Faith te vertellen en zag geen reden om dat niet te doen, want hij had niets te verbergen. 'Ze heeft laatst een van mijn e-mails gelezen en dat maakt me echt razend.'

'Dat kan ik je niet kwalijk nemen.' Zij haatte zo'n inbreuk op haar privacy ook en vond het niet eens prettig als haar kinderen haar e-mails lazen. Al zeker niet die van Brad.

'Het was kennelijk een van de mailtjes die ik jou heb gestuurd. Volgens mij die waarin ik jou bedankte voor de tijd die je in New York met mij hebt doorgebracht. Er stond niets ongepasts in, maar ik heb me er wel mateloos aan geërgerd.' Toen schoot hij in de lach. 'Ze zei dat ik van je hield, en daarmee heeft ze het een beetje mis.'

Faith glimlachte. 'Laatst heeft Zoe hetzelfde tegenover mij verkondigd. Of beter gezegd: ze heeft me ernaar gevraagd. Ze wilde weten of wij een verhouding hadden.'

'Wat heb jij gezegd?'

'Dat dat niet zo was. Ze was heel erg teleurgesteld en zei dat we er naar haar idee wel een moesten hebben. Ze zei dat ik dat verdiende, net als Alex vanwege de manier waarop hij me behandelt. Ik vond dat een interessante constatering uit haar mond.'

'Ze heeft gelijk. Hij doet verdomme niets voor jou, Faith. Hij lijkt je nooit mee uit te nemen voor een etentje of een bioscoopbezoek. Volgens mij doet hij niets anders dan werken, slapen en klagen... Net als ik.' Opeens schoot hij in de lach over het beeld dat hij had geschetst. 'Ik denk dat Pam er ook een zou moeten hebben, maar in háár geval is dat waarschijnlijk ook zo.'

'Meen je dat serieus?' Faith klonk heel verschrikt. Hij had haar niet verteld dat hij en Pam niet meer met elkaar naar bed gingen.

'Ik vraag er haar niet naar, want naar mijn idee heb ik daar niets meer mee te maken.' Dat was alles wat hij over dat onderwerp wilde zeggen, maar ze begreep wat hij duidelijk had gemaakt, en dat verbaasde haar. Hij leek het type man niet om dat op te geven, maar je wist nooit wat er bij iemand achter gesloten deuren gebeurde. 'In elk geval heeft zij niets te maken met wat ik doe, en ik wil niet dat zij jou gaat belasteren.' Hij wilde Faith beschermen en daarom maakte hij geen melding van Pams commentaar op die kerkgang, want hij veronderstelde terecht dat ze zich daardoor beledigd zou voelen. 'Fred, het spijt me dat ik je heb gebeld om te klagen. Zoals ik al heb gezegd ben ik moe, en heeft zij me razend gemaakt.' Het was prettig iemand te hebben bij wie hij stoom kon afblazen en ze spraken nog een tijdje met elkaar voordat hij doorging met de voorbereidingen voor het proces. Zij was blij hem de kans te hebben gegeven om zijn woede te ventileren. Zoals altijd voelden ze zich allebei beter toen de verbinding was verbroken. Ze ging naar boven om een bad te nemen en naar bed te gaan. Hij bleef nog een paar minuten achter zijn bureau aan haar denken, starend in het niets.

Hij vond het vreemd dat Pam hem ervan had beschuldigd met Faith naar bed te gaan en dat Zoe daar tegenover haar moeder ook over was begonnen. Het was nog merkwaardiger dat ze allebei hadden gesuggereerd dat Faith en hij van elkaar hielden. Zoals hij tegen Pam had gezegd, was dat voor geen van hen beiden een optie. Vanaf het begin waren ze nooit meer dan vrienden geweest, en het feit dat hij nu van haar gezelschap genoot veranderde daar niets aan. Ze was nu dezelfde persoon in zijn leven die ze als klein meisje was geweest, toen hij haar had geholpen in bomen te klimmen en haar vlechten groen had geverfd. Was dat wel zo? Opeens bedacht hij zich hoeveel ze voor hem betekende en hoe hij zich de afgelopen twee maanden op haar was gaan verlaten. Terwijl hij daaraan dacht kreeg hij beelden van haar voor ogen. Hoe ze in het Rockefeller Center naast hem had geschaatst, hoe ze een kaars had aangestoken bij het altaar van de heilige Judas in de kathedraal... Nooit van zijn leven had hij een mooier gezicht gezien. Ze had licht uitgestraald toen ze daar aan het bidden was. Opeens vroeg hij zich af of Pam gelijk had, of misschien gelijk zou moeten hebben. Toen schudde hij met een vermoeide glimlach zijn hoofd. Hij was zich dingen aan het inbeelden. Hij hield niet van Faith. Hoe mooi ze als kind ook was geweest... nu was ze zijn vriendin en niets meer dan dat.

In New York dacht Faith hetzelfde terwijl ze in bad zat en stelde ze zich dezelfde vragen. Haar conclusie stemde overeen met die van Brad. Pam en Zoe waren allebei gek. Zij en Brad hielden niet van elkaar, hield ze zichzelf geruststellend voor. Ze waren alleen vrienden, ze waren als broer en zus. Meer wilden ze niet, meer hadden ze van elkaar niet nodig. Als er sprake was van méér, zou alles daardoor worden verpest, en dat wilde Faith hoe dan ook voorkomen.

12

De volgende ochtend was hij onderweg naar zijn werk. Hij reed langs St. Mary's Cathedral aan Gough en kreeg toen opeens een idee. Hij had de tijd niet om even te stoppen, dus gaf hij zijn secretaresse een briefje toen hij op kantoor was, en zij beloofde de inlichtingen voor hem in te winnen. Toen hij een uur later aan het bellen was met het OM, gaf ze hem een papiertje met een adres. Hij knikte en bedankte haar met een handgebaar. Om elf uur ging hij de deur uit. Het duurde langer dan hij had gedacht, maar om één uur was hij weer op kantoor.

Hij schreef Faith een briefje en vroeg zijn secretaresse dat toen samen met het doosje dat op zijn bureau stond per Federal Express naar New York te sturen. Eén cadeautje was geregeld. Nu hoefde hij alleen nog maar naar Tiffany te gaan om de rest af te handelen, en hij was van plan dat de volgende middag te doen.

De plannen van Faith en haar familie voor Kerstmis waren heel traditioneel. Op kerstavond zouden ze samen informeel dineren. Daarna ging Faith gewoonlijk in haar eentje naar de nachtmis, of samen met Zoe als ze haar daartoe kon overhalen, en op de avond van de eerste kerstdag dineerden ze dan formeler. Op kerstochtend pakten ze hun cadeautjes uit, waarna ze de dag in huis rondhangend doorbrachten. Toen de meisjes klein waren, was alles opwindender geweest, maar toch was die dag voor hen allemaal nog steeds belangrijk.

Op de ochtend van de vierentwintigste december belden ze Ellie. Bij haar in Zwitserland was het tijd voor het avondeten en ze klonk geëmotioneerd toen ze met ieder van hen sprak. Het was de eerste keer dat ze met de kerstdagen niet thuis was en dat viel haar zwaarder dan ze had gedacht, hoewel iedereen in Sankt Moritz heel aardig voor haar was.

'We missen je, schatje,' zei Faith toen zij aan de beurt was.

'Mam, waarom kom je na nieuwjaarsdag niet naar Londen?' vroeg Eloise, die heel jong klonk en duidelijk heimwee had.

'Dat kan niet, meisje, want dan ga ik studeren. In het vervolg zal ik moeten wachten op de officiële vakanties. Misschien zou jij voor een lang weekend naar huis kunnen komen?'

'Ik wist niet dat je dat besluit definitief had genomen.' Ze klonk teleurgesteld en dat bevestigde Alex' bezwaar dat haar studie een nadelige invloed zou hebben op hem en hun gezin. Faith had de tijd niet gehad het Ellie te vertellen. Hun laatste gesprek was over haar reis naar Zwitserland gegaan, en Faith was vergeten haar eigen nieuws te melden.

'Over twee weken beginnen de colleges,' zei Faith, die verwachtte te worden gefeliciteerd.

Ellie klonk echter van streek. 'Het is tegenover pap heel gemeen om dat te gaan doen,' zei ze afkeurend, waardoor Faith zich gekwetst voelde. Bovendien was het moeilijk om erover te praten terwijl Alex vlak naast haar stond, en tot haar grote verdriet wist ze dat Zoe ook van streek zou zijn door de reactie van haar zuster. Het was niet eerlijk.

'We hebben erover gesproken en je vader heeft er vrede mee, denk ik.' Ze wilde niet dat de kerstdagen net zo werden verstoord door haar plannen als dat met Thanksgiving was gebeurd en probeerde zo snel mogelijk van onderwerp te veranderen. 'Belangrijker is hoe het met jou gaat, schatje. Amuseer je je?'

'Ik mis jullie allemaal zo erg. Het is hier leuk, maar ik heb heimwee naar jullie. Meer dan ik had gedacht. We gaan vanavond naar een groot feest en daarna gaan we rodelen. Dat is een beetje eng, maar het lijkt me wel leuk.'

'Wees voorzichtig,' zei haar moeder waarschuwend. 'Ga geen dwaze dingen doen!' Ze maakte zich zorgen over Ellie, bijna net zoveel als ze dat had gedaan toen ze nog een kind was. Hoe oud de meisjes ook waren, ze voelde zich nog steeds verantwoordelijk voor hen. Toen gaf ze de telefoon aan Zoe, en de zusjes spraken lange tijd met elkaar. Faith was opgelucht nu die twee weer vrede leken te hebben gesloten, en Zoe zei een aantal keren dat ze Eloise miste. Alex sprak als laatste met Eloise en hij had heel weinig te zeggen. Uit de toon van zijn stem en zijn woordkeus viel echter duidelijk op te maken hoe verbonden hij zich met haar voelde. Toen hij eindelijk de hoorn op de haak legde, was dat voor hen allen een bitterzoet moment.

'Het is zo vreemd dat ze er niet is,' zei Zoe triest. Toen draaide ze zich om naar haar moeder. 'Kan ik haar in Londen gaan opzoeken als ik weer vakantie heb?'

'Dat zou geweldig zijn,' zei Faith glimlachend. 'Als ik dan ook vakantie heb, ga ik met je mee. Anders kun jij in je eentje gaan en vlieg ik een andere keer naar Londen.'

'Faith, het is belachelijk dat jij aan "vakanties" bent gebonden. Je zou je dochter moeten kunnen bezoeken wanneer je dat wilt. Dat bedoelde ik nu precies,' zei Alex, en toen liep hij weg. Faith reageerde daar niet op. Ze hoopte alleen zo met alle noodzakelijke ballen te kunnen goochelen dat haar leven thuis én haar studie een succes zouden worden. Het zou een uitdaging voor haar zijn.

De avond aten ze met zijn drieën, zoals gepland. Faith had eend gemaakt met behulp van een recept dat ze van een vriendin had gekregen. Het was een heerlijk diner en daarna ging Zoe uit. Alex bleef nog even aan tafel zitten en deed een poging om met Faith te praten, maar ze hadden geen van beiden veel te zeggen. De communicatielijnen tussen hen waren al zo lang verbroken dat het moeilijk was die op commando te herstellen.

'Ga je vanavond naar de kerk?' vroeg Alex tussen neus en lippen door terwijl Faith de kaarsen uitblies en alles begon op te ruimen.

'Ik dacht erover naar de nachtmis te gaan. Heb je zin om mee te gaan?' Dat deed hij nooit, maar ze stelde hem die vraag wel altijd. Zoe had gezegd dat ze zo mogelijk naar de kerk zou komen, en Faith had verder niet aangedrongen. Ze zou naar St. Ignatius aan Park Avenue gaan.

'Nee, dank je,' zei Alex, en toen ging hij naar boven om te lezen. Zelfs op kerstavond sloeg er geen vonk tussen hen over.

Faith was om elf uur in haar studeerkamer aan het rommelen en zich aan het klaarmaken om naar de kerk te gaan toen de telefoon ging. Het verbaasde haar Brads stem te horen. Bij hem was het acht uur.

'Gelukkig kerstfeest, Fred.' Hij klonk vriendelijk en warm, maar ook een beetje triest, meende ze. Het was voor iedereen een moeilijke tijd. Een tijd waarin je je herinnerde wat je eens had gehad, wat je had gehoopt te krijgen, welke dromen allemaal geen werkelijkheid waren geworden.

'Dank je, Brad. Jij ook.'

'Heb je mijn cadeautje gekregen?' Ze hadden elkaar een paar dagen niet gesproken en hun e-mails waren kort geweest. Ze hadden het allebei druk gehad.

'Ja.' Ze glimlachte. Het was een klein doosje, gewikkeld in kerstpapier, en het stond op haar bureau. Het was afgeleverd in een envelop van Federal Express, en ze had het voor de eerste kerstdag bewaard. Hem had ze een set antieke, in prachtig leer gebonden juridische boeken gestuurd. 'Het staat voor mijn neus, maar ik zal het morgen pas openmaken.'

'Daarom belde ik je.' Hij klonk verheugd. 'Ik wilde zeker weten dat je het vanavond openmaakt.'

'Echt waar?'

'Ja. Waarom doe je het nu niet?' Hij klonk opgewonden en zij lachte verheugd.

'Ik ben dol op cadeautjes. Dit is leuk. Heb je het mijne gekregen?' vroeg ze terwijl ze het papier lostrok en naar het platte, witte doosje keek. Ze had er geen idee van wat erin zou zitten. Niets maakte duidelijk wat het zou kunnen zijn.

'Dat bewaar ik voor morgen, maar jij moet het jouwe nu openmaken, Fred.'

Voorzichtig tilde ze het dekseltje op en hield toen even haar adem in. Het was een prachtige antieke rozenkrans die hij in een winkel met religieuze artikelen had gekocht. De weesgegroetjes waren prachtige oude citrienen en de onzevaders en het kruis waren cabochon geslepen smaragden. Op de punten van het kruis waren kleine robijnen aangebracht. De rozenkrans zag eruit alsof hij lange tijd liefhebbend was gebruikt. Ze had nog nooit zoiets moois gezien, en Brad hoopte dat hij veel voor haar zou betekenen.

'De verkoopster zei dat hij Italiaans was, en ongeveer honderd jaar oud. Ze zei ook dat hij was ingezegend. Ik wilde dat je hem vanavond zou meenemen naar de kerk, Fred,' zei hij zacht. Er blonken tranen in haar ogen en het duurde lang voordat ze iets kon zeggen. 'Fred... Fred, ben je er nog?'

'Ik weet niet wat ik moet zeggen. Zoiets moois heb ik nog nooit gezien. Ik dank je uit de grond van mijn hart. Natuurlijk zal ik hem vanavond meenemen en een rozenhoedje voor jou bidden.' Hij glimlachte. Ondanks haar uiterlijk had ze iets heerlijk ouderwets. Ze had traditionele waarden en normen, ze hield zielsveel van haar familie en ze had een diep respect voor de kerk. Ze was nog beter opgegroeid dan hij ooit had gedacht. 'Ik zal ook een kaars voor jou opsteken. En voor Jack.'

'Misschien zal ik er voor jou ook een opsteken.'

'Ga je naar de kerk?' Ze klonk verbaasd, want dat had ze niet verwacht.

'Misschien wel. Ik heb niets anders te doen. Zo meteen gaan we eten met een paar vrienden, en Pams vader is hier al. Maar om elf uur moeten we alles achter de rug hebben. Ik dacht dat het wel fijn zou zijn naar de kerk te gaan.' Hij had gekozen voor St. Dominic's, een mooie oude gotische kerk met een kapel voor de Heilige Judas, haar meest geliefde heilige. Toen hij de rozenkrans voor Faith kocht, had hij de verkoopster gevraagd of zij hem een kerk kon aanraden. 'Hier in de buurt is een kerk met een kapel voor de Heilige Judas. Daar zal ik een kaars voor jou opsteken.'

'Ik kan eigenlijk niet geloven dat je zoiets moois voor me hebt gekocht,' zei ze terwijl ze weer naar de rozenkrans keek. Hij voelde heel glad aan en alle stenen waren in goud gevat. Er zat een satijnen zakje bij waar ze hem in kon doen om hem in haar handtas te beschermen. 'Ik denk dat mijn oude houten rozenkrans nu wel met pensioen mag gaan,' zei ze. Dit was een geschenk dat ontzettend veel voor haar betekende.

Ze spraken nog een paar minuten met elkaar. Hij had alleen een boodschap voor de jongens kunnen achterlaten, want er was geen rechtstreekse telefoonverbinding met het wildreservaat waar ze woonden, en zij hadden op het postkantoor kennelijk geen buitenlijn kunnen krijgen, want ze hadden niet naar huis gebeld. Dat maakte de kerstdagen nog moeilijker voor hem, om nog maar te zwijgen over de spanning tussen hem en Pam. Hij voelde zich tegenwoordig een vreemde in zijn eigen huis. Zoals altijd had Pam mensen voor het diner uitgenodigd die hij niet goed kende, en haar vader had er slag van de conversatie te monopoliseren en alles om hem te laten draaien.

'Ik ben blij dat je vanavond niet aan het werk bent,' zei Faith, die de rozenkrans in haar hand bleef houden omdat ze daardoor het gevoel had dichter bij hem te zijn.

'Ik meende beter een paar punten te kunnen scoren dan aan een volledige oorlog te beginnen.' Dat laatste had geen zin, daar was Faith het mee eens. Ze wist dat Pam de volgende avond weer een immens diner zou geven. 'Ik denk dat Pam in een ander leven met een musicus getrouwd moet zijn geweest, een solist of misschien een dirigent, want iedereen moet altijd in een zwarte of een witte smoking komen opdraven. Niet bepaald iets wat mij aanstaat.' Hij voelde zich het gelukkigst in een oude corduroy broek of een spijkerbroek met coltrui en stevige stappers, hoewel hij er in een pak ook knap uitzag, zoals ze in New York had kunnen constateren. 'Vanavond, als je in de kerk bent, zal ik aan je denken.'

'Ik zal voortdurend een prachtige rozenkrans vasthouden en aan jou denken.' De band tussen hen was zo sterk dat woorden vrijwel overbodig waren.

Een paar minuten later keek ze op haar horloge en zei dat ze moest vertrekken omdat ze anders geen plekje meer zou kunnen vinden. De nachtmis was geliefd en gewoonlijk was de kerk vol. Verder wist ze dat Brad zich voor het diner bij zijn familie en de gasten moest voegen.

'Nogmaals bedankt voor het prachtige cadeau. Iets mooiers zal ik niet krijgen.'

'Nogmaals een gelukkig kerstfeest, Fred... Ik ben blij dat je mijn cadeau mooi vindt, en ik wil jou bedanken voor alles wat je me de afgelopen twee maanden hebt gegeven. Voor mij ben jij het mooiste geschenk dat ik kon krijgen.'

'Dat is wederzijds,' zei ze zacht, en even later verbraken ze de verbinding. Ze ging Alex gedag zeggen, maar hij zat in een stoel te slapen, met een boek op zijn schoot. Toen liep ze in haar felrode jas naar buiten en hield een taxi aan.

In San Francisco probeerde Brad met alle aanwezigen een praatje te maken. Net als zijn schoonvader ging hij gekleed in een blazer en een nette broek. Het diner op kerstavond was bij hen thuis altijd informeel, hoewel alle mannen wel een das om hadden. Pam droeg een roodzijden broekpak, met hooggehakte, goudkleurige sandaaltjes. Ze zag er feestelijk, mooi en statig uit. Ze was een knappe vrouw, maar elke keer wanneer Brad naar haar keek, zag hij wie ze was geworden. Ze was taaier, harder en sterker dan hij ooit had gedroomd. Hij had een smalle, gouden halsketting met diamanten voor haar gekocht, met een bijpassende armband en ring, en hij wist dat ze die veel zou dragen. Hij was echter veel meer opgewonden over de rozenkrans die hij Faith had toegestuurd. Die had meer voor hem betekend. En voor haar.

Toen de nachtmis in New York begon, zaten zij aan tafel in de eetkamer. Ze kregen een traditionele Engelse maaltijd voorgeschoteld, met rosbief en Yorkshire-pudding en plumpudding als dessert. Maar toen ze begonnen te eten en zijn schoonvader op iedereen een toast uitbracht met wijn uit Napa Valley, was hij afgeleid. Het enige waaraan hij kon denken was Faith, die op haar knieën in de kerk zat, net als die keer samen met hem in St. Patrick's.

'Je lijkt er vanavond niet helemaal bij te zijn,' zei Pam toen ze eindelijk van tafel opstonden. 'Is alles in orde met jou?'

'Ik ben aan een zaak aan het denken,' zei hij vaag.

Ze keek hem recht aan. 'Of aan je vriendin in New York?' Ze kende hem beter dan hij dacht. 'Heb je haar vanavond een e-mail gestuurd?' vroeg ze verder. Ze zag eruit als een jager die achter een prooi aan zat, en hij schudde zijn hoofd. Hij had Faith geen mailtje gestuurd. In plaats daarvan had hij haar gebeld.

'Pam, maak er niet meer van dan het is. Ze is gewoon een oude vriendin.'

'Ik ken je beter dan dat. Je bent een hopeloze romanticus. Het is echt iets waar jij je halsoverkop in kunt storten, zeker als het een hopeloze zaak is.'

'Doe niet zo idioot.' Wat ze gezegd had, klopte echter wel. Jaren geleden, toen hij Pam had leren kennen, was hij een hopeloze romanticus geweest, maar dat had ze er bij hem al jaren geleden uitgestampt. In elk geval dacht hij dat. Hij geloofde niet in wat ze zei over zijn gevoelens voor Faith. Daar was hij te slim voor. Pam wilde alleen haar eigen terrein verdedigen. Ze wilde duidelijk maken dat hij nog steeds van haar was, of zij hem nu wilde hebben of niet, en omgekeerd.

Hun gasten vertrokken allemaal rond elf uur en Pams vader werd opgehaald door een auto met chauffeur omdat hij het niet prettig meer vond 's avonds zelf te rijden. Toen Pam en Brad naar boven liepen, keek hij op zijn horloge.

'Heb je een afspraak?' vroeg ze plagend. Ze hield zich de laatste tijd veel met hem bezig, hoewel hij haar die avond met een aantal mannen had zien flirten. Ze aarzelde niet dat in zijn aanwezigheid te doen, en soms zoende ze een andere man zelfs op diens mond. Ze deed wat ze wilde, wat ze ook tegen hem zei over Faith.

'In feite dacht ik erover naar de kerk te gaan,' zei hij nonchalant.

'O, mijn hemel. Je hebt geen maîtresse. Je bent gek geworden. Waarom zou je zoiets in vredesnaam doen?'

'Het idee staat me wel aan,' zei hij kalm, en hij probeerde zich niet geërgerd te voelen door wat ze had gezegd.

'Brad, als jij gelovig gaat worden, wil ik een echtscheiding. Een andere vrouw kan ik wel aan. Een godsdienstige fanaticus niet. Dat zou me echt te gortig zijn.'

Hij kon er niets aan doen dat hij glimlachte terwijl hij zich afvroeg wat ze zou denken als ze wist dat hij Faith een rozenkrans had gestuurd. Echt gelovig zou hij nooit worden, maar hij had aangevoeld dat het veel voor haar zou betekenen en was opgetogen nu dat inderdaad het geval bleek te zijn.

'Het is een aardige traditie en ik mis de jongens,' zei hij eerlijk. Het was een eenzame feestdag voor hem geweest, want zijn zoons waren de enige bondgenoten die hij in zijn eigen huis normaal gesproken had. Het diner met haar vader en haar vrienden was voor hem pijnlijk geweest, maar hij had zich er zoals altijd in geschikt.

'Ik mis hen ook, maar om die reden ga ik niet naar de kerk rennen. Er moeten andere manieren zijn om daarmee om te gaan,' zei ze terwijl ze haar schoenen uittrapte en haar oorbellen op de toilettafel liet vallen.

'Ieder zijn meug, denk ik.' Hij liep de slaapkamer weer uit en ging naar beneden. Hij had haar goedkeuring niet nodig om naar de kerk te gaan. 'Over een uur ben ik weer terug,' riep hij naar boven terwijl hij zijn jas aantrok.

Op blote voeten en half gekleed kwam ze grijnzend hun slaapkamer uit. 'Waarschuw me op tijd als je van plan bent priester te worden.'

'Maak je geen zorgen. Dat zal ik doen.' Hij keek haar glimlachend aan. 'Dat gevaar dreigt nog niet. Het is gewoon een mis op kerstavond. Tussen twee haakjes: een gelukkig kerstfeest.'

Hij bleef nog een lang moment naar haar kijken terwijl hij triest wenste dat hij nog meer voor haar voelde, en zij voor hem.

'Dank je, Brad. Jij ook,' zei ze, en toen verdween ze weer.

Hij haalde zijn Jeep uit de garage en reed naar St. Dominic's bij Steiner en Bush. Het was inderdaad een mooie kerk en terwijl hij de trap op liep, zag hij links en rechts van het hoofdaltaar hoge pijnbomen staan, plus rijen kerststerren. De kerk werd voornamelijk door kaarsen verlicht. De kapel van de Heilige Judas bevond zich rechts van het middenpad en ook daar brandden rijen kaarsen. Hij besloot daar eerst naartoe te gaan en hij stak kaarsen op voor Faith en Jack. Even ging hij op zijn knieën zitten, denkend aan haar en zijn oude vriend. Hij wist niet welke gebeden hij moest uitspreken, noch hoe hij dat moest doen. Hij kon alleen maar aan hen denken en die twee het allerbeste wensen, dankbaar dat de een of andere ongeziene kracht Faith in zijn leven had teruggebracht.

Daarna ging hij in een van de achterste banken zitten en kwam onder de indruk van de pracht en praal van de nachtmis. Toen ze tegen het eind daarvan 'Stille nacht' zongen, rolden tranen langzaam over zijn wangen. Hij was er niet zeker van waarom dat gebeurde, of voor wie ze waren bestemd. Hij wist alleen dat hij diep ontroerd was, en terwijl hij die nacht naar huis ging, voelde hij zich lichter dan in jaren het geval was geweest. Hij was overmand door een eigenaardig gevoel van vrede en vreugde. Onder het rijden glimlachte hij en een merkwaardig moment lang had hij het gevoel dat Jack met hem meereed.

13

Op kerstochtend wisselden Faith, Zoe en Alex cadeautjes uit. Zoe gaf haar moeder een schitterende leren rugtas die ze kon gebruiken als ze naar de universiteit ging, en een lange, wollen sjaal waarmee ze zou passen bij de jongere studenten. Alex had voor Faith bij Cartier een mooie gouden armband gekocht. Zij had voor hem een nieuw pak en een paar overhemden en dassen uitgezocht, en voor Zoe oorknopjes met een diamant. Alle cadeautjes waren een groot succes. Het kerstdiner verliep vredig, ook al gaven ze alle drie toe dat ze Eloise misten. Faith had een kalkoen bereid, met haar beroemde vulling, maar om de een of andere reden leek drie mensen aan tafel te weinig. Ze probeerden Eloise te bellen, maar die was er niet, en tegen het eind van de dag voelde Faith zich een beetje triest. Het idee dat haar gezin kleiner aan het worden was stond haar niet aan, ook al had Ellie beloofd volgend jaar met de feestdagen weer present te zijn.

Meteen nadat ze klaar waren met eten belde Brad om haar te bedanken voor haar mooie cadeau. Ze nam op in de keuken, waar ze aan het opruimen was. Alex en Zoe zaten in de huiskamer koffie te drinken, te praten en de boom te bewonderen. Het was een zeldzaam geciviliseerd moment tussen hen en Faith voelde zich opgelucht. Toen de telefoon rinkelde, dacht ze dat het Eloise kon zijn en was verbaasd Brads stem te horen.

'Ik wil je bedanken voor de prachtige boeken. Ze zijn ongelooflijk, en zullen er in mijn kantoor mooier uitzien dan wat ook. Heel hartelijk bedankt, Fred.' Hij was heel trots en ontroerd geweest toen hij ze had uitgepakt. Dat had hij gedaan toen hij alleen was, om onnodig commentaar van Pam te vermijden.

'Ze zijn niet zo mooi als mijn rozenkrans,' zei ze gelukkig. Het was moeilijk geweest het juiste cadeau voor hem te vinden. Ze had hem niet iets te persoonlijks willen geven, en de boeken hadden haar een gulden middenweg geleken. Ze waren speciaal en kostbaar, maar niet te intiem: bijna een symbool van wat er tussen hen bestond.

'Ik ben gisteravond naar de kerk gegaan,' vertelde hij haar. 'St. Dominic's, om precies te zijn. Bij het altaar van de Heilige Judas heb ik kaarsen opgestoken voor jou en Jack. Judas is toch jouw lievelingsheilige, hè?'

'Inderdaad.' Ze glimlachte. 'Wat aardig van je. Met wie ben je erheen gegaan?' Hij had haar verteld dat Pam een atheïst was en ze kon zich niet voorstellen dat die hem had vergezeld.

'Ik ben er in mijn eentje naartoe gegaan. En jij?' In feite had hij het idee dat zij en Jack hem hadden vergezeld. De hele mis lang had hij hun aanwezigheid gevoeld.

'Zoe stond bij de kerk op me te wachten. Het was fijn, zo samen. Na de mis zijn we naar huis gelopen en toen begon het te sneeuwen. De perfecte kerstnacht.'

'Hoe was het kerstdiner?'

'Oké, maar ik zal blij zijn als Ellie volgend jaar weer thuis is. Hoe zal het jou vergaan?'

'Over twee uur komt de hele staat Californië hier in smoking dineren. Ik verheug me er echt op. Zo intiem en betekenisvol. Het raakt je hart honderd bijna vreemden door je huiskamer te zien darren terwijl ze hors-d'oeuvres door hun strot persen en champagne als water drinken. Het doet me werkelijk denken aan de ware betekenis van Kerstmis. Het is heel erg jammer dat jij hier niet bent.' Ze lachte om die beschrijving, maar kon zich er in de verste verte geen voorstelling van maken. Hoe rustig hun kerst ook was geweest, de zijne leek nog beroerder. 'Pam heeft er werkelijk slag van intieme bijeenkomsten te organiseren die mensen het gevoel geven speciaal te zijn,' zei hij plagend. Hij wenste dat zij bij hem was, hoewel hij dat moeilijk had kunnen uitleggen, zelfs tegenover haar.

'Misschien moet je je er gewoon niet tegen verzetten, wat pret maken en er niet meer van verwachten dan het is,' zei ze in een poging hem te helpen.

'Iets dergelijks doe ik ook, en verder neem ik veel wijn tot me. Dit soort evenementen kom je moeilijk door als je niets drinkt.' Toen zij samen hadden gedineerd was het haar opgevallen dat hij heel weinig dronk, dus kon ze zich nauwelijks voorstellen dat hij dronken werd – zelfs niet uit verveling.

'Wat ga jij vanavond doen?' vroeg Brad.

'Ik ga naar bed.'

'Dan bof je. Ik zal je morgen bellen, of je een mailtje sturen.' Hij zou de volgende dag weer aan het werk gaan, en dat luchtte hem op. Hij had zijn buik vol van de feestdagen, die zonder de jongens niets voor hem betekenden.

'Gelukkig kerstfeest, Brad. Amuseer je vanavond. Misschien zul je nog aangenaam worden verrast.'

'Wie weet,' zei hij vaag, denkend aan haar.

Ze verbraken de verbinding en Faith ruimde op. Toen ze daar vrijwel mee klaar was, kwam Zoe de keuken in en vroeg om wat geld om samen met haar vriendinnen naar de film te gaan.

'Pak maar uit mijn tas wat je nodig hebt,' zei Faith terwijl ze haar handen afdroogde en het schort dat ze over een zwartzijden jurk en een parelketting had gedragen, afdeed en ophing. Ze had haar blonde haar opgestoken in een chignon, en daardoor zag ze eruit als een jonge Grace Kelly. Ze wees op de handtas die ze na de nachtmis op een van de keukenstoelen had laten staan. Zoe zocht daar een minuutje in en keek toen naar haar moeder.

'Wat is dit?' Ze had de rozenkrans van Brad in haar hand, die uit het satijnen zakje was gevallen.

'Een rozenkrans,' reageerde Faith zakelijk. Ze had hem de avond daarvoor in de kerk in haar handen gehad, maar dat was Zoe niet opgevallen.

'Die heb ik nog nooit eerder gezien. Hoe kom je eraan, mam?' Zoe was nieuwsgierig, alsof ze een zesde zintuig had.

'Ik heb hem voor de kerst cadeau gekregen van een vriend.'
'Een vriend?' Zoe trok een gezicht. Ze vond het maar een vreemd verhaal, tot ze het opeens begreep. 'O, mijn hemel. Ga me alsjeblieft niet vertellen dat die man met wie je bent opgegroeid je deze rozenkrans heeft gestuurd.'
'Het is niet direct een schokkend cadeau. Ik vind het zelfs behoorlijk respectabel.'
'Ja, als hij van je houdt. Niemand zou je iets weten te sturen dat zoveel voor je betekent... Hij ziet er overigens ook duur uit.'
'Hij is antiek, en jij hebt een verwrongen geest. Die arme man heeft geprobeerd me iets respectabels te sturen dat passend is voor de kerstdagen, en jij interpreteert dat als een teken dat hij van me houdt. Zoe, ik hou van je, maar je bent maf.' Faith glimlachte haar onschuldig toe.
'Dat ben ik niet. Ik heb gelijk. Dat zul je zien. Ik vind het een behoorlijk cool cadeau.' Zoe leek ervan onder de indruk te zijn.
'Dat is het. Maar denk je dat je je denkpatroon kunt aanpassen door te accepteren dat ik getrouwd ben en van je vader hou, en dat niemand anders van mij houdt? Dat zou nog wel eens heel gezond kunnen zijn.'
'Misschien, maar het is niet waar. Die man is stapel op je, mam. Kijk eens naar die smaragden en robijnen, hoe klein ze dan ook zijn. Hij moet een behoorlijk cool type zijn.'
'Dat is hij, en bovendien is hij een goede vriend. Ik hoop dat je hem op een dag zult ontmoeten.'
'Dat hoop ik ook.' Ze deed de rozenkrans terug in de tas van haar moeder en pakte toen twintig dollar voor de bioscoop.
'Morgen zal ik geld van de bank halen en je daar wat van geven,' zei Faith, die haar dochter een knuffel gaf. 'Die rugtas en de sjaal zijn prachtig. Ik zal de coolste student van allemaal zijn!'
'Mam, dat ben je ook. Alle jongens zullen verliefd op je worden.'
Faith rolde met haar ogen. 'Je bent echt gek.' Faith vond het

idee dat Brad van haar zou houden dwaas en in zekere zin ook onaangenaam. Ze zag het als een veronachtzaming van het geschenk van hun vriendschap, waardoor die minder belangrijk leek dan hij voor haar was. Ze had niet het gevoel dat hij van haar hield, of zij van hem. Ze waren alleen heel, heel goede vrienden. Of Zoe dat nu geloofde of niet.

Een paar minuten later liep Zoe de deur uit en Faith ging naast Alex bij de boom zitten. Hij had een glas port genomen en zat er ontspannen bij, verloren in zijn eigen gedachten.

'Dank voor het lekkere diner,' zei hij vriendelijk.

'Ik wil jou bedanken voor een mooie armband,' zei ze. Ze gaf hem een kusje op zijn wang, maar zoals gewoonlijk reageerde hij daar niet op. Wat Alex betrof hoorden blijken van affectie thuis in bed, op een daartoe aangewezen tijdstip, en nergens anders. Overal elders maakten ze hem verlegen. In bed werden ze trouwens ook niet vaak meer gegeven.

'Ik ben blij dat je hem mooi vindt,' zei hij tevreden. 'Ik vind mijn pak, dassen en overhemden ook mooi. Je hebt een ontzettend goede smaak en kiest altijd betere dingen voor me uit dan ik zelf zou kunnen uitzoeken.' Dat was een aardig compliment en ze hadden een verbazingwekkend aangename avond terwijl ze bij de haard zaten. Hij zei dat hij een leuk gesprekje met Zoe had gevoerd voordat die de deur uit ging, en ze wisten allebei dat zoiets een zeldzaamheid was.

Na een tijdje gingen ze naar boven. Het was voor hen allen geen opwindende maar wel een aangename eerste kerstdag geweest. Ze keken een tijdje televisie en Alex dacht erover de liefde met haar te bedrijven, maar hij viel voor de televisie in slaap. Faith keek glimlachend naar hem. Ze hadden zo'n merkwaardig leven. Hoewel ze geen van beiden oud waren, leefden ze als oude mensen. Soms had ze tegenwoordig het gevoel dat haar leven al achter haar lag en ze niets meer voor de boeg had.

Datzelfde gevoel had Brad toen hij die avond naar bed ging. Het was voor hem een uitputtende avond geweest. Gastheer spelen voor honderd mensen die hem niets interesseerden en

Pam helpen hij het realiseren van haar eindeloze maatschappelijke ambities en ondernemingen. Hij kon zich in de verste verte niet voorstellen dat hij de rest van zijn leven zo moest blijven doorbrengen, maar toch wist hij dat dat wel zou gebeuren. Vijfentwintig jaar geleden had hij deze taak op zich genomen en hij zou bij Pam blijven, wat hem dat ook mocht kosten. Deze manier van leven was echter wel moeilijker en deprimerender dan hij ooit had gedroomd.

14

Faith deed het toelatingsexamen in de week tussen kerst en oud en nieuw. Het was even moeilijk als ze al had gevreesd en ze had er geen idee van hoe ze het er vanaf had gebracht. Diep in haar hart was ze bang dat ze het niet had gehaald, en Brad probeerde haar gerust te stellen toen ze hem na afloop belde. Hij was de enige die wist dat ze dat examen had gedaan. Ze had zelfs Zoe niet verteld waar ze naartoe ging. In elk geval had ze het nu achter de rug. Weer een hindernis die was genomen. Het enige dat ze nu kon doen, was hopen dat ze fatsoenlijke cijfers had behaald.

Op nieuwjaarsdag ging Zoe terug naar Brown. De volgende dag zouden de colleges weer beginnen, maar ze vond het verschrikkelijk om weg te gaan. Tijdens de vakantie had ze zich met haar vriendinnen prima geamuseerd, en ze had er altijd een hekel aan haar moeder achter te laten, ook al had Faith reden om zelf opgewonden te zijn nu ze de volgende dag echt zou beginnen met studeren.

Na het vertrek van Zoe was Alex tijdens het avondeten pijnlijk stil. Faith wist waarom. Het ergerde hem nog steeds dat ze haar studie weer had opgepakt. Zoe had er veel drukte over gemaakt voordat ze wegging, en Faith had haar rugtas en alle studiebenodigdheden al klaargezet op een stoel in haar studeerkamer. Voordat ze naar bed ging, liep ze nog even naar beneden om alles te controleren.

Ze had die dag een e-mail van Brad gehad, die haar succes wenste en meedeelde dat ze het geweldig zou doen. Daar was ze niet echt zeker van, maar opgewonden was ze beslist. Ze wist dat het moeilijk zou zijn, maar eindelijk zou ze nu gaan doen wat ze wilde doen.

De volgende dag was ze bij het ochtendkrieken al uit de veren. Om acht uur was ze aangekleed en maakte ze een ontbijt voor Alex klaar. Zoals altijd vertrok hij om halfnegen, zonder iets tegen haar te zeggen. Hij wilde volstrekt duidelijk maken dat hij dit nog steeds afkeurde. Dat was voor haar en alle anderen in huis nauwelijks een geheim. Hij keek haar even nijdig aan en deed toen de voordeur achter zich dicht.

Ze zette nog een kop koffie voor zichzelf en bleef naar de klok kijken. Om negen uur zou ze een taxi naar het centrum nemen. Ze hoefde zich pas om halftien te melden. Net toen ze haar rugtas pakte om te vertrekken kwam haar laptop tot leven en deelde mee dat er post was. Ze klikte die aan en zag tot haar verbazing dat de mail van Brad was. Bij hem was het nog niet eens zes uur 's morgens.

'Ga lekker spelen in de zandbak. Een fijne dag toegewenst! Wees een braaf meisje en bel me als je thuis bent. Liefs, Brad.' Snel zette ze haar rugtas weer neer om hem een mailtje terug te sturen.

'Dank je. Wat ben jij al vroeg op! Niet alleen voor mij, hoop ik! Ik zal je bellen. Doe een schietgebedje dat de jongere studenten niet gemeen tegen me zullen doen. Ik ben bang, maar ook opgewonden. Een prettige dag. Liefs, Fred.' Zoe was altijd bang geweest dat de kinderen op school gemeen tegen haar zouden doen, maar dat was nooit gebeurd. Faith was banger dat ze het op de universiteit niet goed zou doen, want het was lang geleden dat ze had gestudeerd.

Snel liep ze het huis uit en liet zich door een taxi naar de universiteit rijden. Ze voelde zich verward toen ze er was, maar ze had een stapel papieren bij zich die haar vertelden wat ze moest doen en waar ze naartoe moest. Die waren opmerkelijk helder en accuraat en ze vond de eerste collegezaal verbazingwekkend gemakkelijk. Het college, dat 'Het gerechtelijke proces' was genoemd, was nog beter dan ze had gedacht. Het was fascinerend en de prof was interessant en uitdagend. Ze voelde zich heel gelukkig toen ze er voor de lunch mee stopten, en die middag volgde ze nog een college staatsrecht. Ze zou twee dagen per week colleges volgen, want ze wist dat die haar zouden helpen voor de echte rechtenstudie, die in de herfst zou beginnen.

Toen ze die middag naar huis ging, was ze uitgeput, maar het was wel de meest interessante dag geweest die ze in jaren had gehad. De prof van het college over het gerechtelijke proces was een vrouw die ongeveer even oud was als zij. Faith had dolgraag een praatje met haar willen maken, maar daar was ze te verlegen voor geweest en bovendien wist ze dat ze na het college strafrecht meteen naar huis moest, omdat ze sowieso pas om vier uur thuis zou zijn.

Zodra ze binnen was, zette ze haar rugtas bij de voordeur neer en was ze al aan het denken over de opdrachten die ze hadden gekregen. Die waren allebei uitdagend en zouden tijd vergen. Vrijwel meteen na haar thuiskomst begon de telefoon te rinkelen. Ze had haar jas nog aan toen ze opnam. Het bleek Zoe te zijn.

'Hoe is het gegaan? Vind je het leuk, mam?'

'Ik vond het geweldig! Nog beter dan ik had gedacht.' Ze was gelukkig en opgewonden en Zoe was ontzettend trots op haar. Ze praatten een halfuur met elkaar, en toen zei Faith dat ze moest ophangen. Ze moest het eten voor Alex nog bereiden en ze was er niet zeker van wat ze in huis had. Zodra ze de hoorn op de haak had gelegd werd er echter weer gebeld. Deze keer was het Brad.

'Ik kon niet meer wachten. Vond je het leuk?' vroeg hij meteen, en zij glimlachte.

'Ik vond het heerlijk. Ik heb geweldige professoren en mijn medestudenten lijken intelligent. De tijd is omgevlogen en het huiswerk is angstaanjagend, maar ik denk dat ik dat wel aankan.' Ze slaakte een kreetje van enthousiasme en hij grinnikte. 'Ik vond het echt fantastisch. Ik ben net thuis.'

'Je zult het geweldig doen!' zei hij al even enthousiast. Dit was precies waarop hij voor haar had gehoopt.

'Dank voor je mailtje van vanmorgen.' Hij had haar niet verteld dat hij de wekker op halfzes had gezet om haar in stijl te laten vertrekken. 'Ik was doodsbang.'

'Dat dacht ik wel, en daarom heb ik je niet gebeld. Omdat ik je de kans niet wilde geven in te storten, heb ik je dat mailtje gestuurd.'

'Dat was slim van je.'

'Ik ben zo blij voor je. Is het huiswerk moeilijk?'

'Dat lijkt het inderdaad, maar ik denk dat het me wel zal lukken als ik maar niet te veel andere dingen hoef te doen, zoals diners organiseren voor Alex. Dat zou lastig zijn.'

'Het is maar goed dat je niet met Pam bent getrouwd.' Ze hadden op oudejaarsdag weer een grote aanvaring gehad. Faith en Alex waren thuis gebleven en hadden zoals altijd televisie gekeken. Brad zei dat hij hen daar om benijdde. 'Wat gaat er nu verder gebeuren?'

'Ik zal me een rotje werken en dan in de herfst hopelijk worden aangenomen door een rechtenfaculteit.' Alex was er nog steeds faliekant tegen, maar ze zette langzaam door en had na deze eerste dag meer zelfvertrouwen. 'Binnenkort ga ik de formulieren invullen.'

'Waar wil je het gaan proberen?'

'Columbia, de Universiteit van New York, Fordham, New York Law School en Brooklyn Law. Geografisch gezien heb ik niet veel keus. Het moet ergens in New York zijn.'

'Jammer dat je niet hierheen kunt komen,' zei Brad met een glimlach.

'Daar zou Alex echt mee in zijn nopjes zijn! Een echtgenote die tijdens de vakanties naar huis komt. Wel vraag ik me soms af of het hem zou opvallen als ik er niet was. Misschien kan ik een plaatsvervangster inhuren om mijn werk te doen.' Haar werk bestond de laatste tijd voornamelijk uit het klaarmaken van het avondeten, het ontbijt en af en toe een diner, zo weinig mogelijk converseren en heel af en toe de liefde bedrijven. Het was nauwelijks meer een fulltime baan.

'Ik zou dolgraag iemand inhuren die mijn werk van me overneemt. Dan zou die man naar alle officiële diners, de opera en symfonieconcerten kunnen gaan. O, dat zou ik prachtig vinden!' Ze lachten allebei en Faith keek op haar horloge.

'Ik moet aan de slag, want anders krijgt Alex een beroerte als hij thuiskomt. Wat er vanaf heden ook misgaat, het zal naar zijn idee komen omdat ik weer ben gaan studeren. Dus zal ik me nu extra goed moeten gaan gedragen. Perfecte maaltijden, alles op tijd, dineetjes die Julia Child en Martha Stewart waardig zijn. Ik kan het nu niet verpesten.' Ze had erover gedacht die avond iets speciaals voor Alex klaar te maken, om te bewijzen dat ze alles aankon, maar nu had ze daar geen tijd meer voor en geen zin meer in.

'Dan sta je behoorlijk onder druk,' zei Brad meelevend. 'Misschien hoef je jezelf voor hem niet zo te bewijzen. Je hebt nu niet direct iets verschrikkelijks gedaan.'

'In zijn ogen wel. Ik zal je later een mailtje sturen. Nu moet ik bedenken wat ik als avondeten op tafel zal zetten, en daarna wacht mijn huiswerk.'

'Je bent een braaf meisje,' zei hij glimlachend.

'Dank je, Brad.' Ze hing snel op, keek in de koelkast en besloot iets te gaan kopen dat Alex echt lekker vond.

Toen hij thuiskwam, stond de gevulde tong in de oven, was ze asperges met hollandaisesaus aan het maken, en een lekkere pilaf volgens een recept van Julia Child. Ze serveerde dat alles onberispelijk en was trots op zichzelf omdat ze dat alles in recordtijd voor elkaar had gekregen. Alex leverde er geen commentaar op, at zwijgend en vroeg niet hoe de colleges waren geweest. Faith was meer dan een beetje verbaasd.

'Vind je de tong lekker?' vroeg ze, vissend naar een compliment. Naar haar idee was het een van de beste gerechten die ze ooit had bereid. 'Ik had een nieuw recept gevonden.' Ze voelde zich als Susie Homemaker nu ze een perfect diner voor hem had gemaakt én college had gelopen, zelfs al was dit pas de eerste dag.

'Hij is prima,' zei hij neutraal.

'Hoe is de saus?' Ze wist dat die precies was zoals hij hem het lekkerst vond, en hetzelfde gold voor de asperges.

'Iets aan de dikke kant,' zei hij, en toen besefte ze dat ze geen schijn van kans had. Hij was absoluut niet van plan om haar te vertellen of hij het eten lekker vond of niet, en ze merkte dat ze woedend werd. Toch zei ze niets, en na het eten ruimde ze alles nog altijd zwijgend op. Dit was een misselijke manier van doen van hem geweest. Hij was niet bereid ook maar een haarbreed toe te geven, en gedroeg zich daarmee in haar ogen idioot kinderachtig. Nu ze eenmaal weer was gaan studeren, zou hij er het beste van kunnen maken. Hij was echter duidelijk niet van plan het gemakkelijk voor haar te maken. Toen hij verdween terwijl ze de vuile vaat in de afwasmachine zette, was ze razend. Zodra alles was opgeruimd stormde ze haar studeerkamer in en pakte haar studieboeken. Tot een uur 's nachts was ze bezig met de twee opdrachten die haar waren opgegeven. Toen ze daarmee klaar was, ging ze naar bed en was ze eindelijk over haar woede jegens Alex heen. De volgende dag zou ze niet hoeven te studeren. Ze had alles onder controle.

Tijdens het ontbijt zei hij weer niets en dat irriteerde haar. 'Alex, ik hoef vandaag geen colleges te volgen. Je kunt tegen me praten. Je hoeft me morgen pas weer te straffen.' Ze was nog steeds woedender op hem dan ze had beseft vanwege de manier waarop hij haar de vorige avond had behandeld.

'Faith, ik weet niet waarover je het hebt. Het is een belachelijke opmerking.'

'Jij gedraagt je belachelijk. We zijn volwassenen. Oké. Je vindt het niet prettig dat ik mijn studie heb hervat, maar ik probeer alles voor jou zo goed mogelijk te laten verlopen. Je hoeft het me niet onmogelijk te maken dat ik er een succes van maak. Je bent jezelf hier net zo mee aan het straffen als mij.'

'Faith, jij hebt dat besluit genomen, en je weet hoe ik erover denk. Als mijn reactie je niet aanstaat, kun je met je studie stoppen.' Zo eenvoudig lag het wat hem betrof.

'Is hier sprake van chantage? Ben je van plan nauwelijks iets tegen me te zeggen en mijn leven ellendig te maken tot ik ermee ophou?' Ze had haar stem verheven en hij reageerde niet.

Zo wilde hij zijn dag niet graag beginnen, evenmin als zij. 'Dat is een manier om het aan te pakken, denk ik, al is die op zijn minst gezegd niet volwassen. Denk je dat je me een kans kunt geven om dit te doen en in elk geval af te wachten hoe het uitpakt voordat je me gaat straffen? Ik heb pas één dag colleges gevolgd. Hoe beroerd kan dat zijn?'

'Beroerd genoeg. Je had je sowieso niet moeten inschrijven. Het hele idee is absurd.'

'Dat is dus jouw houding,' zei ze met van woede vlammende ogen, wat zeldzaam voor haar was. Dit was een slecht begin, en als ze echt rechten kon gaan studeren zou het allemaal nog erger worden. Maar daar ging het hem nu precies om. Hij wilde dat ze er voor die tijd mee ophield. Zo gemakkelijk zou ze zich echter niet gewonnen geven. Dit sterkte eerder haar vaste plan om ermee door te gaan.

'Ik vind dat jij je afschuwelijk gedraagt,' zei Alex ijskoud terwijl hij *The Wall Street Journal* pakte en de keuken uit liep. Hij had zijn ontbijt niet aangeraakt. Zij ook niet. Dit was een voorbode van wat er in de komende maanden zou gaan gebeuren.

Die middag stuurde ze Brad een mailtje, en 's avonds schreef hij terug. Hij was tot vijf uur in de rechtszaal geweest.

'Lieve Fred, sorry dat het zo lang heeft geduurd voordat ik reageer. Lange dag, kleine overwinning voor een van mijn jongens. Je verhalen over Alex maken me gek. Hij leeft in de Middeleeuwen. Hoe kan hij dat alles verdomme ongestraft doen? We zouden hem met Pam naar een opleidingskamp voor mariniers moeten sturen, want zij zou hem binnen een week in vorm hebben. Hij zal er gewoon aan gewend moeten raken en overheen moeten komen. Jij kunt je leven niet voor hem opgeven. Dat zou verkeerd zijn.

Kun je je ondanks alles wel op je studie concentreren? Dat moet je in elk geval proberen. Doe je uiterste best. Je kunt niet altijd perfect zijn. Dat kan niemand. Doe gewoon wat je kunt. Onthou echter wel dat er dingen zullen misgaan, dat je je examens zult moeten doen en er avonden zullen zijn waarop je geen eten op tafel kunt zetten wanneer je huiswerk moet maken. Hij zal daarmee moeten leven, of hij dat nu prettig vindt of niet. Als je er nu mee stopt, zul je daar de rest van je leven spijt van hebben. Ik weet dat Jack hetzelfde zou hebben gezegd. Hij zou het prachtig hebben gevonden dat je weer ging studeren, want hij heeft altijd het idee gehad dat je dat moest gaan doen. Hij verklaarde dat jij er van nature meer talent voor had dan hij. Heeft hij dat wel eens tegen jou gezegd? Ik heb dat vele keren van hem te horen gekregen, zeker toen we nog studeerden en hij bleef denken dat hij het niet zou halen. Hou vol, Freddy. Je zult als overwinnaar uit de strijd komen! Liefs, Brad.' Hij zorgde er altijd voor dat ze zich veel beter ging voelen, en ze was dankbaar voor zijn bemoedigende woorden. Daar had ze wanhopig veel behoefte aan toen Alex haar leven de eerste maand daarna bleef verzieken.

Ze maakte haar huiswerk, hield thuis de zaken draaiende en kookte voor Alex. Zoe en Brad hielden haar op de been. De combinatie van studie en huishouden was prima vol te houden, en dat wist ze. Tot haar grote verbazing bleek ze de allerhoogst mogelijke cijfers voor het toelatingsexamen te hebben gehaald en ze hoopte dat daarmee het feit zou worden gecompenseerd dat ze de afgelopen vijfentwintig jaar niet had gewerkt of gestudeerd. De inschrijvingsformulieren voor de rechtenfaculteiten waren de deur al uit.

Alex bleef haar ijskoud bejegenen, en dat was het moeilijkste van alles. De sfeer die hij in huis schiep, was grimmig. Hij voelde zich overweldigd door zijn eigen irritatie over haar studie, en naarmate de weken verstreken werd dat er niet beter op. Begin februari kwam ze echt in een lastig parket. Tijdens het college over het gerechtelijke proces werd aangekondigd dat ze vier dagen naar Washington zouden gaan. Het was geen verplichte excursie, maar hij werd wel sterk aanbevolen en de prof raadde haar aan mee te gaan. Daarna moest er een werkstuk worden geschreven waarmee ze extra punten kon behalen voor het laatste examen. Ze sprak erover met Brad en Zoe, en zij vonden allebei dat ze het moest doen. Het probleem was natuurlijk Alex. Faith had niet eens de moed kunnen opbrengen hem erover te vertellen. Ze wilde eerst zelf een beslissing nemen voordat hij haar onder druk zou zetten niet mee te gaan – wat vrijwel zeker zou gebeuren.

In de week voor de excursie vertelde ze het hem uiteindelijk. Hij zweeg toen ze hem alles na het avondeten uitlegde. Ze had de hele maaltijd lang al maagpijn gehad en zoals gewoonlijk was er onder het eten niets gezegd. Sinds ze weer was gaan studeren sloot hij haar steeds openlijker buiten.

'Dat is het verhaal,' zei ze tot slot. 'Ik zal vier dagen in Washington zijn. Ik kan diepvriesmaaltijden voor je inslaan, en ik weet tegenwoordig niet meer wanneer je op reis moet. Ga je de volgende week ergens heen?' Ze hoopte dat dat zo was, want dan zou haar afwezigheid geen crisis voor hem veroorzaken en alles een stuk eenvoudiger worden.

'Nee,' zei hij bot terwijl hij haar aanstaarde alsof ze had gezegd dat ze was gearresteerd vanwege een gewapende roofoverval en de gevangenis in zou draaien. 'Ik kan niet geloven wat je aan het doen bent. Je hangt de studente uit terwijl je hier verantwoordelijkheden hebt.'

'Alex, wees nu eens redelijk. Onze kinderen zijn volwassen geworden en de deur uitgegaan. Wat doe ik hier? Ik kook 's avonds eten voor je. De rest van de dag heb ik niets te doen. Voordat ik weer ging studeren verveelde ik me dood.' Zijn charade was met de dag belachelijker geworden. Het draaide allemaal om zijn ego en het onder controle houden van haar. Hij wilde weten dat hij haar naar zijn pijpen kon laten dansen. Dat had hij echter te ver doorgedreven. Zelfs voor haar.

'Faith, het is jammer dat het huwelijk met mij je zo verveelt.'

'Dat heb ik niet gezegd. Ik heb alleen niet veel meer te doen. Dat weet je. Het is geen geheim. Jij wilde dat ik bridgelessen zou nemen en in het museum een cursus ging volgen. Dit is zinniger.'

'Niet in mijn ogen.'

'Hoe zit het met Washington?' vroeg ze. Dat alles had hij al eerder gezegd en ze was het moe ernaar te luisteren, voor hem door het stof te kruipen en excuses aan te bieden.

'Je doet maar wat je wilt.'

'Wat betekent dat?' Ze wilde van hem weten welke prijs ze ervoor zou moeten betalen. Hoe boos zou het hem maken, en hoe streng zou ze ervoor worden gestraft? Ze zou waarschijnlijk sowieso naar Washington gaan, had ze besloten, maar voordat ze dat deed wilde ze even naar het prijskaartje kunnen kijken.

'Het betekent dat je toch doet wat je wilt. Doe het dan ook maar, op eigen risico.' Het was een nauwelijks bedekt dreigement en dat maakte haar opnieuw kwaad.

'Alex, ik ben dit alles zo moe. Ik heb verdorie geen misdaad gepleegd! Ik heb jou of onze kinderen niet in de steek gelaten. Waarom moet je verdomme doen alsof dat wel zo is?'

'Je bent krankzinnig,' zei hij walgend terwijl hij ging staan om de kamer uit te lopen.

'Als ik dat ben, ben jij degene die me gek maakt.'

'Ga mij er de schuld niet van geven als de gevolgen van jouw acties je niet aanstaan.'

'Oké, dat zal ik niet doen,' zei ze ferm. 'Ik ga naar Washington, en ik blijf vier dagen weg. Je kunt me bellen als je me nodig hebt en ik zal al het eten voor je inslaan dat je mogelijkerwijs tot je kunt nemen.'

'Doe die moeite maar niet. Ik eet wel buiten de deur,' zei hij met opeengeklemde kaken.

'Dat hoeft niet. Ik zal voor vier dagen warme maaltijden klaarzetten. Dan kun je kiezen tussen thuis of buiten de deur eten.'

Hij zei niets meer, draaide zich op zijn hielen om en liep de keuken uit.

Ze stuurde er Brad of Zoe niet eens een mailtje over. De scène was zo vernederend en frustrerend geweest dat ze het aan niemand wilde vertellen. Ze zou dit zelf afhandelen. Op de ochtend van haar vertrek zei ze Alex gedag, en daar reageerde hij niet eens op. Hij bleef gewoon de krant lezen en deed alsof ze niet bestond. Als zijn houding ten doel had haar zich schuldig te laten voelen, had die precies het tegenovergestelde effect. Ze werd er kwaad over, en ze was blij het huis uit te kunnen gaan. Toen ze met haar rugzak, een kleine tas en haar laptop de deur uit liep, had ze het gevoel net uit de gevangenis te zijn vrijgelaten. Die computer had ze meegenomen om erop te kunnen werken, en om gemakkelijk met Zoe en Brad te kunnen communiceren.

Meer dan de helft van haar medestudenten zou deelnemen aan de excursie. Ze troffen elkaar op La Guardia en namen een shuttle naar Reagan National Airport in Washington D.C. Ze zouden logeren in een klein hotel aan Massachusetts Avenue, waar het wemelde van de buitenlandse studenten en kleine zakenlui van overzee. Alleen al het daar zíjn leek Faith opwindend en laat die middag, na een bezoek aan het Smithsonian en de Library of Congress, vond ze het geweldig dat ze was meegegaan. Ze had ook al een idee opgedaan voor het werkstuk dat ze zou gaan schrijven als ze weer thuis was. Die avond begon ze in haar hotelkamer aantekeningen te maken en nadat ze in een Indiaas restaurant hadden gegeten zette ze haar computer aan om nog een tijdje te werken. Ze had een uur met de professor gesproken – de vrouw die ze zo aardig vond – en was in een fascinerend gesprek verzeild geraakt met een paar medestudenten over de grondwet en de waarde van de wetten die die in stand hield. Dat leidde tot een verhitte discussie over het Vijfde Amendement en toen Faith terug was in haar kamer, was ze opgetogen en geïnspireerd. Ze was snel op haar computer aan het typen toen die aangaf dat er een mailtje voor haar was binnengekomen. Het was van Brad.

'Hallo, Fred. Hoe gaat het met het gerechtelijke proces? Amuseer je je? Ik ben dol op D.C. Toen ik studeerde had ik daar een vriendinnetje: de dochter van de Franse ambassadeur. Ik ben haar vaak gaan opzoeken en ik heb nooit van mijn levensdagen meer lol gehad dan toen. Heb geprobeerd Jack aan haar zus te koppelen, maar hij gedroeg zich zo idioot dat hij haar doodsbang maakte. Ben je daar met aardige mensen? Is de prof goed?

Hier gaat alles best. Drukke dagen. Volgende week een proces. Mijn secretaresse heeft me meegedeeld dat het volgende week Valentijnsdag is. De dag waarop je je iemand herinnert van wie je houdt en beseft dat die jou is vergeten, of zoiets. Bloemen en chocola. Hooikoorts en gaatjes in je kiezen. Ik lijk mijn romantische instelling kwijt te raken. Ik zou best bereid zijn met Pam uit eten te gaan, maar dan zou ze waarschijnlijk tweehonderd vrienden meenemen en erop staan dat ik een smoking aantrek. Ik denk dat ik gewoon ga werken en tegen haar zal zeggen dat ik het vergeten ben. Zij zal het ook wel vergeten. Ik ben aan het dazen, en ga maar weer aan de slag. Hou contact. Als je je kandidaat stelt voor het presidentschap, moet je me dat laten weten, want dan krijg je beslist mijn stem. Spoedig meer. Liefs, Brad.'

Ze vond het heerlijk iets van hem te horen. Hij maakte haar altijd aan het lachen of op zijn minst aan het glimlachen. Zijn verhaal over Valentijnsdag bracht haar in herinnering dat ze zoetigheid naar de meisjes wilde sturen. Ze was er zeker van dat Alex geen melding van die dag zou maken. Dat deed hij nooit. Ze waren – zeker de laatste tijd – nauwelijks meer in een Valentijn-stemming. Die dag betekende voor haar niet veel meer.

De rest van de excursie naar Washington was fascinerend en er werd een hoog tempo aangehouden. Ze gingen naar musea, bibliotheken en universiteiten en verzamelden gegevens en informatie ter illustratie van hun cursus. Pas op de laatste ochtend werden ze geconfronteerd met een grote tegenvaller. Ze zouden nog een hele dag in Washington doorbrengen, en ook nog een avond. Maar de prof kreeg een telefoontje dat haar moeder in het ziekenhuis was opgenomen. Ze had een beroerte gekregen en de artsen dachten niet dat ze het zou overleven. Ze had dat bericht via haar gsm ontvangen, was er begrijpelijk door van streek en zei dat ze weg moest. Ze drong er bij de anderen op aan de dag en resterende avond gewoon volgens plan door te brengen. De volgende middag – zaterdag – zouden ze officieel pas naar huis gaan. Toen de prof met die mededeling kwam, besefte Faith echter dat ze alles wat ze moest doen al had gedaan. Ze had meer dan genoeg materiaal voor haar werkstuk, en verder besloot meer dan de helft van de groep naar huis te gaan. Zonder hun leider was de vaart er snel uit. Faith behoorde tot degenen die ervoor kozen om twaalf uur 's middags terug te vliegen naar New York. Dan zou ze een heel weekend met Alex kunnen doorbrengen en ze hoopte dat dat drie dagen van afwezigheid zou goedmaken. Sinds haar vertrek had hij haar niet één keer gewoon uit zichzelf gebeld en ook niet gereageerd op haar dagelijkse telefoontjes.

Ze haalde haar spullen op in het hotel en nam met vijf medestudenten een taxi naar National. Om twee uur waren ze met de shuttle terug in New York. Het was perfect. Ze zou naar huis gaan, haar papieren netjes opbergen en als vredespijp een lekker diner voor Alex klaarmaken. Onderweg naar huis hield ze halt bij de supermarkt en even na drieën liep ze naar binnen. Ze had twee tassen vol boodschappen bij zich en die zette ze in de keuken neer, samen met al haar andere bagage. Ze had het gevoel weken weg te zijn geweest en terwijl ze in de keuken om zich heen keek, zag ze tot haar verbazing dat die er bewonderenswaardig netjes uitzag. Zou Alex uiteindelijk toch elke avond buiten de deur hebben gegeten? Toen zag ze opeens een paar schoenen onder een stoel staan. Het waren hooggehakte satijnen pumps, en die had zij niet. Ze pakte er een op om hem beter te kunnen bekijken en zag dat hij haar een paar maten te groot was. Haar hart begon te bonzen en ze voelde zich misselijk toen ze naar boven liep.

Het bed in hun slaapkamer was haastig opgemaakt door er domweg een sprei overheen te doen. Ze trok die weg en zag vrijwel meteen een zwart kanten beha. Op de grond lag een bijpassende string, die daar snel leek te zijn neergesmeten. Duizelig ging ze op de rand van het bed zitten. Dit kon haar niet overkomen! Er was geen enkele andere manier om het te verklaren dan door de voor de hand liggende. Dit was geen logee, of een dochter, of iemand voor wier aanwezigheid ze een zinnige verklaring kon verzinnen. Alex had een vrouw in huis gehad terwijl zij weg was. Ze liep haar badkamer in en zag op haar toilettafel make-up van een ander merk dan het hare. In de wasbak lagen lange zwarte haren. Ze zag ook nog een paar schoenen, en een trui die aan het handdoekenrek hing. Het enige dat ze kon doen terwijl ze naar twee jurken en drie onbekende mantelpakken in haar kleerkast keek, was huilen. Het was niet eens een slippertje van één nacht geweest. De vrouw was duidelijk voor de vier volle dagen bij Alex ingetrokken.

Toen besefte ze opeens dat ze die avond – of misschien zelfs al wel die middag – zouden terugkomen, en dat joeg haar doodsangst aan.

Zonder helder na te denken racete ze de trap af nadat ze de sprei weer over het bed heen had gelegd, de rest onaangeroerd had gelaten en het licht weer had uitgedaan. Ze rende naar de keuken, pakte al haar bagage en de twee boodschappentassen en ging het huis uit. De boodschappen deponeerde ze in een vuilnisbak die op straat stond. Toen riep ze een taxi aan, zonder er enig idee van te hebben waar ze naartoe kon gaan. Ze had geen vriendin die ze over deze nachtmerrie wilde vertellen en geen plek waar ze haar toevlucht toe kon nemen. Ze vroeg de chauffeur haar naar het Carlyle Hotel – twee huizenblokken verderop – te brengen, ging op de achterbank zitten en huilde.

'Alleen maar naar dat hotel?' vroeg de chauffeur verbaasd. Het was zo dichtbij dat ze erheen had kunnen lopen.

'Ja, ja. Rijdt u nu maar gewoon.' Ze was doodsbang dat ze Alex en de vrouw tegen het lijf zou lopen als die naar huis kwamen. Het ergste van alles was dat het ook háár huis was. Hij had hun huis, en hun bed, besmeurd. Het enige waaraan ze kon denken toen ze Madison op reden, was het zien van de beha en de string, en het enige dat ze wilde doen was doodgaan. Dit was de ultieme straf voor haar uitstapje naar Washington, als dat tenminste zijn bedoeling was geweest. Maar terwijl de taxi voor het hotel stopte en de portier de deur voor haar openmaakte, besefte ze ook dat dit geen vrouw kon zijn die Alex net had leren kennen. Een vreemde zou hij geen vier dagen in huis nemen. Hij moest al een tijdje een verhouding met haar hebben. Faith voelde zich misselijk toen de portier haar vroeg of ze zich wilde inschrijven en zij daar bevestigend op antwoordde.

Ze wilde geen scène maken met Alex. Ze zou in het hotel blijven en zaterdagmiddag zoals gepland naar huis gaan, wat betekende dat Alex en die vrouw het nog gezellig zouden hebben in haar huis. Het enige dat ze verder wilde was zich inschrijven en overgeven.

Ze vroeg om een kamer en gelukkig was er een beschikbaar. Ze zei dat ze een nacht zou blijven, of op zijn hoogst tot en met het weekend. Ze kreeg een sleutel en een piccolo droeg haar bagage naar boven. Zij hield de computer vast alsof die de schat van de Sierra Madre was, en haar laatste schakel met de werkelijke wereld. Maar toen ze boven was, zette ze hem niet aan. Ze zat gewoon te snikken op het bed en toen ze daarmee ophield, was het buiten al donker. Ze had er geen idee van hoe laat het was, keek op de klok en zag dat die zes uur aanwees. Ze kon Zoe niet eens bellen om het haar te vertellen, want ze vond het niet eerlijk haar tegen Alex op te zetten. Ze moest dit zelf afhandelen. Hoewel het onmogelijk leek, was het nu duidelijk dat Alex een verhouding had. Na zijn ijskoude houding jegens haar, al zijn woede en beschuldigingen en zijn onverschillige houding jegens haar als vrouw sliep hij met iemand anders. Het ergste was nog wel dat ze eerder van streek dan boos was. Ze begon zich af te vragen of ze thuis had moeten blijven en de confrontatie met hen beiden had moeten aangaan. Ze had echter het gevoel zoiets niet aan te kunnen en ze had tijd nodig om na te denken.

Toen ze Brad belde, was het in New York acht uur. Ze zou het kalm met hem bespreken. Ze wilde zijn advies als broer, want als Jack nog in leven was geweest, zou ze hém hebben gebeld. Brad had haar verteld dat Pam een aantal buitenechtelijke relaties had gehad, en hij een keer vreemd was gegaan, dus verwachtte ze dat hij er kalmer en wereldwijzer op zou reageren dan zij. Misschien zou hij tegen haar zeggen dat ze zich niet zo van streek moest maken. Maar zodra ze zijn stem hoorde, begon ze weer te huilen en kon ze geen woord over haar lippen krijgen. Ze snikte hartverscheurend en een minuut lang wist hij niet wie hij aan de lijn had. Het was voor hem niet ongewoon hysterische telefoontjes van mogelijke cliënten of hun ouders te krijgen, maar even later besefte hij tot zijn grote schrik dat het Faith was.

'Fred... Shit... O, mijn hemel. Wat is er aan de hand... Kom, schatje... Praat tegen me. Vertel me wat er mis is.' Hij was bang dat er iets met een van haar kinderen was gebeurd. 'Fred... probeer alsjeblieft tot bedaren te komen... Haal een keer diep adem. Vertel me wat er is gebeurd. Ben je gewond? Is alles met jou in orde? Waar ben je?' Hij werd met de seconde wanhopiger en ze had nog steeds geen zinnig woord kunnen uitbrengen.

'Ik ben in New York,' zei ze piepend. Toen begon ze opnieuw te snikken.

'Probeer me te vertellen wat er is gebeurd. Ben je gewond?'

'Nee, maar ik wou dat ik dood was...' Ze klonk als een klein kind en hij kon zich alleen een beeld voor ogen halen van het achtjarige meisje met blonde vlechten en een gebit als een fietsenrek, van wie hij had gehouden.

'Is alles met de meisjes in orde?' Hij bad dat dat zo zou zijn.

'Ja... dat denk ik wel... Het gaat niet om hen, maar om Alex,' zei ze nog altijd huilend. Ze kon nu echter wel praten en Brad reageerde opgelucht op wat hij tot dusver had gehoord. Ze was kennelijk wel erg van streek. Zou Alex een ongeluk hebben gehad, of misschien een fatale hartaanval?

'Is hij gewond?'

'Nee, ik ben dat. Hij is een stuk ellende.' Brad besefte opeens dat ze ruzie moesten hebben gemaakt en het niet zo erg was als hij had gevreesd. Het moest echter wel een gigantische ruzie zijn geweest als ze zo aangeslagen was. Zo had hij haar nog nooit meegemaakt. Had Alex haar geslagen? Zo ja, zou hij die man hoogstpersoonlijk aan de schandpaal nagelen!

'Ik dacht dat je nog in Washington was. Wat doe je in New

York?' Hij wist dat ze de volgende dag pas terug had zullen gaan.

'De moeder van de prof had een beroerte gekregen en daardoor moest zij weg. Om die reden ben ik eerder naar huis gegaan.' Ze was nog steeds aan het huilen en nu raakte hij in paniek.

'En toen?' vroeg hij gespannen. 'Heb je ruzie met hem gemaakt?' Hij gaf zijn secretaresse met een handgebaar te kennen dat ze moest vertrekken. Zij maakte hem duidelijk dat er drie telefoontjes op hem wachtten, maar dat kon hem niets schelen. Hij wilde zonder onderbrekingen met Faith praten. Alle anderen zouden moeten wachten of barsten. Faith genoot de hoogste prioriteit.

'Nee, er was niemand thuis.'

Nu raakte hij echt in paniek. Misschien was er een binnendringer geweest, die haar had verkracht. 'Fred, vertel me in vredesnaam wat er is gebeurd.' Ze maakte hem krankzinnig. Hij kon haar niet helpen als hij niet wist waardoor ze er zo aan toe was.

'Hij heeft een vrouw in huis gehad,' zei ze terwijl ze haar neus snoot in een stel papieren zakdoekjes uit de doos naast haar bed.

'Was zij daar toen jij thuiskwam?' Brad was stomverbaasd. Gezien haar verhalen leek Alex niet het type voor zoiets te zijn.

'Nee, maar haar kleren waren er wel. Er stonden schoenen in de keuken, kleren van haar hingen in mijn kast, overal in de badkamer stonden spullen van haar en haar ondergoed lag onder de sprei. Hij is met haar naar bed geweest!' Die indruk had Brad ook, want er waren niet veel manieren om te verklaren wat ze had gezien. 'Het was walgelijk... er was een string...'

Ze begon opnieuw te snikken en hij kon er niets aan doen dat hij uit medeleven glimlachte.

'Arme schat. Ik wou dat ik bij je was. Waar ben je trouwens?' Hij kon zich niet voorstellen dat ze van huis belde en daar zat te wachten tot die twee thuiskwamen.

'Ik ben in het Carlyle, waar ik voor minstens een nacht een ka-

mer heb geboekt. Ik weet niet wat ik moet doen. Denk je dat ik naar huis moet gaan en haar de deur uit moet smijten?'
'Dat lijkt me niet zo'n goed idee. In de eerste plaats moet je tot bedaren komen, en daarna bedenken wat je wilt doen. Wil je van hem scheiden? Wil je bij hem weg? Wil je hem wel vertellen dat je het weet? Als je dat niet doet, waait dit misschien vanzelf weer over.' Zo had hij het altijd aangepakt met Pam, om hun huwelijk maar in stand te houden. Zij was echter slim genoeg geweest om een minnaar niet mee naar huis te nemen. In dat opzicht alleen al was Alex stom.
'Stel dat hij serieuze plannen met haar heeft?' vroeg Faith.
'Dan heb je een groot probleem.'
Ze wisten echter allebei dat ze sowieso al een groot probleem had. Haar huwelijk was al jaren ongelukkig en Alex had zojuist de laatste draad doorgesneden en een eind gemaakt aan het respect dat ze ooit voor hem had gehad. Met die string had hij haar hart gebroken, en ze had het gevoel te zijn aangereden door een bus.
Opeens kreeg Brad een idee. 'Wil je dat ik naar je toe kom om het samen met jou te bespreken voordat je naar huis gaat? Ik kan een late vlucht nemen en dan morgenavond weer terugvliegen.'
'Nee, dat hoeft niet... Ik moet hier diep over nadenken... Wat moet ik doen?' Ze vroeg zich af wat Jack zou hebben gezegd en had het gevoel dat Brad haar zo ongeveer hetzelfde zou aanraden. Qua standpunten hadden ze heel weinig van elkaar verschild.
'Naar mijn idee moet je zeker weten wat je wilt voordat je de confrontatie met hem aangaat. Fred, jij hebt de troefaas nu in handen.'
Zo had ze het nog niet bekeken, maar ze was niet overtuigd. 'Misschien niet, als hij echt van haar houdt.'
'Stel dat dat niet zo is? Wil je met hem getrouwd blijven? Kun je hem dit vergeven? Veel mensen kunnen dat, dus ga je niet schamen als je het gewoon wilt vergeten. Uiteindelijk waaien dergelijke dingen over. Meestal, in elk geval.' Hij vond het af-

schuwelijk wat Alex haar had aangedaan, maar hij probeerde eerlijk tegenover haar te zijn en haar niet nog meer van streek te maken dan ze al was. Andere mensen hadden hun wederhelft een buitenechtelijke affaire vergeven. Pam en hij hadden dat ook gedaan. Alles hing af van het standpunt dat Faith wenste in te nemen.

'Hoe heeft hij me dit kunnen aandoen?' Ze vertoonde een typerende reactie voor iemand die in haar situatie verkeerde.

'Waarschijnlijk omdat hij stom is. Of zich verveelde. Hij voelde zich oud en zijn ego had een opkikker nodig. Alle domme redenen die men kan hebben om zoiets te doen. Meestal heeft het met ware liefde niets te maken. Wel met lustgevoelens.'

'Geweldig. Hij kijkt niet eens meer naar mij en gaat naar bed met een vrouw met een string. Ze heeft lang, zwart haar,' zei ze, zich de haren in de wasbak herinnerend.

Brad glimlachte en wenste dat hij haar de knuffel kon geven die ze zo hard nodig had.

'Misschien is ze heel jong,' zei Faith.

'Schatje, ik kan je een ding garanderen. Jij bent mooier dan zij. Het doet er niet toe of ze een baard heeft of een toupetje draagt. Hij wilde waarschijnlijk de bloemetjes even buiten zetten terwijl jij er niet was.'

'Maar in die tussentijd doet hij alsof ik een misdrijf heb gepleegd door weer te gaan studeren. Een maand lang ben ik op handen en voeten door het stof gekropen om het goed te maken. Misschien is dit zijn idee van wraak nemen.'

'Ik ben er bijna zeker van dat het niets met jou te maken heeft en alles met hem. Hij kan barsten. Laten we ons zorgen maken over jou. Wat zou je ervan denken je gezicht te gaan wassen en bij de roomservice een kop thee te bestellen, of misschien iets alcoholisch? Ik zal je over een halfuur terugbellen en dan zullen we proberen hier een oplossing voor te vinden. Ik wil je helpen een besluit te nemen. Wat ik hier zelf over denk, doet niet ter zake.'

'Maar hoe denk je erover?' Dat wilde ze weten.

Hij probeerde kalm te blijven. 'Ik vind hem een regelrechte rotzak en een zielige pedante kwast. Niet alleen hierom. Hij sleept je op de een of andere manier voortdurend aan je haren rond en sluit je zo buiten dat je je continu eenzaam voelt, en nu doet hij zoiets stoms als dit. Persoonlijk vind ik dat hij de doodstraf hiervoor verdient. Maar als je met hem getrouwd wilt blijven, zal ik je honderd procent steunen. Ik hou niet van hem en ik ben niet met hem getrouwd. Jij wel.' Hij respecteerde haar huwelijk en haar wens dat in stand te houden evenzeer als zijn eigen huwelijk, al wenste hij voor haarzelf wel dat ze Alex al jaren geleden had verlaten.

'Ik ben er niet meer zeker van wat ik voor hem voel. Op dit moment haat ik hem en voel ik me vernederd, stom en onbemind. Ik weet niet of ik van hem hou of niet. Ik dacht dat ik altijd met hem getrouwd zou blijven, maar nu ben in daar niet meer zo van overtuigd.' Er werd een deur opengezet die haar echt angst aanjoeg, en ze voelde zich wanhopig onzeker.

'Neem geen overhaaste beslissingen voordat je hier goed over hebt nagedacht. Ik bel je over een halfuur terug.' Op dat moment wachtten er al elf dringende telefoontjes op hem. Hij werkte daar zeven van af en vroeg zijn secretaresse de andere voor haar rekening te nemen. Het was bij hem toen zes uur en gelukkig wist hij dat Pam met vrienden op stap zou gaan.

Faith had een pot thee besteld en koud water op haar gezicht gesprenkeld toen Brad terugbelde. Ze had er echter nog steeds geen notie van wat ze ten aanzien van Alex moest doen en alleen al het idee dat hij die nacht in hun huis met die vrouw zou doorbrengen, maakte haar misselijk.

'Hoe gaat het nu met je?' vroeg hij meelevend.

'Dat weet ik niet. Ik voel me eigenaardig.' Zo klonk ze ook, alsof ze moe was en in het luchtledige zweefde.

'In welk opzicht eigenaardig?' Hij was opeens bang dat ze pillen had geslikt of zichzelf iets had aangedaan.

Daar was ze echter te verstandig voor. 'Gewoon eigenaardig. Gedesillusioneerd, verraden, bedrogen. Verdoofd. Triest.' Meer kon ze zo gauw niet verzinnen.

Hij was opgelucht. 'O, in die zin. Dat is prima. Zo hoort het ook. Fred, ik heb erover nagedacht. Ik denk dat je hem waarschijnlijk moet vertellen dat je het weet. Als je dat niet doet, zul je hierdoor vergiftigd raken. Laat hem maar bedenken hoe hij deze rommel moet opruimen. Maar doe niets wat je niet wilt doen. Ik zeg je alleen wat ik denk.'

'Je zou best gelijk kunnen hebben, maar ik weet niet eens hoe ik hem moet vertellen wat ik heb gezien.'

'Dat is het gemakkelijkst. Voor hem is dit geen nieuws. Voor jou wel.'

'Hmmm.'

'Het werkelijke nieuws is dat jij het weet. Natuurlijk kun je hem vanavond bellen en hem een hartaanval bezorgen door te zeggen dat je het huis in de gaten houdt. Daar zou hij wel een schok door krijgen,' zei Brad boosaardig.

'Hij neemt de telefoon niet op.' Dat had hij de afgelopen dagen in elk geval niet gedaan toen ze hem probeerde te bereiken.

'Dat was dan in elk geval slim van hem. Hij zal waarschijnlijk behoorlijk vijandig reageren als je hem vertelt dat je het weet. Mannen houden er niet van op heterdaad te worden betrapt, en op de een of andere manier zal hij proberen jou er de schuld van te geven.'

'Hoe?'

'Door te zeggen dat je hem verwaarloost en niet meer van hem houdt. Of dat hij dacht dat jij een verhouding had, al acht ik het niet waarschijnlijk dat hij je daarvan zal beschuldigen.' Zij was Alex altijd trouw geweest, en hij vermoedde dat die man dat ook wist. 'Misschien zal hij zeggen dat het komt omdat je weer bent gaan studeren. In elk geval zal hij zichzelf proberen vrij te pleiten door jou de schuld in de schoenen te schuiven.'

'Denk je dat hij het serieus meent met die griet?' Faith raakte opeens in paniek bij dat idee, alsof ze bang was dat hij haar de deur uit zou smijten. Ze kon zich niet indenken wat ze dan zou doen.

Brad wist echter dat haar zoiets niet kon overkomen. Als er iemand het huis uit zou moeten, was dat Alex. 'Dat is moeilijk te zeggen. Ik denk dat hij haar gewoon als een lekker ding ziet. Sorry dat ik zo bot ben. Het zou zelfs een hoertje kunnen zijn.'

'Brad, dat kan ik me echt niet voorstellen.' De string wees echter zeker die kant op, hoewel er veel vrouwen waren die tegenwoordig zulk ondergoed droegen, zelfs de dochters van Faith. 'Volgens mij is dat zijn stijl niet. Een hoertje, bedoel ik.'

'Dat weet je maar nooit. Ik vind het verschrikkelijk dat je daar in die kamer zit en je er de hele nacht zorgen over maakt, want ik veronderstel niet dat je echt zult kunnen slapen.'

'Misschien ga ik morgenochtend naar de kerk. Ik heb jouw rozenkrans bij me.'

Ze zou nu meer nodig hebben dan een rozenkrans, namelijk een koel gehouden hoofd en misschien een goede advocaat, dacht Brad, die wenste dat hij bij haar was. 'Fred, je moet hier rustig over nadenken. Stel vast wat je wilt voordat je in actie komt.'

'Ik denk dat ik wil weten wat er gaande is, wie zij is en wat zij voor hem betekent. Ik wil de waarheid kennen.'

'Als hij bereid is je die te vertellen, en daar lijkt hij me het type niet naar. Ik denk dat hij alles zal doen om jou te beschuldigen en je vervolgens zal buitensluiten om zichzelf te beschermen.' Brad kende zulke mannen goed. Hij had er door de jaren heen heel wat gezien temidden van cliënten, vrienden en zakenpartners, en hij had zelf ook een paar vergissingen gemaakt, hoewel geen van alle zo dwaas als deze.

'Ik denk dat je gelijk hebt,' zei Faith instemmend. 'Dank dat je naar me hebt geluisterd. Ik ben er zo beroerd aan toe.' Ze klonk echter een stuk beter dan toen zij hem de eerste keer had gebeld en hij had gedacht dat er iemand was gestorven.

'Je hebt me de doodsangst op het lijf gejaagd. Ik dacht dat er iets met jou of een van de meisjes was gebeurd. Dit is behoorlijk ellendig, maar in elk geval leeft iedereen nog.'

'Ik ben er niet zo zeker van of ik nog leef,' zei ze triest.

'Zodra dit is uitgesproken zul je dat wel weer zijn.' Het was inmiddels na zevenen in San Francisco en na tienen in New York. 'Ik denk dat je een bad moet nemen en je bed in moet duiken. Ik ga naar huis. Als je me nodig hebt, moet je bellen. Dat kan op alle uren van de dag. Ik ben er voor je, Fred. Ik wou alleen dat ik meer kon doen.'

'Je hebt alles gedaan wat je kon. Wat Jack zou hebben gedaan. Je hebt met me gepraat en verder moet ik dit zelf uitvogelen,' zei ze, en ze klonk oneindig triest.

'Fred, ik weet dat je het juiste zult doen.'

'Wat zal ik de meisjes vertellen als dit een echtscheiding gaat betekenen? Volgens mij zouden ze dit nooit moeten weten.'

'Waarom niet? Jij hebt niets verkeerds gedaan. Hij wel, en hij zal de consequenties van een heel domme zet onder ogen moeten zien. Het is jouw taak niet het namens hem geheim te houden. Dat ben je hem niet verschuldigd.'

'Zoe zal hem hierom haten.' En Ellie zou een of ander excuus bedenken.

'Ze haat hem toch al,' zei Brad praktisch, 'en ik ben er niet zo zeker van dat ze het in dat opzicht mis heeft. Hij is nauwelijks een vader voor haar geweest, en naar mijn idee ook nauwelijks een echtgenoot voor jou.'

'Geweldig is het niet geweest,' gaf Faith toe, 'maar zo is het nu eenmaal.'

Dat deed hem denken aan het gesprek dat ze tijdens een van de etentjes hadden gevoerd, over de compromissen die je sloot om getrouwd te blijven wanneer alles niet zo verliep als je had gehoopt. Hij vroeg zich af of het uiteindelijk voor haar de moeite waard zou zijn ten koste van alles met Alex getrouwd te blijven om de lieve vrede maar te bewaren. Hij hoopte dat ze dat niet zou doen, maar hij wilde haar niet beïnvloeden. Hij had daar het recht niet toe omdat hij vrijwel hetzelfde had gedaan. Hij negeerde de verhoudingen van Pam al jaren. Voor hém was dat in elk geval makkelijker, maar hij vond dat Faith iets beters verdiende. Hoewel dat waarschijnlijk ook voor hem gold, gaf hij er de voorkeur aan de status quo te handhaven.

'Je klinkt uitgeput. Probeer wat te slapen.' Hij was er zeker van dat ze de hele nacht geen oog dicht zou doen, maar toch vond hij dat ze het moest proberen. 'Waarom laat je je niet masseren? Ze zullen in het hotel vast wel iemand hebben die zelfs op dit uur voor zoiets nog naar je kamer kan komen.'

'Ik zal alleen een bad nemen.' Ze was er niet aan gewend zichzelf te verwennen. Wel alle anderen. Dat was al jaren zo geweest.

'Bel me thuis als je er behoefte aan hebt. Ik ben daar over een minuut of tien.'

'Dank je. Brad... Ik hou van je, grote broer van me...' Dat deed ze ook echt.

'Ik hou ook van jou, meisje. Op de een of andere manier zullen we ervoor zorgen dat je dit probleem oplost. Er zal zich vanzelf een oplossing voor aandienen. Dat zul je zien.'

'Ja, misschien.' Ze klonk echt uitgeput, maar niet overtuigd, en hij was er ook niet honderd procent zeker van dat hij gelijk had. Alex was het onvoorspelbare element binnen dit geheel. Het was moeilijk te bepalen hoe hij zou reageren als Faith een confrontatie met hem aanging. Beroerd, vermoedde Brad terwijl hij naar huis reed. Hij zou die man graag een snelle trap tegen zijn achterste hebben gegeven voor wat hij Faith net had aangedaan. Dan zou de stand een-nul voor het thuis spelende team zijn geweest.

15

Faith lag de hele nacht te woelen in het bed, doezelde uiteindelijk rond vier uur weg en was om zes uur weer wakker. Ze stapte haar bed uit en keek naar het opkomen van de zon. Het was een mooie, zonnige dag, maar ze had zich nog nooit zo beroerd gevoeld. Het enige waaraan ze kon denken was Alex en de vrouw met het lange zwarte haar, die lekker in hún bed lagen te slapen. Ze was er niet zeker van of zij daar ooit nog in zou kunnen gaan liggen.

Om zeven uur bestelde ze een pot zwarte koffie en trok een trui en een spijkerbroek aan. Ze ging naar de mis van halfacht in St. Jean Baptiste aan Lexington Avenue, hield Brads rozenkrans in haar hand maar kon zich niet voldoende concentreren om een rozenhoedje te bidden. Ze zat daar gewoon op haar knieën en staarde in het niets. Toen de mis was afgelopen liep ze terug naar het hotel, niet wetend wat ze de hele dag zou kunnen doen. Ze werd geacht pas om een uur of vier, vijf thuis te komen en ze was bang hen tegen het lijf te lopen als ze een eindje ging wandelen.

Brad belde haar zodra hij was opgestaan. Bij Faith was het toen zeven uur en hij maakte zich zorgen over haar. Ze klonk echter oké en zei dat ze op haar gevoel zou afgaan als ze thuis was.

Dat leek Brad redelijk. 'Maar laat je door hem niet in een hoek drijven,' zei hij.

Voor het eerst sinds de dag daarvoor glimlachte ze. 'Ik beloof je dat ik dat niet zal doen.'

'Bel me wanneer je dat kunt.' Hij ging tennissen met een vriend en had beloofd samen met Pam een boodschap te doen. Ze wilde een nieuwe stereo-installatie voor de huiskamer hebben en hij had gezegd dat hij die dingen samen met haar zou gaan bekijken. Maar hij had zijn gsm bij zich en zei tegen Faith dat ze hem daarop moest bellen als hij niet thuis was. Hij was voor de volle honderd procent beschikbaar voor haar en het kon hem niets schelen wat voor commentaar Pam daarop zou leveren. Het was niet moeilijk om het haar uit te leggen, al dacht hij niet dat hij dat zou doen. Hij en Faith hadden niets om zich schuldig over te voelen. Hun vriendschap was volkomen zuiver en puur. Anders dan sommige vriendschappen van Pam. Hij meende dat Pam zelfs wel medelijden met Faith zou kunnen hebben als ze het wist. Ze haatte het wanneer er misbruik werd gemaakt van vrouwen, had Faith nog beter dan hij kunnen vertellen hoe ze Alex van katoen moest geven. Maar hij deed zijn best.

Faith bleef de hele dag op haar kamer. Om vijf uur belde ze een piccolo. Die droeg haar bagage naar beneden, en daar vroeg ze de portier een taxi aan te roepen, want ze had te veel bij zich om de twee huizenblokken naar huis te kunnen lopen. Met trillende hand draaide ze de sleutel om en liep naar binnen. In de hal brandde licht en er viel geen spoor te bekennen van Alex. Ze nam aan dat hij boven was, zette haar bagage neer en liep langzaam de trap op. Alles zag er onberispelijk uit. Hij zou het bed zelf wel hebben opgemaakt, meende ze. Ze vroeg zich af of hij het fatsoen had gehad de lakens te verschonen, maar controleerde dat niet. Hij zat in zijn lievelingsstoel bij de open haard een boek te lezen en leek het toonbeeld van onschuld terwijl zij naar hem stond te kijken. Even werd ze overmand door walging, haat en verdriet en moest ze tegen haar tranen vechten.

'Je bent laat,' zei hij zonder op te kijken, en ze kon niet geloven dat hij zoveel lef had. Ze reageerde niet, en uiteindelijk keek hij wel naar haar. Ze stond nog steeds op dezelfde plaats. 'Hoe was de reis?'

Ze kwam met een eigen vraag. 'Hoe was jouw week?'

Hij kon niets uit haar gezichtsuitdrukking opmaken, noch zij iets uit de zijne.

'Lang en moeilijk. Er was veel werk.'

'Dat is prettig,' zei ze, en ze ging tegenover hem zitten. Terwijl ze dat deed, wist ze dat ze deze charade niet zou kunnen voortzetten. Ze moest hem de waarheid vertellen.

'Wat heb je in Washington gedaan?' Hij zag iets in haar ogen, maar wist niet wat en bleef met haar praten terwijl hij probeerde daar achter te komen.

'Wat heb jij in New York gedaan?'

'Dat heb ik je al verteld,' zei hij geïrriteerd. 'Ik heb gewerkt. Wat denk je anders?' Hij wilde weer verder lezen, maar werd daarvan weerhouden door wat ze zei.

'Daar ben ik niet zeker van. Ik ben gisteren thuisgekomen, Alex. We waren eerder klaar dan was gepland.'

'Je bent gisteren thuisgekomen?' Hij keek stomverbaasd, maar bekende geen schuld.

'De moeder van de prof was ziek geworden en ze moest weg, waarna een paar mensen van onze groep eerder naar huis zijn gegaan. Ik was hier om twee uur en ik had wat boodschappen gedaan. Ik wilde iets lekkers voor je klaarmaken... Wie heeft er in mijn bed geslapen, vroeg ik me toen af. Wie ze ook is, ze heeft in elk geval vrij grote voeten en lang zwart haar, en ze draagt een string.'

Hij werd bleek, maar zei lange tijd niets. 'Waar ben je sinds gisteren geweest?' vroeg hij toen beschuldigend, in een poging de zaken om te draaien.

Daar had Brad haar al voor gewaarschuwd. Dus was ze erop voorbereid en tuinde ze er niet in. 'Zodra het me duidelijk werd wat jij hier aan het doen was, ben ik naar het Carlyle gegaan. Ik wilde ons niet in verlegenheid brengen door in haar aanwezigheid een scène te maken. Wat is er aan de hand, Alex? Wie is zij? Hoe lang is dit al gaande?' Ze bleef voortdurend strak naar hem kijken.

Zo had hij haar nog nooit meegemaakt. 'Dat doet er niet toe.' Faith vermoedde dat hij het bestaan van die andere vrouw zo mogelijk volledig zou hebben ontkend. Door alles wat ze had gezien had hij daar echter geen schijn van kans op. 'Als jij niet aan het ronddarren was alsof je nog een kind bent, zou iets dergelijks niet zijn gebeurd.' Hij deed precies wat Brad al had voorspeld. Hij probeerde haar de schuld te geven van wat hij had gedaan.

'Betekent dat dat je van mij verwacht dat ik vreemdga als jij op zakenreis bent, en het dan jouw schuld is? Dat komt op hetzelfde neer, weet je.'

'Doe niet zo belachelijk. Ik moet werken om geld te verdienen. Jij hoefde niet weer te gaan studeren.'

'En volgens jou geeft dat je permissie mij te bedriegen? Dat is beslist één manier om het te bekijken.'

'Ik had al tegen je gezegd dat je een risico nam door je studie te hervatten.'

'Ik had niet beseft dat je daarmee op vreemdgaan doelde. We spelen om een hoge inzet, nietwaar?' Ze was woedend, maar ze wist nog steeds niet wat ze van hem wilde, of wat het resultaat hiervan zou zijn. Ze waren geen van beiden bereid een stapje terug te zetten en hij probeerde haar er nog altijd de schuld van te geven. Terwijl ze naar hem keek, ging hij staan en begon door de kamer te ijsberen.

'Faith, dit is allemaal jouw schuld,' zei hij zonder ook maar even met zijn oogleden te knipperen. Ze kon haar oren niet geloven. 'Als jij niet zo dwaas had gedaan, zou dit nooit zijn gebeurd. Toen je besloot weer te gaan studeren, heb je ons huwelijk aan de dijk gezet.'

'Nee,' zei Faith met van woede vlammende ogen. 'Dat heb jíj gedaan toen je dat kreng meenam naar mijn bed. Hoe heb je zoiets durven doen!'

'Hoe durf jij zo tegen mij te spreken! Dat zal ik niet tolereren!' Hij probeerde vuur met vuur te bestrijden.

'Zul jíj dat niet tolereren? Hoe denk je dat ik me voelde toen ik thuiskwam en haar ondergoed in mijn bed vond en haar haren in mijn wasbak?'

Daar kon hij weinig op zeggen, maar hij was niet bereid haar te laten winnen en ze was niet voorbereid op zijn volgende woorden.

'Ik ga weg,' zei hij. Toen liep hij de badkamer in en trok de deur met een klap achter zich dicht. Ze kon hem in zijn kleedkamer met dingen horen smijten en toen ze twintig minuten later stomverbaasd in een stoel zat, kwam hij met een koffer weer te voorschijn. Even hield ze haar mond. Ze wist niet eens wat ze zou kunnen zeggen.

'Waar ga je naartoe?' vroeg ze toen. Dit was een nachtmerrie die werkelijkheid was geworden, en opeens vroeg ze zich af of het haar schuld was, of ze te hard jegens hem was geweest, of het kwam omdat zij weer was gaan studeren. Ze wist het niet meer.

'Voorlopig ga ik naar een hotel. Als je me wilt spreken, kun je mijn kantoor bellen.'

Ze wou tegen hem zeggen dat haar advocaat dat zou doen, maar ze wilde niet op de zaak vooruitlopen om hoe dan ook het laatste woord te hebben. Ze wist nog niet eens of ze een jurist nodig zou hebben, en daar wilde ze hem niet naar vragen.

'Alex, hou je van haar?' vroeg ze triest. Ze wist dat ze het verschrikkelijk zou vinden als hij daar ja op zei, maar ze wilde het weten.

'Daar heb je verdomme niks mee te maken,' zei hij woest. Sinds ze deze confrontatie was aangegaan, had hij niet één keer excuses aangeboden.

'Ik denk dat ik er recht op heb dat te weten. Wie is ze?' Faith klonk nu kalmer. Er was zoveel dat ze wilde weten.

'Jij hebt je rechten verloren toen je ons huwelijk op een zacht pitje zette en weer ging studeren.' Dat was een belachelijke opmerking, en zelfs Faith wist dat. Hij was rancuneus, irrationeel en wreed.

'Wil je tegen me zeggen dat dit de eerste keer is dat je me ontrouw bent geweest en dat het allemaal mijn schuld is?'

'Ik zeg helemaal niets. Je zult van me horen als ik heb besloten wat ik wil doen.' Het was ongelooflijk, maar hij was haar echt aan het dreigen. Hij had de rollen omgedraaid en hij zou vertrekken. Maar zij was degene die onrecht was aangedaan. Dat was haar duidelijk.

Ze zei niets meer terwijl hij de trap af denderde en met zijn koffer tegen de muur sloeg. Even later knalde de voordeur dicht. Ze was niets wijzer dan toen ze was thuisgekomen. Ze wist alleen wat ze de dag daarvoor in haar slaapkamer had gezien, en hij was duidelijk niet van zins haar wijzer te maken. Doelloos en stomverbaasd liep ze een tijdje door het huis, en een halfuur later belde ze Brad.

'Fred, hoe gaat het?' vroeg hij meelevend. Ze klonk niet goed, maar ze huilde niet.

'Hij is vertrokken.'

'Maak je een grapje?'

'Hij zei dat het allemaal mijn schuld was omdat ik weer ben gaan studeren en dat ik er niets mee te maken heb wie zij is of wat ze voor hem betekent.'

'Ik had je al gezegd dat hij jou er de schuld van zou geven.' Brad had echter niet verwacht dat Alex het huis uit zou gaan. Die man had zich kennelijk als een rat in een val gevoeld, en dit was de enige manier geweest waarop hij zich had kunnen verdedigen. Dat was gemeen, en dat zei hij ook tegen Faith.

'Ik zou graag tegen je willen zeggen dat je zo beter af bent, maar ik twijfel er niet aan dat je op dit moment een andere mening bent toegedaan.'

'We zijn zesentwintig jaar getrouwd. Toch begin ik me nu af te vragen of ik wel weet wie hij is.'

'Waarschijnlijk heb je dat vroeger wel geweten, Fred. Dingen veranderen. Zoiets valt ons niet altijd op, en we willen het ook niet altijd erkennen.'

Hij had gelijk. Emotioneel gesproken had Alex al jaren geleden de deur voor haar gesloten. Ze had ervoor gekozen daar geen aandacht aan te besteden en er gewoon mee te leren leven. Maar vroeg of laat zou ze de wrange vruchten moeten plukken van wat ze had genegeerd. Toen kreeg ze opeens een andere angstaanjagende gedachte.

'Wat moet ik tegen de meisjes zeggen?'

'Waarom zou je iets tegen hen zeggen – in elk geval de eerst-komende dagen? Ze zullen er een tijdje nog niets van weten, tenzij hij het hun vertelt, en ik denk niet dat hij dat zal doen. Geef het stof de kans om te gaan liggen. Nu hij is gesnapt, is hij daarmee wellicht in een positie gemanoeuvreerd die hij niet ambieert. Misschien komt hij weer thuis als dat niet met te veel gezichtsverlies gepaard hoeft te gaan.'

'Denk je dat echt?'

Faith klonk hoopvol, en dat brak bijna Brads hart. Hij wilde niet dat ze levend begraven zou zijn met een man die haar be-handelde zoals Alex dat deed. Hij wilde iets beters voor haar, al was het alleen maar namens Jack. Ze verdiende zoveel meer dan Alex haar gaf.

'Misschien wel. Probeer je te ontspannen, Fred. Wellicht zou je er verstandig aan doen snel een advocaat in de arm te ne-men, gewoon om jezelf te beschermen. Ik zal eens kijken of ik in New York iemand voor je kan vinden. Ik zal wat vrienden bellen die zich met het familierecht bezighouden en vragen wie zij kunnen aanraden. Ik vind het zo triest voor je. Je verdient dit niet en het is jouw schuld niet. Ik hoop dat je dat weet.'

'Ik weet niet meer precies wat ik geloof.' Ze was ook niet meer zeker van haar gevoelens. Meer dan wat dan ook had ze het idee dood te zijn.

Die avond verhuisde ze naar de kamer van Zoe omdat ze het idee in haar eigen bed te slapen niet kon verdragen, of hij de lakens nu had verschoond of niet.

Laat in de avond belde Brad om te vragen hoe het met haar ging, en Pam leverde daar commentaar op toen hij de verbin-ding had verbroken. Ze had hem in lange tijd niet zo van streek gezien. Niet meer sinds een van de jongens ernstig ziek was ge-weest.

'Waar ging dat over?' Ze was net terug van een diner met vrien-den. Hij was thuis gebleven, volgens zijn zeggen omdat hij moest werken. Ze wist echter heel goed dat hij gewoon niet op stap had willen gaan met haar en haar vrienden.

'Een vriendin in nood.'

'Die moet er behoorlijk beroerd aan toe zijn gezien jouw gezichtsuitdrukking. Is het iemand die ik ken?'

'Nee, het is oké. Huwelijksproblemen.'

Pam vroeg zich af of het Faith was, maar besloot daar niet naar te vragen, want Brad leek te erg ontdaan. In dat opzicht was ze slim, en ze nam gas terug.

Rond twaalf uur de volgende dag had Brad Faith een e-mail gestuurd met de naam van een advocaat in New York. Faith belde diens kantoor, sprak een boodschap in en was opgelucht toen hij terugbelde. Ze vertelde wat er was gebeurd en de man vroeg of ze een privédetective in de arm wilde nemen om te kijken of ze konden achterhalen wie die vrouw was. Tot haar eigen grote verbazing zei ze daar ja op.

De eerste dagen daarna had ze het gevoel onder water te zwemmen. Ze ging naar college en sprak met Brad. Alex liet niets van zich horen. De advocaat belde haar vrijdag terug en toen wist hij tot haar stomme verbazing wie de vrouw was. Ze was negenentwintig jaar oud en gescheiden. Ze had een kind en werkte als receptioniste bij de investeringsbank van Alex. Volgens de secretaresses die haar daar kenden, was ze het jaar daarvoor vanuit Atlanta naar New York verhuisd en hadden zij en Alex al tien maanden een verhouding. Tien maanden! Haar studie had er niets mee te maken. Hij bedroog haar al bijna een jaar. Faith werd er misselijk van.

Ze maakte een afspraak om de volgende week naar het advocatenkantoor te komen, maar ze had er nog steeds geen idee van wat ze moest doen. Ze wist niet of ze van Alex moest scheiden, of hem moest vragen weer naar huis te komen. Ze hadden de hele week niet met elkaar gesproken en ze had er nog altijd geen idee van hoe serieus hij het met die vrouw meende. Omdat ze niet wist wat ze anders kon doen, belde ze Alex die middag op zijn kantoor en voelde zich opgelucht toen hij haar telefoontje aannam. Ze was bang geweest dat hij zelfs dat niet zou doen. Zijn stem klonk echter verre van vriendelijk bij het horen van de hare.

'Wil je een afspraak maken om te praten?' stelde Faith voor, en ze probeerde niet zo boos te klinken als ze zich voelde. Ze was nog van de kaart door wat de advocaat haar die ochtend had verteld, maar Alex' reactie schokte haar ook.

'Faith, er valt niets te bespreken,' zei hij bot.

Er sprongen weer tranen in haar ogen. Een week lang had ze eens in de zoveel tijd gehuild. Ze had bijna hetzelfde gevoel als toen Jack was gestorven, al was dat wel erger geweest. Dit was echter eigenlijk ook een soort dood. Het ging om het verloren gaan van geloof, hoop, dromen, vertrouwen en misschien zelfs hun huwelijk.

'Alex, we kunnen hier niet voor weglopen,' zei ze. 'We moeten op zijn minst met elkaar praten.' Ze probeerde haar stem kalm te laten klinken, om hem niet af te schrikken.

'Ik heb niets tegen je te zeggen,' reageerde hij alsof hij nog steeds het gevoel had dat het allemaal haar schuld was.

Faith haalde diep adem en maakte een sprong die Zoe en Brad met afschuw zou hebben vervuld. Ze kon echter niets anders bedenken om te doen. Door zijn eindeloze kritiek had ze altijd het gevoel haar best te moeten doen en zich te moeten opofferen, hoe oneerlijk of onnodig dat ook was. Ze werd weer achtervolgd door haar kinderjaren en probeerde altijd het perfecte kleine meisje te zijn dat ze nooit echt werd.

'Stel dat ik mijn studie staak?' Dat was het ultieme offer, maar ze wilde haar huwelijk in elk geval proberen te redden en als haar studie voor hem het hete hangijzer was, had ze misschien geen keus. Ze wilde een academische graad niet inruilen voor een huwelijk van zesentwintig jaar.

'Daar is het te laat voor,' zei hij gespannen.

Faith voelde de kamer ronddraaien. 'Meen je het serieus? Ben je van plan met die jonge vrouw te trouwen?' Dat was de enige reden die ze kon bedenken voor het feit dat hij niet wilde terugkomen. Ze was een goede echtgenote voor hem geweest. Haar enige 'vergissing' – als hij dat zo wilde noemen – was dat ze haar studie had hervat.

'Het gaat niet over die vrouw, Faith, maar om jou.'

'Waarom? Wat heb ik gedaan?' De tranen stroomden meedogenloos over haar wangen.

'Ons huwelijk is al jaren dood en ik voel me levenloos als ik bij je ben.'

Ze ervoer die zo wrede woorden als een fysieke klap.

'Ik ben vijftig, en ik wil een beter leven,' ging hij door. 'Ik heb het helemaal gehad met jou. De kinderen zijn volwassen en hebben ons niet meer nodig. Jij wilt gaan studeren, en ik wil ook een leven.' Hij liet het klinken alsof hij dit al jaren aan het plannen was geweest. Ze was regelrecht zijn val in gelopen door weer te gaan studeren, en ze had het gevoel dat haar hart uit haar lijf werd gerukt. Uit loyaliteit en respect voor hun huwelijk was ze bij hem gebleven, terwijl hij alleen had gewacht op een tweede kans. Zonder haar.

'Ik heb nooit beseft dat je er zo over dacht,' zei ze met verstikte stem.

'Nou, zo denk ik er wel over. We verdienen allebei meer dan dit.' Hij had gelijk, maar Faith zou ten koste van hem nooit rare streken hebben uitgehaald. Ze was vast van plan geweest bij hem te blijven, hoe moeilijk dat ook was. Loyaal jegens haar was hij echter volstrekt niet. 'Ik heb al een advocaat gebeld, en jij kunt dat beter ook maar doen.'

Ze zei niet tegen hem dat ze dat al had gedaan. Deze ramp voltrok zich met de snelheid van het geluid en ze wilde het tempo iets vertragen omdat ze meende dat hij een kolossale vergissing aan het maken was. 'Wat moeten we tegen de meisjes zeggen?' Ze kon zich wel indenken welke draai hij eraan zou geven. Het zou allemaal haar schuld zijn, en zij was niet van plan hun het smerige verhaal over die jonge vrouw te vertellen. Dat was te vernederend, hoewel het alles wel zou verklaren. Verder was ze er zeker van dat Ellie haar ook van alles de schuld zou geven.

'Dat moeten we nog bedenken,' zei Alex. 'Faith, neem een advocaat in de arm. Ik wil een echtscheiding.'

'O, mijn god.' Ze kon haar oren niet geloven. 'Alex, hoe kun je dit doen? Betekende ons huwelijk dan niets voor jou?'

'Niet meer dan het voor jou betekende toen je besloot niet langer mijn vrouw te zijn en te gaan studeren.'

'Hoe kun je die twee dingen nu met elkaar vergelijken?' Opeens begreep ze de aantrekkingskracht die het meisje met de string op hem had. Ze was drieëntwintig jaar jonger dan Alex, en een receptioniste. Ze was geen carrièrevrouw. Hij kon haar onder de duim houden, terwijl hij iets van zijn macht over haar – Faith – was kwijtgeraakt. Dat kon hij haar niet vergeven.

'Faith, ik hoef voor jou niets te rechtvaardigen. Je hebt je dit zelf op de hals gehaald.'

Een deel van haar geloofde hem en de rest van haar wilde krijsen omdat het zo oneerlijk was. Even later verbrak hij de verbinding. Hij had haar niet eens verteld waar hij verbleef, en opeens vroeg ze zich af of hij bij die andere vrouw was ingetrokken. Alles was nu mogelijk. Ze had het gevoel in een enkele week haar hele wereld te hebben verloren en ze was zacht aan het huilen toen ze de voordeur dicht hoorde slaan. Ze schrok en kon zich niet voorstellen wie het was tot ze de stem van Zoe hoorde.

'Hallo! Ik ben thuis!' Zoe was als verrassing naar huis gekomen en Faith wist niet wat ze moest doen. Ze wist ook niet hoe ze de afwezigheid van Alex kon verklaren, en ze was er nog niet aan toe haar dochter over de echtscheiding te vertellen. Dat idee had ze zelf nog niet eens verwerkt.

Snel veegde ze haar ogen droog en haastte zich met een brede glimlach naar de hal. Maar de blik in haar ogen was wild en ze had de hele dag haar haar niet gekamd. Verder had ze grote wallen onder haar ogen omdat ze een hele week niet had geslapen.

'Hallo, mam,' zei Zoe die haar tas op de grond zette en haar moeder toen bezorgd uitgebreider opnam. 'Ben je ziek?'

'Ik heb buikgriep gehad en ik voel me al de hele week ellendig.'

'Zielig voor je. Je klinkt alsof je ook nog eens verkouden bent.'

'Dat is ook zo,' zei Faith snel. Ze zag er ook even beroerd uit als ze zich voelde en het zou heel moeilijk zijn gedurende het weekend de waarheid voor Zoe verborgen te houden. Maar het luchtte haar ook op dat Zoe er was. Daardoor had ze iets om zich aan vast te klampen: een soort anker voor haar werkelijkheid. Haar hele leven was surrealistisch gaan lijken.

'Waar is pap?' vroeg Zoe terwijl ze in de koelkast keek, waarin nauwelijks iets eetbaars stond. Faith had zeven dagen lang geen boodschappen gedaan en vrijwel niets gegeten.

'Die zit in Florida.' Het was de eerste plaats die haar te binnen schoot, en Zoe knikte. Dat was voor haar plausibel, want haar vader ging vaak op reis.

'We moeten boodschappen doen. Sorry dat ik je niet heb gebeld, maar het leek me leuk je te verrassen, mam. Vervelend dat je ziek bent geweest,' zei ze terwijl ze zich met een glimlach weer naar haar moeder omdraaide.

'Ik kom er wel weer overheen.'

Zoe knikte en dacht er verder nauwelijks over na. Even later zag ze boven tot haar verbazing dat de nachtjapon van haar moeder in haar kamer lag en haar bed niet was opgemaakt.

'Wie gebruikt mijn kamer?' vroeg ze geschrokken.

'Ik wilde je vader door mijn verkoudheid niet uit zijn slaap houden, dus ben ik hier gaan slapen. Sorry, schat. Ik zal je bed meteen verschonen.'

'Ik dacht dat je zei dat pap weg was?' Zoe keek achterdochtig. Er was duidelijk iets mis en ze vroeg zich af of haar ouders soms ruzie hadden gemaakt.

'Dat is hij ook, maar hij is vandaag pas vertrokken. Ik wilde vanavond weer naar onze slaapkamer verhuizen.' Maar de grote, aantrekkelijke gele kamer vol gebloemde sits leek haar nu een hel toe en ze kon zich niet voorstellen dat ze daar ooit nog zou slapen.

'Waarom is hij in het weekend vertrokken?' Dat was niet zijn gewoonte.

'Ik denk dat hij bang was dat hij er later niet meer zou kunnen komen. Aan het eind van de week verwachten ze een zware sneeuwstorm in Chicago. Hij moest naar een heel belangrijke vergadering, dus is hij vroeg vertrokken om er zeker van te kunnen zijn dat hij daaraan kon deelnemen.'

'Mam.' Zoe ging op de rand van het bed zitten en trok haar moeder naast zich. Ze had Faith nog nooit van haar achttienjarige leven zo van streek en verward gezien. Niet eens toen het vliegtuig van haar broer Jack was neergestort. Zoe was toen vijftien geweest, en ze herinnerde het zich nog goed. 'Mam, je zei eerst dat hij naar Florida was gegaan. Wat is er mis?'

'Niets,' hield Faith vol, en toen begon ze te huilen. Ze had een helse week achter de rug en ze stond op het punt in te storten. Toch wilde ze Zoe nog niets wijzer maken.

'Mam, vertel me de waarheid. Waar is pap?'

Ze wist dat ze iets moest zeggen, zo niet met de hele waarheid moest komen. 'We hebben een beetje ruzie gehad. Het stelt niets voor. Ik ben alleen van streek. Het is echt niet belangrijk.' Maar dat was het wel en ze wist dat ze op een gegeven moment met de waarheid op de proppen zou moeten komen, want ze haatte het tegen Zoe te liegen. 'Oké. We hebben grootscheepse ruzie gehad,' gaf Faith toe terwijl ze haar neus snoot en Zoe een arm stevig om haar heen hield. Zij trok altijd partij voor haar moeder.

'Hoe grootscheeps?'

'Gigantisch. Hij is vertrokken.'

'Vertrokken?' Zoe keek geschokt en was opeens blij dat ze naar huis was gegaan, want haar moeder was er heel beroerd aan toe. 'Is hij de deur uit gelopen?'

'Ja.' Ze moest vechten om niet hard te gaan snikken.

'Waarom?'

'Het is te ingewikkeld om dat uit te leggen. Daar wil ik je echt niets over vertellen. In dat opzicht moet je me vertrouwen.'

Zoe besloot – in elk geval voorlopig – de door haar moeder bepaalde grenzen te respecteren. 'Heeft hij jou er de schuld van gegeven?'

'Natuurlijk,' zei Faith, die opnieuw haar neus snoot. 'Wie zou hij er anders de schuld van kunnen geven? Zeker niet zichzelf.'

'Komt hij terug?'

Faith wilde daar ja op zeggen, maar hield haar mond, schudde haar hoofd en huilde nog meer.

'Shit. Nee? Ben je daar zeker van?' vroeg Zoe stomverbaasd.

'Hij heeft me net meegedeeld dat hij een echtscheiding wil.' Opeens was Zoe niet alleen haar dochter, maar ook haar beste vriendin. Ze was bang haar hiermee te belasten, maar Zoe leek zich stukken beter te kunnen houden dan haar moeder.

'Wanneer is dat alles gebeurd?'

'Een week geleden. Sorry dat ik er zo beroerd aan toe ben.'

'Wat is hij toch een rotzak,' zei Zoe over haar vader. Het bevestigde alles wat ze al jaren over hem dacht, en ze keek haar moeder weer aan. 'Weet Ellie het?'

'Niemand weet het nog. Ik heb hem een halfuur geleden gesproken. Hij is zaterdag het huis uit gegaan en hij heeft net tegen me gezegd dat hij een echtscheiding wil. Hij zegt dat hij ook recht op een leven heeft en zich in ons huwelijk levenloos voelt.'

'Wat een lul.'

'Praat niet zo over je vader.'

'Waarom niet? Hij is het. Wanneer was je oorspronkelijk van plan het ons te vertellen?'

'Dat weet ik niet. Het is allemaal nog zo vers. Ik heb niets anders gedaan dan huilen.'

'Arme mam. Ik heb zo met je te doen... Ik wou dat ik het had geweten... Ik ben zo blij dat ik naar huis ben gekomen. Ik weet niet eens waarom ik dat heb gedaan. Ik heb je de afgelopen dagen gewoon gemist.'

'Ik jou ook.' De twee vrouwen omhelsden elkaar en Faith huilde hulpeloos. Toen nam Zoe het heft in handen en stopte haar moeder in bed. Daarna ging ze naar beneden om soep en roereieren te maken. Ze was geschokt door het nieuws dat ze had gehoord, maar niet zo erg als Faith. Het enige dat ze nu wilde doen, was voor haar moeder zorgen.

Zodra ze weer boven was, klauterde ze naast Faith in bed. Ze praatten en keken televisie, en toen Brad later die avond belde, vertelde Faith hem dat Zoe er was. Daar reageerde hij opgelucht op. Daarna vertelde ze hem wat Alex had gezegd, en dat maakte hem grimmig.

'Wat is hij een rotzak,' zei hij walgend. Toen Zoe de kamer uit liep om haar tanden te poetsen, vertelde Faith Brad fluisterend wat ze wist over die jonge vrouw met wie Alex al bijna een jaar een verhouding had.

'Ik weet dat je het nu niet zult geloven, Fred, maar misschien is dit wel het beste. Jij zou hem nooit hebben verlaten en hij zou jouw leven hebben geruïneerd.'

Ze was echter zesentwintig jaar met hem getrouwd geweest en dat was veel om binnen een week te verliezen. Hoe moeilijk of hoe koud hij ook was, ze kon zich een leven zonder hem niet voorstellen.

'Ik wil je verder niet lastig vallen als Zoe bij je is,' zei Brad toen. 'Ik bel je morgen. Probeer wat te slapen.'

'Dat zal ik doen.' Zoe had tegen haar gezegd dat ze in haar bed bij haar kon slapen, en daar had Faith opgelucht op gereageerd.

'Wie was dat?' vroeg Zoe toen ze na het tandenpoetsen de kamer weer in kwam. Ze voelde zich als een moeder die haar kind verzorgde in plaats van het omgekeerde.

'Brad Patterson.'

'De man van de rozenkrans?' Faith knikte en Zoe glimlachte. 'Misschien kun je nu met hem trouwen.'

'Doe niet zo raar. Hij is als een broer voor me, en dat is hij praktisch gesproken ook vrijwel. Bovendien is hij getrouwd, en ben ik dat nog altijd met je vader.' Ze wisten echter allebei dat dat laatste niet lang meer zou duren. Faith kon het nog steeds niet bevatten en uiteindelijk viel ze in een diepe, onrustige slaap.

16

Zondagavond ging Zoe terug naar de universiteit, nadat
ze het hele weekend met elkaar hadden gesproken. Faith verkeerde nog steeds in een shocktoestand en hoe ellendig ze zich
ook voelde, ze vertelde Zoe niets over die andere vrouw. Ze
zei alleen dat haar vader had gezegd dat hij een opwindender
leven wilde dan hij met haar had, en dat hij razend was omdat ze weer was gaan studeren – wat nauwelijks nieuws was.
'Mam, dat zijn stomme redenen voor een echtscheiding. Denk
je dat hij een verhouding heeft?' zei Zoe zinnig.
Faith vertelde haar echter niet wat hier de aanleiding voor was
geweest. Ondanks alles was ze nog steeds loyaal jegens Alex.
'Ik weet het echt niet,' was alles wat ze zei.
Maar toen Zoe was vertrokken voelde ze zich beter, en de week
daarna ging ze naar de advocaat die Brad haar had aangeraden. Hij vertelde haar alles wat ze moest weten en liet haar het
verslag van de privédetective zien. De jonge vrouw heette Leslie James, en op de bijgesloten foto zag ze er heel aantrekkelijk uit. Ze was lang en goed gevormd en oogde als een model.
Ze had lang, golvend, zwart haar, maar dat wist Faith al. Ze
had een vijfjarige dochter, stond er in het verslag, en op kantoor mocht men haar graag. De romance leek daar geen geheim te zijn. Andere secretaresses dachten dat ze misschien zouden trouwen, al had Alex dat nooit met zoveel woorden gezegd.
Toen Faith weer naar huis ging had ze het gevoel een trap in
haar maag te hebben gekregen. Het was beslist een mooi en
nog heel erg jong meisje. Achttien jaar jonger dan Faith, wat
nog een klap in haar gezicht was.

Ze zat in haar studeerkamer in het niets te staren toen de telefoon ging. Het was Brad, die wilde weten hoe de bespreking was verlopen.

'Goed. Ik heb het verslag gezien. Het is een mooi meisje, Brad. Ik denk dat ik het hem niet kwalijk kan nemen.' Ze klonk ontzettend depressief.

'Ik kan dat wel. Die man is een dwaas. Jij bent ook mooi.' Van binnen en van buiten, en mooier dan wie Brad verder ook kende.

'Dank je,' zei ze beleefd, maar ze klonk niet overtuigd. Ze had het gevoel dat haar leven totaal was ingestort, en dat was ook zo. Zij en Zoe hadden gelachen over het feit dat ze Valentijnsdag volledig was vergeten. Die was verdwenen in de rook van haar eigen hel. Ze had zich niet eens herinnerd welke dag het was, en dat kon haar ook niet langer iets schelen. Maar Zoe had wel de chocolaatjes ontvangen die Faith had gestuurd, en Ellie met een korte vertraging ook.

'Ik heb een nieuwtje voor je,' zei Brad in een poging haar wat op te vrolijken. Hij maakte zich al meer dan een week zorgen over haar. Ze klonk depressief en hij wist dat haar studie haar moeite kostte, maar ze ging in elk geval wel naar college.

'Wat dan?' vroeg ze terwijl ze zich halfdood voelde en het idee had ergens in de ruimte te hangen. Alles aan haar leven leek opeens onwerkelijk.

'Ik moet voor een paar dagen naar New York, om daar wat werk te doen. Ik hoop dat je met me wilt gaan dineren. Als je geen zin hebt om je op te tutten, kunnen we gewoon een pizza pakken.'

'Dat is goed nieuws,' zei ze met een trieste glimlach. Zelfs het idee hem weer te zien maakte haar niet zo blij als een paar weken geleden nog het geval zou zijn geweest. Toch was het wel fijn, iets om zich op te verheugen. 'Wanneer kom je hierheen?'

'Dit weekend. Ik moet met een paar advocaten spreken over een moeilijke zaak. Vrijdagavond arriveer ik. Ik kan zaterdagmorgen bij je op de stoep staan, en misschien kunnen we dan gaan schaatsen in het park.'

'Ik dacht dat je moest werken,' zei ze vaag.

Hij glimlachte. Ze was niet zo afwezig als hij had gedacht. 'Dat is zo, en dat zal ook best lukken. Maar ik zou je heel graag willen zien. Fred, reserveer zaterdagavond voor me. Zondagavond laat vlieg ik weer naar huis. Het wordt alles bij elkaar een korte reis.' Hij had dit alles uitsluitend voor haar geregeld. Hij maakte zich ontzettend veel zorgen over haar en hij had zichzelf voorgehouden dat hij dit aan Jack was verschuldigd. Hij wilde naar New York gaan om haar te zien en zich ervan te vergewissen dat alles met haar in orde was. In feite hoefde hij niemand te spreken. Dat had hij verzonnen als excuus om haar op te zoeken. Dat leek wel het minste dat hij kon doen. Toen hij in New York arriveerde, had Faith weer een week overleefd. De advocaten van haar en Alex hadden contact met elkaar opgenomen en de raderen waren in beweging gezet. Ze hadden het Ellie nog niet verteld en Alex had gezegd dat hij haar in het weekend zou bellen. Faith was bang voor haar reactie. Het was niet moeilijk te raden dat zij de partij van haar vader zou kiezen, hoe verkeerd hij ook had gehandeld en hoe wreed hij ook was geweest. Maar omdat zij zo'n goede band met Alex had, was Faith ook van mening geweest dat zij het van hem moest horen. Zeker omdat zij het Zoe had verteld. Ze wist dat ze Ellie er niet toe zou kunnen overhalen het van haar kant te bekijken en kon alleen maar hopen dat zij dat op zijn minst zou proberen.

Brad besloot in het Carlyle te gaan logeren, om dicht bij Faith in de buurt te zijn. Zaterdagochtend stond hij om negen uur bij haar voor de deur, nadat hij een douche had genomen en zich had geschoren. Hij was zo moe geweest dat hij in het vliegtuig zowaar fatsoenlijk had geslapen. Tegen Pam had hij hetzelfde gezegd als tegen Faith: dat hij in New York twee collega's over een lastige zaak moest spreken. Pam had daar geen vraagteken achter gezet, en uiteindelijk had Faith dat ook niet gedaan. Hij was bang geweest dat ze bezwaar zou aantekenen tegen zijn komst als ze dacht dat hij dit alleen voor haar deed. Ze wilde niet meer beslag op hem leggen dan toch al het geval was.

Toen ze de voordeur openmaakte, werd hij meteen weer bezorgd. Ze zag er erg bleek en mager uit in een zwarte coltrui en dito spijkerbroek, zonder make-up, met wallen onder haar ogen en blond haar dat steil langs haar gezicht hing. Het was duidelijk dat ze was afgevallen, maar ze glimlachte zodra ze hem zag en gaf hem een stevige knuffel. Ze leek niet zo geschokt als ze over de telefoon had geklonken. Ze zag er gewoon moe en heel triest uit.

Ze maakte Engelse muffins voor hem klaar, zette koffie en bakte roereieren. Ze gingen aan de keukentafel zitten en spraken lange tijd met elkaar. Daarna gingen ze naar de zitkamer, waar hij de open haard aanstak. Ze sliep nog steeds in de kamer van Zoe en begon te denken dat dat altijd zo zou blijven.

'Het is zo eigenaardig,' bekende ze. 'Ik voel me net zoals na de dood van Jack. Ik heb het idee dat alles anders is en nooit meer hetzelfde zal worden. Zesentwintig jaren van mijn leven zijn verdwenen.'

'Ik weet het, meisje. Het is ellendig, maar je zult er na een tijdje aan gewend raken. Op een dag zal het minder beroerd met je gaan. Dit is anders dan het overlijden van Jack. Nu heb je de kans op een beter leven. Alex was je langzaam de das aan het omdoen. Jij bent degene die een leven verdient. Hij niet,' zei Brad zacht terwijl ze bij de haard zaten. Hij had gevraagd of ze wilde gaan schaatsen, maar ze had gezegd dat ze daar te moe voor was, en in feite was hij dat ook. Hij had na een drukke week een lange reis moeten maken, maar voor haar was het hem dat waard. Hij was blij dat hij was gekomen, en dat was zij ook.

'Hoe laat moet je aan het werk?' vroeg ze.

Dat was hij bijna vergeten. Hij herstelde zich echter voordat haar dat opviel. 'Rond een uur of vier. Ik heb er niet meer dan een paar uur voor nodig, maar vanwege de vele dossiers konden we het niet telefonisch bespreken.' Hij was van plan naar zijn hotel te gaan, een dutje te doen en haar dan weer te treffen voor het avondeten.

'Brad, je bent toch niet alleen vanwege mij hierheen gekomen, hè?' vroeg ze achterdochtig en met een bekende glimlach.

Hij schoot in de lach. 'Natuurlijk niet! Ik hou van je, Fred, maar ik zou deze lange reis niet uitsluitend hebben ondernomen om jouw gebroken hart te repareren.'

'Prima. Jij hebt wel betere dingen met je tijd te doen dan je zorgen te maken over mij.'

'Dat hou ik mezelf ook elke dag voor,' reageerde hij plagend. 'Maar je bent het waard dat iemand zich zorgen over je maakt, Fred. Je bent met iets heel naars geconfronteerd, en volgens mij markeerde de dag waarop je met Alex bent getrouwd het begin van alle ellende.'

'Dat zei Jack ook altijd.' Maar veel eerder in haar leven had ze ook al ellende gekend, en daardoor had ze Alex haar te veel verdriet laten doen.

'Jack had gelijk. Ten aanzien van veel dingen.'

Ze gingen lunchen in een delicatessezaak in de buurt. Ze nam af en toe een hapje van haar sandwich met eiersalade en hij bleef aandringen tot ze de helft daarvan op had. Hij deelde ook een kommetje matzeballensoep met haar – een van zijn favoriete gerechten als hij in New York was.

'Soep als deze serveren ze in Californië niet,' zei hij. Zij grinnikte en zag er weer meer de oude uit. Gewoon bij hem zijn bood al troost.

Ze gingen een lange wandeling maken en liepen Central Park in. De bomen waren nog kaal en het park zag er grijs uit, maar de frisse lucht en de lichaamsbeweging deden beiden goed. Rond een uur of drie gingen ze terug naar haar huis en zij maakte een kop warme chocolademelk voor hem klaar terwijl hij de haard weer aanstak en zich afvroeg of zij hier zou blijven wonen. Hij wilde haar niet van streek maken door daarnaar te vragen. Het was een leuk huis, maar hij dacht dat het haar goed zou doen als ze ging verhuizen. Het was echter nog te vroeg om dat tegen haar te zeggen.

'Waarom kijk jij zo ernstig?' vroeg Faith terwijl ze hem de warme chocolademelk met marshmallows erop overhandigde. Als kind hadden ze dat altijd heerlijk gevonden.

233

'Ik dacht aan jou,' zei hij eerlijk, 'en aan het feit dat je een verbazingwekkende vrouw bent. Heel wat vrouwen zouden deze kwestie anders hebben afgehandeld en hun kinderen hebben verteld wat hij heeft gedaan. Jij behandelt iedereen altijd zo eerlijk, fatsoenlijk en vriendelijk, en dat is heel erg aardig.' Ze wisten echter allebei dat ze daar een hoge prijs voor moest betalen.

'Dank je,' zei ze met een rustige glimlach. Haar broer was net zo geweest. Ze waren van nature goede mensen, en dat waren ze ook altijd geweest. Maar ze hadden ook veel meegemaakt, voor de dood van hun vader en zelfs daarna. Sommige dingen wist Brad niet eens. Hij had hen altijd bewonderd omdat ze zo vriendelijk en eerlijk waren, en zo'n hechte band hadden. Als andere kinderen logen, had Jack altijd de waarheid verteld. De ene keer dat Jack te weten was gekomen dat Faith had gelogen, had ze dat zwaar moeten bezuren. Ze was een jaar of tien geweest, en Brad herinnerde zich nog de dikke tranen die over haar wangen hadden gedrupt toen Jack haar de les las. Ze zag er nu nog vrijwel net zo uit als toen, en de afgelopen week had hij dat beeld van haar voortdurend voor ogen gehad. Vanwege die tranen was hij naar New York gekomen om haar te zien. Hij kon het idee dat ze zo ongelukkig was niet verdragen zonder op zijn minst iets te doen om te helpen. Voor haar betekende het ongelooflijk veel hem te zien en met hem te kunnen praten. Ze respecteerde alles wat hij dacht en zei, en ze vertrouwde hem even volledig als Jack.

'Fred, hoe voel je je?' vroeg hij bezorgd terwijl hij op het kleed voor de haard ging liggen. Hij zag er nog bijna net zo uit als in zijn jeugd, met hetzelfde kuiltje in zijn kin en die eindeloos lange benen. Zijn haar was nog vrijwel even donker als het toen was geweest. Hoewel Faith heel dicht bij hem zat, kon ze vrijwel geen grijze haar ontdekken.

'Beter, dankzij jou.' Dat maakte hem dubbel blij dat hij was gekomen. Ze zag er ook beter uit dan toen ze die morgen de deur voor hem had opengemaakt. Gelukkiger, en vrediger. 'Niet meer zo eigenaardig. Het zal tijd kosten om hieraan te wennen, en vreemd lijken niet meer met hem getrouwd te zijn.' Ze was op haar eenentwintigste met Alex in het huwelijksbootje gestapt en de jaren daarna leken een heel leven.

'Misschien zal het je uiteindelijk gaan aanstaan. Hoe gaat het met je studie?' Aanvankelijk had hij zich daar zorgen over gemaakt.

'Niet geweldig, maar ik ben nog niet weggestuurd. Ik denk dat alles in dat opzicht wel in orde zal komen. Moet jij niet gaan werken?' vroeg ze toen bezorgd. Het was bijna vier uur en hij leek geen haast te hebben om weg te gaan. Hij lag ontspannen en tevreden dicht bij haar in de buurt op de grond.

'Ja, straks,' zei hij zonder op zijn horloge te kijken. Hij begon slaperig te worden door de warme chocolademelk, de brandende haard en het gevoel van welbehagen dat hij bij haar kende. 'Het leven is vreemd, nietwaar? We zijn samen opgegroeid en we hebben alle kansen gehad om verliefd op elkaar te worden. Toch is dat niet gebeurd. In plaats daarvan ben ik met Pam getrouwd, met wie ik volstrekt niets gemeen heb, en jij met Alex, die je behandelt als oud vuil. Alles zou veel eenvoudiger zijn geweest als we destijds eens goed naar elkaar hadden gekeken en van elkaar waren gaan houden. Niets is ooit eenvoudig, nietwaar?' Hij staarde naar het vuur terwijl hij dat zei, en keek haar toen met een slaperige glimlach aan. De blik in de ogen van Faith was intens en triest. Er was zoveel wat hij niet wist, vooral over de zaken die Alex in staat hadden gesteld haar te behandelen zoals hij dat had gedaan.

'Inderdaad,' zei ze met een zucht. 'We voelen ons allemaal geroepen op zoek te gaan naar andere mensen en dingen ingewikkeld te maken. We trouwen met gecompliceerde partners en denken daarmee de juiste beslissing te hebben genomen. Als je trouwt met iemand die dicht bij je in de buurt woont, heb je op de een of andere manier het idee te hebben gefaald. Zoiets is te gemakkelijk, denk ik, en voor mij stak er nog meer achter dan dat.' Ze vroeg zich af of Jack ooit iets tegen Brad had gezegd over hun vader, maar vermoedde van niet. Hun hele jeugd lang was dat hun beschamende geheim geweest, en het was een belangrijk deel van hun leven als volwassenen blijven uitmaken.

Ze had niemand ooit verteld dat haar vader haar had misbruikt en bedreigd. Ze had het Alex nooit kunnen vertellen omdat ze altijd bang was geweest dat hij dat op de een of andere manier tegen haar zou gebruiken. Jaren geleden had ze er met haar therapeut uitgebreid over gesproken, en met Jack. Telkens weer was ze tot de conclusie gekomen dat Alex het niet zou aankunnen. Zijn eigen jeugd was koud en emotieloos geweest, maar verder verhoudingsgewijs normaal. Ze dacht niet dat hij had kunnen begrijpen dat haar vader tot zoiets in staat was geweest zonder haar er de schuld van te geven, en dat zou haar hart hebben gebroken. Ten aanzien van Brad had ze echter een ander gevoel. Hij had haar altijd zijn onvoorwaardelijke liefde aangeboden en gegeven.

'Iets wat gecompliceerd is, is nooit juist,' zei Brad eenvoudigweg terwijl hij haar aankeek en een blik van pijn in haar ogen zag verschijnen. 'Fred, is alles met jou in orde?'

'Ja. Ik was alleen aan vroeger aan het denken. Aan iets lelijks wat er toen is gebeurd, al denk ik dat dat op een onuitgesproken manier altijd een belangrijk deel is blijven uitmaken van mijn leven met Alex. Ik denk dat ik hem daarom de baas heb laten spelen en me door hem soms zo hardvochtig heb laten behandelen, dat ik altijd heb gevonden dat ik alles verdiende wat hij me gaf.'

De blik in haar ogen sprak boekdelen voor Brad. Hij nam haar hand in de zijne en hield die stevig vast, alsof hij aanvoelde dat ze samen met hem oude demonen in haar binnenste onder ogen zag.

'Hoezo?' vroeg hij zacht.

Ze liet haar blik even zakken en keek hem toen weer aan. Het was moeilijker het hardop te zeggen dan ze had gedacht, zelfs tegen hem. 'Toen ik kind was, zijn er beroerde dingen gebeurd. Jack wist ervan. In het begin niet, maar uiteindelijk is hij erachter gekomen. Het was voor hem ook moeilijk.'

Zelfs voordat die woorden over haar lippen waren gekomen

had hij iets dergelijks al vermoed, en hij hield haar hand wat steviger vast. Hij had er geen idee van hoe hij het wist, of waarom, maar hij wist het wel en ze kon al voelen dat hij het accepteerde voordat ze verder ging met haar verhaal.

Ze haalde een keer diep adem, omdat ze alles met hem wilde delen, al was ze er niet zeker van waarom ze dat wilde. Ze was zich niet eens bewust van de tranen die over haar wangen rolden terwijl Brad hulpeloos toekeek – even hulpeloos als Jack dat was geweest. Jack had er destijds geen eind aan kunnen maken en Brad was nu niet in staat de herinnering aan dat alles te laten verdwijnen. Het enige dat hij kon doen, was er voor haar te zijn.

'Mijn vader heeft me als jong meisje misbruikt,' zei ze nauwelijks hoorbaar. Brad zei niets en wachtte. 'Het begon toen ik een jaar of vier, vijf was, en het is doorgegaan tot zijn overlijden, toen ik tien was. Ik was te bang om het aan iemand te vertellen, want hij had gezegd dat hij mij en Jack zou vermoorden als ik dat deed. Dus heb ik mijn mond gehouden. Jaren later – toen we volwassen waren – heb ik geprobeerd het mijn moeder te vertellen, maar zij heeft me nooit geloofd. Jack kwam er het jaar voordat mijn vader overleed achter, en toen bedreigde mijn vader hem ook voor het geval hij zijn mond zou opendoen. Ik denk dat dat een aspect was van de band tussen ons. Jack was tot nu toe de enige die het ooit heeft geweten. Toch heb ik me er altijd schuldig over gevoeld, alsof het mijn fout was en niet de zijne... alsof het me minder maakte dan alle anderen... of nog erger. Het was moeilijk het mezelf te vergeven, maar uiteindelijk is dat me gelukt. Ik denk dat Alex me daarom in zijn macht had, ook al wist hij er niets van. Ik had het gevoel dat hij het recht had me slecht te behandelen, kritiek te hebben of onvriendelijk te zijn... Ik meende niets beters te verdienen dan dat. Ik heb hem regelrecht in de kaart gespeeld.' Ze had even omlaag gekeken, en toen ze opkeek, zag ze dat Brad ook huilde. Zonder iets te zeggen trok hij haar in zijn armen en hield haar dicht tegen zich aan. Woorden waren door dat krachtige gebaar in eerste instantie overbodig.

'Wat vreselijk voor je, Fred... Wat vreselijk,' zei hij na een lange stilte. 'Wat moet het verschrikkelijk zijn geweest dat jarenlang met je mee te dragen. Ik weet niet waarom, maar voordat je het aan me had verteld, wist ik het opeens al. Het maakt je er niet minder op. Je bent er een miljoen keer waardevoller door geworden. Wat ziek en wreed om een jong meisje zoiets aan te doen. Godzijdank is hij overleden.'

'Dat dacht ik vroeger ook, en ook daar voelde ik me schuldig over. Ik neem aan dat het heel wat kinderen overkomt, maar je voelt je wel eenzaam en erg bang.'

Het was op haar hele leven van invloed geweest: op de keus om met Alex te trouwen, op de manier waarop ze zich al die jaren door hem had laten behandelen. Brads reactie was precies die waarop ze had gehoopt toen ze eindelijk dapper genoeg was geweest om erover te praten. Net als Jack liet hij haar nooit in de steek en hij stelde haar nooit teleur, anders dan Alex dat zoveel jaren had gedaan. Op de een of andere manier leek ze te zijn gerehabiliteerd door het Brad te vertellen en zijn armen om haar heen te voelen. Eindelijk had ze het iemand verteld, en die accepteerde haar desondanks. Eindelijk was ze vrij van de ketenen die haar het merendeel van haar leven gebonden hadden gehouden. Hij had haar een ongelooflijk geschenk gegeven en ze bleven geruime tijd dicht tegen elkaar aan zitten. Hij was de vriend en de broer van wie ze altijd had gehouden.

Toen ze zich na lange tijd uit zijn armen losmaakte, glimlachte hij naar haar. 'Fred, ik hou van je. Ik hou echt van je. Wat ben je toch een ongelooflijk schitterend mens, en wat is het verdomde jammer dat je met die zak bent getrouwd in plaats van met mij. In dat opzicht heb ik het echt verknald.'

Maar alles wat hij die dag had gezegd, had haar opgekikkerd. Hem dit vertellen was een van de beste dingen geweest die ze ooit had gedaan. Het was alsof ze voor een spiegel stond en zichzelf door zijn ogen kon bekijken. Wat ze zag, was iemand die nergens schuld aan had. Geen slachtoffer, geen slecht meisje. Wel een trotse vrouw die dat alles had overleefd en het verdiende te worden bemind. Dat was exact de sleutel die ze nodig had om de laatste deur naar de vrijheid te openen. Hij had haar bevrijd en zij had zichzelf bevrijd. Eindelijk.

'Dank je, Brad. Ik denk dat dingen lopen zoals ze zijn voorbestemd. Je zou waarschijnlijk verveeld zijn geraakt als je met mij was getrouwd.' Ze glimlachte opnieuw. 'Bovendien zou ik als ik met jou in de echt was verbonden het idee hebben gehad met mijn broer te trouwen. Incestueus, om het nog maar eens voorzichtig te stellen.' Misschien was het zo beter, als allerbeste vrienden.

'Dat heb ik ook altijd gedacht. Jack heeft een keer tegen me gezegd dat ik met jou moest gaan stappen – in de tijd dat we studeerden – en toen dacht ik dat hij gek was geworden. Je was als een jonger zusje voor me. In die tijd was ik behoorlijk stom,' zei hij schaapachtig.

'Nee, dat was je niet.'

Ze bleven nog een tijdje gezellig met elkaar zitten praten en toen keek hij uiteindelijk op zijn horloge. Hij vond het vreselijk haar alleen te laten, maar dat moest hij wel doen om te kunnen volhouden dat hij voor zaken naar New York was gekomen en niet alleen om haar te zien. Hij wilde niet weggaan na wat ze net hadden gedeeld. Toch zou hij in zijn hotelkamer twee uur op bed gaan liggen om naar een basketbalwedstrijd te kijken of een dutje te doen, want hij moest bij zijn verhaal blijven. Hoewel hij zich meer met haar verbonden voelde dan ooit het geval was geweest, probeerde hij toch nonchalant te ogen toen hij ging staan.

'Waar wil je vanavond eten?' vroeg hij geeuwend.

'Als je niet wakker wordt, zul je er tijdens die bespreking uitzien als een vuurbal.' Ze lachte. Hij grinnikte en schudde zijn hoofd. 'Wat zou je denken van de Chinees?'

'Dat klinkt prima. Ik ben vergeten een das mee te nemen en had me al bedacht dat ik er een zou kunnen kopen als jij dat wilde.' Hij had alleen een sportjasje, een broek, een spijkerbroek en een paar blauwe overhemden bij zich. Daarin zag hij er goed en knap uit toen hij zijn mouwen omlaag trok en deed alsof hij aan het werk ging.

'Ik had er eigenlijk op gerekend dat je een smoking zou meenemen,' zei ze plagend vanwege al zijn klachten over Pam.

'Ik zal je om zeven uur komen ophalen. Hoe lijkt je dat?' Hij gaf haar een kusje boven op haar hoofd en trok haar dicht tegen zich aan.

'Heb je dan wel genoeg tijd voor die bespreking?' Ze leek verbaasd.

'Ja. We hoeven maar één zaak te bespreken.'

'Het moet een heel bijzonder kind zijn als je zo'n lange reis hebt gemaakt om zijn zaak in niet meer dan twee uur te bespreken,' zei ze terwijl ze samen met hem naar de voordeur liep. Hij had net genoeg – niet te veel en niet te weinig – opgemerkt over wat ze hem had verteld.

'Dat is hij ook,' bevestigde Brad, die haar nog een stevige knuffel gaf voordat hij de deur uit ging. Hij liep de twee huizenblokken naar het hotel en dacht na over alles wat ze tegen hem had gezegd. Wat was ze een verbazingwekkende vrouw en wat was hij een dwaas geweest door niet met haar te trouwen. Hij wenste dat hij jaren geleden een andere weg was ingeslagen, maar omkeren was nu onmogelijk. Hij kon er alleen het beste van zien te maken en voor zichzelf toegeven dat hij zich had vergist. Hij kon niet eens tegen haar zeggen dat hij een vergissing had begaan. Triest liep hij het hotel in, denkend aan het afschuwelijke dat zij had overleefd en de liefde die ze iedereen desondanks gaf. Wat mocht hij zich gelukkig prijzen met het feit dat hij haar vriend was!

Het enige dat Faith kon doen was God danken dat ze eindelijk de moed had gehad Brad over haar vader te vertellen. Hij was er de juiste figuur voor geweest. Het had de band tussen hen en haar liefde voor hem versterkt. De loodzware last die ze haar leven lang met zich mee had gedragen, was eindelijk van haar hart getild.

17

Die avond gingen Faith en Brad bij de Chinees eten. Hij vertelde haar over de bespreking die hij had gevoerd – alles verzonnen of ontleend aan een zaak die hij in San Francisco had behandeld. In feite had hij niets anders gedaan dan twee uur liggen slapen in het hotel. Daar had ze geen vermoeden van, en de zaak die hij beschreef fascineerde haar. Daarna hadden ze het over hun kinderen. Hij verlangde er intens naar zijn zoons weer te zien en zij wilde graag met Ellie praten nadat Alex dat had gedaan.

'Hoe denk je dat ze op het nieuws zal reageren?' vroeg Brad bezorgd.

'Ik ben bang dat ze mij er de schuld van zal geven,' bekende Faith hem. 'God weet wat Alex tegen haar zal zeggen, maar hij vond dat hij Eloise moest bellen omdat ik het Zoe had verteld.'

'Ze is oud genoeg om er vrij verstandig op te kunnen reageren,' zei Brad optimistisch.

'Ja, dat is ze, maar je weet het maar nooit. Dit voelt in alle opzichten nog steeds aan als een nachtmerrie. Ik kan nog niet bevatten dat er een eind aan mijn huwelijk is gekomen. Twee weken geleden was ik getrouwd en dacht ik dat alles goed was.' In feite was dat zestien dagen geleden. 'Het heeft wel wat weg van een sterfgeval... Je blijft denken dat iemand twee dagen, drie weken of twee maanden geleden nog in leven was... Dan besef je op een dag dat er al jaren voorbij zijn gegaan.' Toen ze dat zei, dachten ze allebei aan Jack.

'Wil je morgen naar de kerk?' vroegen ze tegelijkertijd, en zij schoot in de lach.

'Graag. St. Patrick's, of een kerk in de buurt?' vroeg ze.

'Laten we naar St. Patrick's gaan,' stelde hij voor. 'Ik heb het gevoel dat dat onze kerk is.' Hij gaf haar een gelukskoekje. Op het hare stond dat ze deugdzaam en geduldig was, en wijzer dan bij haar jaren paste. Het zijne meldde dat hij een schitterende deal zou sluiten.

'Ik haat zulke koekjes,' zei Faith klagend. 'Dat heb ik altijd al gedaan. Ze zijn zo saai. Ik heb liever een koekje waarop staat dat ik de volgende week verliefd zal worden, maar dat is me nog nooit overkomen. Ik denk dat ik nu weet waarom.'

'Waarom dan?' vroeg hij zacht. Iets aan haar raakte zijn ziel. Ze beroerde zijn hart.

'Pech,' zei ze, denkend aan Alex. Alles wat er de afgelopen twee weken was gebeurd voelde aan als pech. Heel erge pech.

'Soms kan pech worden gevolgd door puur geluk,' zei hij heel zacht.

'Staat dat op zo'n koekje, of heb je dat zelf ter plekke verzonnen?' zei Faith plagend. Het viel hem op dat ze er duizend keer beter en meer ontspannen uitzag dan die morgen. Ze had gewandeld en gegeten en zoals altijd was het hem gelukt haar aan het lachen te maken.

'Ik heb het verzonnen, maar het is wel waar. Soms weet je het nog niet wanneer je iets heel ergs overkomt, maar zoiets maakt ruimte voor iets geweldigs in je leven.'

'Is jou dat overkomen?'

'Nee, maar wel een paar mensen die ik ken. Een vriend van me heeft zijn vrouw vier jaar geleden verloren. Ze was een geweldig mens en zijn hart was erdoor gebroken. Binnen zes maanden was ze overleden door een hersentumor. Daarna heeft hij de meest ongelooflijke vrouw ontmoet die ik ooit heb gekend, en nu is hij gelukkig met haar. Je weet het maar nooit, Fred. Je moet blijven geloven. Daar hadden we het al eerder over... Gebeden die worden verhoord. Daar moet je nu niet aan twijfelen. Je zult een tijdje over een hobbelige weg moeten lopen, maar daarna zal het weer beter gaan. Misschien beter dan je weet.'

'Ik ben blij dat je naar New York bent gekomen,' zei ze, zonder te reageren op wat hij had gezegd.

'Ik ook.' Hij nam haar hand in de zijne en hield die stevig vast. 'Ik heb me zorgen over je gemaakt. Je klonk een paar dagen lang heel beroerd.'

'Zo voelde ik me ook, maar nu gaat het beter met me. Het zal een tijdje wel behoorlijk naar worden, want ik denk niet dat Alex het aardig zal spelen.'

'Gezien alles wat hij tot dusver heeft gedaan, zal dat inderdaad wel niet.' Toen bedacht hij zich opeens iets. 'Wil je een bananasplit?' Daar had ze als kind een zwak voor gehad.

'Nu?' Ze glimlachte hem toe. Hij was de hele dag en de hele avond zo aardig voor haar geweest. Ze voelde zich erg verwend, getroost en bemind. Het was echt zoiets als bij Jack zijn. Soms zelfs nog beter. 'We hebben als varkens zitten schransen.'

'Nou en? Bij Serendipity hebben ze geweldige bananasplits. Ik zal er een met je delen.'

'Het is maar goed dat je hier niet woont, want anders zou ik moddervet worden,' zei ze lachend. 'O, waarom ook niet?'

Hij betaalde de rekening en ze namen een taxi naar East Sixtieth Street. Omdat het zaterdagavond was, was het er stampvol. Toch vonden ze een klein, rond tafeltje onder een Tiffanylamp. Brad bestelde een bananasplit en twee lepels. Die werd geserveerd met slagroom en noten, chocoladesaus, drie soorten ijs en bananen die over de rand van de kom hingen. Ze vielen erop aan. Brad kon zijn ogen niet geloven toen hij zag hoeveel ze at, vooral gezien alles wat ze al naar binnen had gewerkt.

'Als ik nu niet stop met eten word ik misselijk,' zei ze dreigend. Toen nam ze nog twee happen, omdat ze de verleiding van een bananasplit nooit kon weerstaan.

'Als je misselijk wordt, kun je beter ophouden met eten. Er zijn grenzen aan een vriendschap,' zei hij waarschuwend, en ze schoten allebei in de lach. Het was leuk geweest. Ze hadden gelachen over verhalen uit hun kinderjaren. Hij had haar herinnerd aan de keer toen ze de vriendinnetjes van Jack en hem had verteld dat ze met andere meisjes op stap waren gegaan. Ze hadden haar bijna vermoord toen ze daar achter waren gekomen. Zij was om de een of andere reden woedend op hen geweest en had een rekening willen vereffenen. Zij waren toen veertien geweest en zij twaalf. 'Waarom heb je dat in vredesnaam gedaan?' vroeg Brad grijnzend terwijl hij de rekening betaalde.

'Jullie wilden niet met me gaan bowlen, dus was ik woedend.'

'Jack was zo kwaad dat ik vreesde dat hij je zou wurgen.'

'Daar was ik ook bang voor. Hij was zo razend omdat hij dat meisje echt aardig vond. Ik geloof niet dat jij zoveel om dat vriendinnetje van jou gaf,' zei Faith geamuseerd.

'Ik kan me niet eens meer herinneren wie dat was. Weet jij dat nog?'

'Zeker. Sherry Henessy. Jacks vriendinnetje heette Sally Stein.'

'Wat heb jij een goed geheugen. Ik was Sherry Henessy echt totaal vergeten. Ze was het eerste meisje dat ik ooit heb gezoend.'

'Nee, dat was ze niet. Dat was Charlotte Waller, en toen was jij dertien.'

Opeens herinnerde hij zich dat weer. 'O, wat was je toen een krengetje! Je had me bespioneerd en het aan Jack verteld. Ik wilde niet dat hij het wist omdat hij verliefd op haar was en het hem van streek zou maken.'

'Zij heeft het hem, en de halve buurt, zelf verteld.'

'Nee, dat is niet waar. Dat heb jij gedaan!' Hij lachte terwijl ze vanuit Serendipity de trap op liepen naar de straat.

'Hmmm. Laten we maar zeggen dat ik er een handje bij heb geholpen, maar zij heeft er ook vrij uitgebreid haar mond over opengedaan, want ze vond jou een geweldige vangst.'

'Dat was ik in die tijd ook,' zei hij, en hij deed alsof hij als een trotse pauw rondstapte.

'Je mag er nog steeds best zijn,' zei ze terwijl ze hem een arm gaf. 'Zeker gezien je leeftijd.'

'Let op je woorden!' Hij stelde voor naar huis te lopen, om wat calorieën te verbranden.

Zij vond dat een geweldig idee omdat ze zoveel hadden gegeten. 'Ik heb het gevoel elk moment te kunnen ploffen.'

'Fred, je bent piepklein. Het is jammer dat je nooit langer bent geworden.'

'Dat heb ik ook altijd gevonden. Ik haatte het om zo klein te zijn.'

'Je ziet er behoorlijk goed uit. Voor een meisje.' Dergelijke dingen had hij vroeger tegen haar gezegd, en deze avond voelde ze zich weer als een jong meisje terwijl ze herinneringen ophaalden aan mensen die ze waren vergeten en om wie ze zoveel hadden gegeven toen ze nog jong waren. Het was eigenaardig weer aan hen te denken en zich af te vragen wat er van hen was geworden. Ze hadden allebei met ieder van hen het contact verloren. Zeker Brad, na zijn verhuizing.

Langzaam liepen ze Third Avenue op, sloegen in westelijke richting af toen ze bij Seventy-fourth waren, en stonden even later voor haar deur.

'Het was stom van me om je je in een hotel te laten inschrijven. Ik had je moeten uitnodigen hier te logeren. Ik slaap in de kamer van Zoe, en jij had de mijne kunnen nemen.'

'Die hotelkamer is best,' zei hij geeuwend. 'Hoe laat is de mis morgen?'

'We kunnen erheen gaan wanneer je wilt, want in St. Patrick's worden op zondag veel missen opgedragen. Heb je zin om bij mij te komen ontbijten?'

'Ik zal je bellen zodra ik wakker ben geworden. Misschien kan ik om een uur of negen, tien bij je zijn.'

Ze liet zichzelf binnen en het huis leek eenzaam en donker. Met een glimlach draaide ze zich om naar Brad. 'Heb je nog trek in een wijntje?'

'Als ik nog een glas drink, haal ik het hotel nooit meer. Ik ben bekaf en ik kan beter gaan slapen. Dat geldt overigens ook voor jou.' Ze waren allebei moe en voldaan. Het was een fijne avond geweest, en wat ze hem eerder die dag had verteld, betekende veel voor hem en getuigde van een groot vertrouwen in hem.

'Ik ben blij dat je die bespreking moest voeren,' zei ze dank-baar. De weekends waren tot dusver moeilijk geweest, en dat zouden ze ook nog lange tijd blijven.

'Ik ook,' zei hij, en hij knuffelde haar. 'Slaap lekker.' Hij bleef staan om zich ervan te vergewissen dat ze de deur op slot en de lichten aan had gedaan. Toen liep hij glimlachend terug naar het hotel. Hij hield meer van haar en respecteerde haar meer dan welk ander menselijk wezen in zijn leven ook.

18

Brad stond om negen uur – met zijn bagage – bij haar voor de deur. Ze was net onder de douche vandaan gekomen en deed open in een wollen badjas. Hij overhandigde haar meteen de zondagskrant.

'Sorry. Ben ik te vroeg? Ik was bij het ochtendkrieken al wakker.'

'Dat hindert niet. Over vijf minuten ben ik klaar,' zei ze.

'Ik zal het ontbijt alvast klaarmaken.' Hij liep de keuken in terwijl zij met natte haren en op blote voeten de trap op rende. Toen ze een kwartier later weer naar beneden kwam, in een coltrui en een spijkerbroek, was hij in de keuken veel herrie aan het maken en hing de geur van verse koffie in de lucht.

'Dat ruikt lekker,' zei ze terwijl hij zich met een glimlach naar haar omdraaide. Er zaten muffins in de broodrooster en hij was op het fornuis eieren aan het bakken.

'Wil je spiegeleieren of heb je ze liever aan twee kanten gebakken?' Hij zag er ontspannen uit en voelde zich kennelijk thuis.

'Een spiegelei is prima. Moet ik dat van je overnemen?' Ze zette een stap in de richting van het fornuis.

'Ik maak het ontbijt voor je klaar,' zei hij. Toen schonk hij een mok koffie voor haar in en gaf die aan haar. Hij wilde haar verwennen voordat hij weer vertrok. 'Wil je er bacon bij hebben? Die ben ik vergeten.'

'Ik geloof niet dat ik bacon in huis heb, maar zonder dat vind ik het prima.' Ze keek in de koelkast. Bacon was er inderdaad niet. Ze bood aan wat fruit klaar te maken. Hij knikte en ze pakte sinaasappels en perziken. Hij deponeerde de eieren op borden, beboterde de muffins en legde die erbij. Zij dekte de tafel en ze gingen allebei zitten.

De eieren waren heerlijk en hij was een muffin aan het verorberen toen zij glimlachend zei: 'Je bent een heel goede kok.'

'Ik ben goed in het klaarmaken van eenvoudige dingen zoals hamburgers, chili en pannenkoeken. Als alles misgaat, kan ik altijd nog in een cafetaria gaan werken.'

'Dat zal ik onthouden.' Het was fijn hem om zich heen te hebben. Het deed haar denken aan de keren dat Jack haar had bezocht toen hij nog studeerde, en later, wanneer hij en Debbie weer eens uit elkaar waren gegaan. Ze had het altijd heerlijk gevonden als hij kwam, ook al was er altijd sprake geweest van spanning tussen hem en Alex. Terwijl Brad en zij bijna klaar waren met eten kon ze er niets aan doen dat ze zich afvroeg waar Alex nu was, of hij bij die Leslie James was, wier naam in haar geheugen stond gegrift.

'Waar denk je aan? Je lijkt opeens van streek,' zei Brad terwijl hij de sportbijlage opzocht en de rest van de krant aan haar gaf.

'Aan Alex. En die jonge vrouw. Ik vraag me af of ze bij elkaar zijn.'

'Probeer daar niet aan te denken,' zei hij zacht. Hij pakte zijn mok koffie en keek haar peinzend aan. 'Het is vreemd hoe levens veranderen, nietwaar? Wie zou zes maanden geleden hebben gedacht dat ik hier met jou zou zitten ontbijten?'

'En dat Alex dan zou zijn vertrokken,' vulde zij aan. 'Voordat ik aan die twee dacht, zat ik me te bedenken hoe fijn het is jou hier te hebben. Kom je vaak naar New York?'

Dit was de derde keer in vier maanden, maar deze keer had hij een smoes verzonnen om haar te zien. Hij was blij dat hij dat had gedaan. Ze zag er al veel beter uit dan de dag ervoor, en veel meer ontspannen. Zijn reis was de moeite waard geweest.

'Normaal gesproken kom ik hier sporadisch, afhankelijk van de conferenties waarvoor ik me inschrijf en hoeveel er op kantoor gaande is. Meestal kan ik niet weg.' Zijn werk was te hectisch, en hij had te veel cliënten om vaak weg te kunnen. 'Ik zal hier de volgende maand waarschijnlijk weer een dag zijn als ik naar Afrika ga om de jongens op te zoeken. Pam gaat met me mee,' voegde hij daaraan toe, alsof hij haar wilde waarschuwen.

'Misschien kunnen we dan met zijn drieën gaan eten,' zei Faith. Brad schoot in de lach. 'Dat zou leuk zijn. Ze denkt al dat ik verliefd op je ben en als ze je een keer heeft gezien, zal ze me erover blijven lastig vallen.'

'Ik geloof dat ik me gevleid voel. Maar ik vorm geen bedreiging voor haar. Ik ben zoiets als een jongere zus voor je. Daar zal ze wel achter komen,' zei Faith stellig.

'Misschien niet,' zei hij, en toen verloor hij zichzelf in de krant. Daar bleef hij een halfuur in verdiept terwijl zij nog een mok koffie voor hen inschonk en de keuken aan kant maakte. Toen ze daarmee klaar was, was het halfelf en keek hij op.

'Wil je nog steeds naar de kerk gaan?' Ze wilde hem nergens toe dwingen. Zij zou graag een mis bijwonen, maar het was geen kwestie van leven of dood voor haar, zeker wanneer hij er geen zin in had. Als hij weg was, zou ze altijd nog kunnen gaan.

'Ja.' Hij ging staan, rekte zich uit en sloeg een arm om haar heen.

Opnieuw besefte ze hoe prettig ze zich bij hem voelde. Het was moeilijk voor te stellen dat Pam en hij het niet goed met elkaar konden vinden, want hij was de meest gemakkelijke man die ze ooit had gekend.

'Ik ga mijn tas halen.' Ze rende naar boven om die tas te pakken en haar haar te kammen. Vijf minuten later stond ze in de hal bij de kast. Ze koos voor een jack van schapenbont en een rode wollen sjaal. Brad had een spijkerbroek, een dikke trui en een warme jas aan. Het was buiten koud en het zag ernaar uit dat het zou gaan sneeuwen.

Ze namen een taxi naar St. Patrick's en waren daar net op tijd voor de mis van elf uur. Faith maakte even een knixje en schoof toen een bank in. Brad nam naast haar plaats. Ze ging ter communie en op een gegeven moment zag hij dat ze de rozenkrans vasthield die hij haar had gegeven. Hij glimlachte. Na de mis staken ze bij het altaar van de Heilige Judas een kaars voor Jack op. Dat was voor hen beiden een troostrijke ervaring en ze leken allebei vrede te kennen toen ze de kerk uit liepen. Tijdens de mis was het gaan sneeuwen.

'Wil je lopen?' vroeg ze terwijl ze hem aankeek. Zij vond het heerlijk om door de sneeuw te banjeren.

'Waarom niet?' reageerde hij grinnikend. In San Francisco zag hij nooit sneeuw en het was een van de dingen die hij zo aantrekkelijk vond aan New York.

Ze liepen Fifth Avenue op en bij Sixtieth Street staken ze over om langs de rand van Central Park te lopen, langs de dierentuin en de speeltuin ten noorden daarvan. Hun haar was inmiddels bedekt met een laagje sneeuw en hun gezichten waren rood van de kou. Er was van die dikke sneeuw gevallen die alles tot zwijgen lijkt brengen, en het had iets magisch om zo arm in arm met hem te lopen.

'Ik zal je morgen missen,' zei ze triest. 'Dit was een ware traktatie. Nu moet ik weer terug naar het echte leven, mijn studie en de echtscheiding. Daar verheug ik me niet op. Alex heeft zoveel haast.' Ze begon zich af te vragen waarom en kon er niets aan doen dat ze zich ook afvroeg of het iets met Leslie James te maken had en hij uiteindelijk toch met die vrouw zou gaan trouwen.

'Wat ga je met het huis doen?' Was hij te snel met die vraag gekomen?

'Geen idee. Daar heeft hij het nog niet over gehad. Ik weet niet of hij me hier wil laten wonen, of zal willen dat ik verhuis om het pand te kunnen verkopen. Hij heeft ervoor betaald, dus zal hij wel proberen te zeggen dat het van hem is. Ik weet niet hoe dergelijke dingen werken.' Alles wat ze hadden was met geld van Alex betaald. Hij beweerde dat ze slechts een kleine alimentatie van hem zou krijgen, omdat ze jong genoeg was om weer aan het werk te gaan, en zij begon het idee te krijgen dat ze helemaal geen rechten had.

'Als hij je dwingt het huis te verlaten, moet hij je een vergelijkbare woonruimte aanbieden,' zei Brad om haar angst te sussen. 'Hij kan je niet domweg op straat zetten.'

'Dat hoop ik maar.' Zelfs dat leek niet eens meer zeker te zijn, en het liet zich niet voorspellen welke stunts Alex zou proberen uit te halen. 'Nu de meisjes het huis uit zijn, kan ik misschien wel kleiner gaan wonen, maar het zal zo raar zijn om te verhuizen. We hebben hier achttien jaar gewoond. Sinds de geboorte van Zoe.' Opeens was alle zekerheid die ze had gehad verdwenen.

'Misschien zal hij besluiten het huis niet te verkopen en je hier te laten blijven wonen,' zei Brad rustig. Hij wilde haar niet van streek maken en wist dat haar advocaat de details rechtvaardig voor haar zou uitwerken. Ze maakten een kleine omweg om in het park de modelvijver te bekijken en zagen de sneeuw zich opstapelen op de beelden van Alice in Wonderland. Er waren kinderen in de sneeuw aan het spelen en er lag net genoeg om ze in staat te stellen op deksels van vuilnisbakken en plastic schotels van de kleine heuveltjes af te glijden. Brad en Faith keken toe. Het leek leuk.

'Ik wou dat de meisjes nog klein waren,' zei Faith. 'Ik mis dat alles.' Het was zo'n gelukkige periode in haar leven geweest. Elke dag had ze het druk gehad en er was zoveel vreugde geweest. Ze had nooit de tijd gehad aan iets anders te denken dan wat ze met hen deed, en de avonden had ze met Alex doorgebracht. Ze had zich nooit zorgen gemaakt over wat de toekomst zou brengen. Ze had zich elke dag happy gevoeld en geweten dat de kinderen haar nodig hadden. Dat was nu anders. Ze hadden haar niet meer nodig. Ze hadden hun eigen leven en het hare leek zo leeg. Bovendien was Alex ook nog eens vertrokken. Ze had het gevoel haar hele wereld kwijt te zijn geraakt, en nu zou ze misschien haar huis ook nog verliezen. Dat was veel om te verwerken, en veel om te verliezen.

'Ik mis die tijd ook,' zei Brad eerlijk. 'Het is allemaal zo snel gegaan en het is zo raar. Ik weet dat we ons oud voelen, maar dat zijn we niet. Er zijn mensen die op onze leeftijd hun eerste kind krijgen.'

'O, mijn hemel. Wat een gedachte.' Faith lachte.

'Zou je nog een kind willen hebben?'

Ze kon horen dat hij het serieus meende, en ze dacht er even over na. 'Dat is een krankzinnige vraag. Als je die een maand geleden had gesteld, zou ik er nee op hebben gezegd. Alex zou me trouwens hebben vermoord, want hij heeft twee kinderen altijd genoeg gevonden. Anders had ik er wel een of twee meer gehad. Maar nu? Ik weet het niet. Op je zevenenveertigste lijkt dat een behoorlijk maf idee. De meisjes zouden er een beroerte van krijgen, of het in elk geval als een schok ervaren. Nee, ik denk het niet. Verder zal ik over een paar maanden niet gaan trouwen. Dat kan ik me werkelijk niet voorstellen.'

'Fred, daar gaat het me nu juist om. Je zult weer vrijgezel zijn.'

Alleen al hem dat te horen zeggen schokte haar. Ze moest nog steeds in haar arm knijpen om niet te vergeten dat wat er met Alex was gebeurd geen nare droom was, maar de werkelijkheid. 'Stel dat je een man ontmoette die nog meer kinderen wil hebben? Wat zou je dan doen?'

'Hem voorstellen aan Eloise.' Ze lachte en werd toen weer ernstig. 'Brad, daar heb ik werkelijk geen idee van. Ik zou het heerlijk vinden meer kinderen te hebben, maar ik ben niet direct meer in de bloei van mijn leven en gezien mijn leeftijd vraag ik me af of zoiets nog zou kunnen. Ik weet dat er mensen zijn die op latere leeftijd nog kinderen krijgen... Misschien is het leuk... Het zou geweldig zijn om weer een baby te hebben, want daardoor zou ik me weer hoopvol, levend en jong voelen. Het enige probleem is dat ik dat gevoel niet heb,' zei ze, en ze keek hem aan. 'Ik voel me moe, triest en oud. En – erger nog – eenzaam.'

'Dat zal niet altijd zo blijven. Je zult iemand vinden, Fred. Iemand die veel aardiger voor je is dan Alex dat ooit is geweest. Over een paar maanden ren je weer rond en je zult waarschijnlijk binnen een jaar hertrouwd zijn.' Hij keek depressief toen hij dat zei.

Zij glimlachte. 'Je hebt mijn leven kennelijk al uitgestippeld. En jij?' Ze wist hoe ongelukkig hij was met Pam, en hoe vastberaden hij was om koste wat kost bij haar te blijven. 'Wil jij niet meer dan je hebt?' Zijn leven met Pam had haar altijd eenzaam geleken, maar dat was haar leven met Alex ook geweest en desondanks zou ze er nooit een eind aan hebben gemaakt als hij haar niet in de steek had gelaten.

'Ik zou het beslist willen,' zei hij eerlijk, 'maar ik heb wat ik heb. Ik denk er niet veel over na.' Dat was niet helemaal waar. 'Misschien zou je dat wel moeten doen, nu je nog redelijk jong bent. Stel dat zij over een jaar of tien hetzelfde zal doen als Alex nu heeft gedaan? Zul je dan niet het gevoel hebben je hele leven te hebben verspild omdat je bij iemand had kunnen zijn bij wie je gelukkig was? Wellicht is dat de moeite van het overdenken waard.'

'Het is een te groot risico,' zei hij terwijl hij haar recht aankeek. 'Ik weet wat ik heb, hoe weinig perfect dat ook is. Dat zal ik niet weggooien voor een droom die misschien nooit werkelijkheid wordt. Het echte leven werkt niet zo. Dergelijke dingen gebeuren alleen in films. De meeste mensen doen wat jij en ik hebben gedaan. Ze nemen genoegen met minder dan honderd procent en proberen daar zo goed mogelijk mee te leven. Dat weet jij zelf ook.'

'Ja, inderdaad. Ik vraag het me de laatste dagen alleen af. Misschien heeft Alex gelijk met zijn handelwijze. Hoewel ik het voor mezelf verschrikkelijk vind, is het mogelijk dat hij eindelijk het lef heeft gehad om te doen wat we al jaren geleden hadden moeten doen. Hij is op een kwetsende manier te werk gegaan, maar toch.'

'Ik denk dat hij plat op zijn gezicht zal vallen omdat hij jou daarmee heeft gekwetst. Ik geloof niet dat je op die manier veel kunt winnen. In zo'n geval ben je de verliezende partij. Hij zit achter een jonge vrouw in een string aan en heeft jou daarmee veel verdriet gedaan. Volgens mij zal dat hem op een gegeven moment gaan achtervolgen. Als hij bij haar blijft, zal zij hem op een dag misschien hetzelfde aandoen.'

'Dat is een opwekkende gedachte.' Faith glimlachte even. 'Ik ken de antwoorden op alle vragen ook niet,' zei ze met een zucht terwijl sneeuwvlokken aan haar oogleden en haar haar bleven plakken.

Niemand had er in zijn ogen ooit zo mooi uitgezien en terwijl hij naar haar keek, verkrampte zijn hart. Hij zou de klok dolgraag een jaar of dertig hebben teruggezet, maar hij wist heel zeker wat hij niet kon hebben: Faith. Verder had zij er geen idee van dat hij daar wel eens aan had gedacht. Ze zou er geschokt op hebben gereageerd. In lange tijd had hij in die zin niet meer aan haar gedacht. Niet meer vanaf hun jeugdjaren. Nu deed hij dat wel, en dat stond hij zichzelf ook toe. Nu hij hier in Central Park naast haar stond, met een arm om haar heen, droomde hij over meer. Hij wist echter beter dan wie dan ook dat het alleen een droom was.

'Je kijkt heel ernstig,' fluisterde Faith terwijl ze wat dichter tegen hem aan kroop. Het werd koud en het was gaan waaien. 'Is alles met jou oké?'

Hij knikte glimlachend. Alles wat hij met haar deed vond hij heerlijk. Een ontbijt voor haar klaarmaken, uren met haar praten, samen met haar naar de kerk gaan, wandelen, en zelfs een bananasplit eten. Ze was een gouden kind geweest en nu leek ze nog meer licht uit te stralen.

'Ik dacht erover om naar jouw huis terug te gaan en de haard aan te steken, en eerlijk gezegd heb ik ook best trek in een lunch.'

'Als ik bij jou ben, doe ik niets anders dan eten,' klaagde ze. Zij vond het echter ook heerlijk bij hem te zijn, en onder het lopen had ze eveneens honger gekregen. 'We zullen ergens wat eten moeten gaan halen, want ik heb niet veel in huis. Sinds Alex is vertrokken heb ik mezelf uitgehongerd.'

'Daar zul je niets wijzer van worden,' zei hij praktisch, en hij nam haar hand in de zijne.

Onderweg naar huis hielden ze halt bij een levensmiddelenzaak en hij zorgde ervoor dat ze genoeg kocht om een week op te kunnen teren. Toen stond hij erop daarvoor te betalen, en zei zij dat dat niet eerlijk was.

'Jij zult er nauwelijks iets van kunnen eten. Dus waarom zou je er dan voor betalen?'

'In dat geval zal ik morgen terugkomen voor het avondeten,' zei hij terwijl hem het wisselgeld werd overhandigd.

'Ik wou dat je kon blijven. Het is jammer dat we niet in dezelfde stad wonen.'

Dat was hij met haar eens. Hij wist echter ook dat zoiets uiteindelijk een ondraaglijke kwelling voor hem zou worden. Hij begon iets voor haar te voelen dat hij nog nooit eerder had gevoeld. Maar zolang zij zich daar niet van bewust was en ze duizenden kilometers van elkaar vandaan woonden, was hij veilig, en zij ook.

Hij droeg de boodschappen en een halfuurtje later was zij met de lunch bezig terwijl hij de haard aanstak. Buiten bleef het sneeuwen.

Ze maakte soep en sandwiches en ze had erop gestaan marshmallows, crackers en chocoladerepen te kopen, zodat ze de lekkernij konden maken waarop ze als kind dol waren geweest. Bij hem zijn was zoiets als het maken van een pelgrimstocht naar het verleden. Af en toe wenste ze dat ze nooit volwassen waren geworden. In dat geval zou het leven voor hen allemaal nog eenvoudig zijn, en zou Jack er nog zijn.

Het was bijna vier uur toen ze klaar waren met de lunch en Brad lachte toen hij haar aankeek. Ze hadden de marshmallows in de haard laten smelten. 'Waarom lach je?' vroeg Faith gespeeld nijdig.

'Je hele gezicht zit onder de marshmallows en de chocola. Je ziet er niet uit.'

Ze gebruikte haar servet om zich schoon te poetsen, maar maakte het daar alleen maar erger mee. Hij nam het servet van haar over en veegde haar mond, haar kin en het puntje van haar neus schoon terwijl ze hem met onschuldige ogen aankeek. Hij keek haar eveneens aan en het kostte hem ongelooflijk veel moeite zich niet volledig over te geven aan dit moment en alles wat hij voor haar voelde. 'Ziezo. Nu ziet je gezicht er weer netjes uit.' Niets aan zijn manier van doen verwees ook maar vaag naar zijn ware gevoelens.

'Wil je er nog een?' vroeg ze met een grijnsje. Hij kreunde en ging languit op de grond bij de haard liggen. Zijn benen leken eindeloos lang en zijn schouders waren even breed en sterk als toen hij nog een jonge jongen was.

'Nee, dank je. Ik vraag me af of mijn vliegtuig vertraging zal hebben door de sneeuw.' Daar hoopte hij bijna op, hoewel hij terug moest. Hij zou het prachtig hebben gevonden als hij hier in New York, bij haar, ingesneeuwd raakte. Hij had gevoelens waar hij zich geen raad mee wist, en hij besefte dat hij terug moest gaan nu dat nog mogelijk was. Het was zo erg te weten dat ze een moeilijke tijd voor de boeg had en hij er niet voor haar kon zijn. Het enige dat hij haar kon bieden was zijn stem over de telefoon, of e-mailtjes. Dat leek hem niet voldoende. Hij wilde haar beschermen tegen de aanval die Alex op haar zou inzetten, zoals hij instinctief wist.

'Ik zal bellen om naar je vlucht te informeren,' bood ze aan, en ze liep naar de telefoon in de hal. Vijf minuten later was ze weer terug. 'Je toestel vertrekt op tijd.'

'Jammer,' zei hij met een slaperige glimlach.

Een uur later ging hij als een slapende reus staan, want het was tijd om te vertrekken.

Om vijf uur pakte hij zijn spullen en trok Faith haar jas aan.

'Je hoeft niet met me mee te gaan,' zei hij terwijl hij naar haar keek. Ze had er geen idee van hoe mooi ze was, en dat was altijd een deel van haar charme geweest.

'Dat weet ik, maar ik wil het graag en ik heb toch niets anders te doen.' Ze wilde zoveel mogelijk tijd met hem doorbrengen. Brad hield een taxi aan en zette zijn bagage in de kofferbak. Toen ging hij naast haar op de achterbank zitten. Het was harder gaan sneeuwen dan toen ze in het park waren geweest en het werd al donker. Op zondagmiddag was er nauwelijks verkeer op de weg en ondanks de weersomstandigheden waren ze in een recordtijd op Kennedy. De wegen werden sneeuwvrij gehouden en op het vliegveld leek alles normaal. De vlucht stond nog steeds als op tijd vertrekkend geregistreerd.

Ze ging met Brad mee toen hij een paar tijdschriften wilde kopen, en zij kocht een boek voor hem dat hij naar haar idee wel mooi zou vinden.

'Dank dat je me te eten hebt gegeven en mee uit hebt genomen,' zei ze met een dankbare glimlach. 'Ik heb een heerlijke tijd gehad en ik zal je erg missen.'

'Ik zal je bellen. Zorg ervoor dat je je netjes gedraagt. Eet, ga naar college en werk niet te hard. Laat je niet gek maken door Alex... Doe wat je advocaat zegt... Poets je tanden, was je gezicht en smeer je niet onder de marshmallows. Wees goed voor jezelf, Fred.'

'Jij ook,' zei ze, en ze zag eruit als een verloren kind toen hij haar een knuffel en een kusje boven op haar hoofd gaf.

'Ik bel je morgen. Tegen de tijd dat ik thuis ben zal het daar te laat voor zijn.' Hij zou om twee uur 's nachts New Yorkse tijd thuis zijn, en hij hoopte dat ze dan zou slapen.

'Bedankt voor alles,' zei ze nogmaals terwijl ze zich aan hem vastklampte. Afscheid van hem nemen was net zo iets als Jack weer verliezen. Even raakte ze in paniek. Toen werd ze overspoeld door een golf van verdriet en wanhoop. Ze voelde zich een dwaas omdat ze zo aan hem hing en liet hem eindelijk los. Na een laatste knuffel liep hij achter de andere passagiers aan naar het vliegtuig en toen ze de hoek om gingen, zwaaide hij nog een laatste keer glimlachend naar haar. In de vertrekhal zag ze het vliegtuig naar de startbaan taxiën. Toen liep ze met gebogen hoofd naar buiten en riep een taxi aan.

De terugrit leek eindeloos lang te duren en het huis voelde aan als een graftombe. Het sneeuwde nog steeds en binnen leek het nog nooit zo stil te zijn geweest. Ze at die avond niet, omdat ze hem zo miste. In plaats daarvan ging ze naar boven en naar bed. Toen de telefoon om twee uur 's nachts rinkelde, was ze diep in slaap. Even wist ze niet waar ze was.

Het was Eloise, die haar vanuit Londen belde voordat ze naar haar werk ging. Ze klonk geagiteerd en Faith was nog half in slaap toen ze opnam.

'Eh... wat? O... Ellie... Hallo, schatje... Nee, nee. Ik was nog wakker.' Ze wist niet waarom ze altijd loog als mensen haar wakker maakten, maar dat deed ze wel. Het duurde even voordat ze goed bij haar positieven was gekomen en toen besefte ze dat het voor Eloise zeven uur 's morgens was. 'Is alles met jou in orde?'

'Ja,' zei ze, duidelijk heel boos. 'Ik heb gisteren met pap gesproken en hij heeft me verteld wat jij hebt gedaan.'

'Wat ik heb gedaan?' Faith keek even niet-begrijpend, en toen begon ze van angst te trillen. Wat zou hij hebben gezegd? 'Wat heb ik gedaan?'

'Hij zei dat jij tot de conclusie bent gekomen dat je niet langer getrouwd wilt zijn en wilt gaan studeren.'

'Heeft hij dat echt gezegd?' vroeg Faith vol afschuw. Hoe kon hij zo tegen hun kind liegen? In elk geval kende Zoe de waarheid.

'Ja. Mam, hoe kun je zo egoïstisch zijn om ons gezin vanwege een stomme academische graad te ruïneren? Geef je dan niets om ons? Of om hem, na al die jaren? Hoe kun je zo egocentrisch en ontrouw zijn?' Halverwege haar betoog was ze gaan snikken.

Faith huilde ook. 'Ellie, zo is het niet gegaan. Dit is gecompliceerd, en het is iets tussen je vader en mij.' Faith voelde zich verplicht om de vuile was niet voor de meisjes buiten te hangen. Hoe beroerd Alex haar ook had behandeld en nog behandelde, ze wilde niet hetzelfde gemene spel gaan spelen als hij. Ze vertrouwde erop dat haar dochters uiteindelijk de waarheid zouden kennen. Ze klampte zich aan fatsoen vast alsof dat een reddingboei in noodweer was.

'Denk je dat het niet van invloed zal zijn op ons? Denk je dat het voor ons niet van belang is? We zullen niet eens meer een thuis hebben als we naar huis komen. Hij zegt dat jij het huis wilt verkopen.' Dat beantwoordde de vraag over het huis, en zoals gewoonlijk gaf hij haar van alles de schuld.

'We hebben het nog niet eens over het huis gehad. Ik wil dat niet verkopen, maar het kan zijn dat hij daar anders over denkt. Ik heb nooit willen scheiden. Hij wel.'

'Dat is een leugen. Hij zei dat je hem ertoe hebt gedwongen door weer te gaan studeren.'

'Ik heb hem nergens toe gedwongen. Ik heb zelfs aangeboden mijn studie te staken.'

'Ik geloof geen woord van wat je zegt. Pap zei dat je dit al lange tijd aan het plannen bent geweest en een jaar geleden al tegen hem hebt gezegd dat je een echtscheiding wilde.'

Faith voelde zich misselijk worden nu ze Alex' plan doorzag. Als hij de meisjes ervan kon overtuigen dat ze hem een jaar geleden had meegedeeld dat ze wilde scheiden, zou het feit dat hij met Leslie James omging in hun ogen niet zo absurd lijken wanneer ze daar achter kwamen. Het was een slim plan, en tot dusver had het gewerkt. Bij Eloise in elk geval. De twee zo van elkaar verschillende verhalen zouden tot gevolg hebben dat de meisjes elkaar naar de keel vlogen.

Faith deed haar uiterste best om kalm te blijven. 'Eloise, ik wil niet zeggen dat je vader heeft gelogen, maar hij heeft niet de waarheid gesproken. Ik heb hem nooit om een echtscheiding gevraagd. Ik heb nooit een eind aan ons huwelijk willen maken, en ik wil dit huis niet verkopen. Over dat laatste heeft hij tegenover mij met geen woord gerept.' Ze was er zeker van dat Ellie het uiteindelijk zou begrijpen als ze de waarheid bleef spreken en Alex niet belasterde.

Ellie maakte het echter niet gemakkelijk voor haar. 'Mam, je liegt en ik vind het gemeen dat je hem in de steek laat. Ik hoop dat je je studie niet haalt, want je hebt mijn leven geruïneerd!' Toen ze dat had gezegd, legde ze de hoorn op de haak.

Faith zat stomverbaasd op het bed en de tranen stroomden over haar wangen. Het was heel gemeen van hem geweest om Ellie zo tegen haar op te stoken. Dit zou veel ruzie tussen de meisjes veroorzaken, omdat Zoe de waarheid kende, of in elk geval wist dat Alex het huis uit was gegaan, ook al wist ze niet waarom. Faith wilde de meisjes in dat opzicht in bescherming nemen, in de wetenschap dat de waarheid tot gevolg zou hebben dat de meisjes een vernietigend oordeel over Alex velden. Dat was naar haar idee niet eerlijk. Alex wist echter niet eens wat dat woord betekende. Wat hij had gedaan – Eloise van haar laten vervreemden – was uiterst wreed geweest, en nu moest ze zich ook nog eens zorgen maken over het huis.

Ze lag een uur lang klaarwakker in bed. Toen belde ze Zoe, wetend dat die altijd nog laat op was.

Zoe nam op nadat het toestel een keer was overgegaan. 'Hallo, mam,' zei ze blij toen ze de stem van haar moeder hoorde.

'Heb ik je wakker gemaakt?' vroeg Faith zenuwachtig.

'Natuurlijk niet. Ik was nog op. Is alles met jou in orde?'

'Nee,' zei Faith eerlijk. 'Ellie heeft net gebeld.'

'Heb je het haar verteld?' vroeg Zoe, die van streek was door de veranderingen in het leven van haar ouders en een kort gesprek met haar vader had gevoerd. Hij had niet veel gezegd, zeker nadat Zoe hem had verteld dat ze het weekend bij haar moeder had doorgebracht. Toen had hij snel een eind aan het gesprek gemaakt.

'Nee, ik niet, maar je vader heeft dat wel gedaan.' Faith maakte zich ernstige zorgen dat haar vaste voornemen fatsoenlijk en eerlijk te blijven haar relatie met Ellie blijvende schade zou berokkenen.

'Hoe was ze?'

'Woedend. Ze haat me. Je vader heeft tegen haar gezegd dat ik niet getrouwd wilde blijven, wilde gaan studeren en om de echtscheiding heb gevraagd. Hij heeft zelfs tegen haar gezegd dat ik dat een jaar geleden al heb gedaan,' zei Faith, en ze snoot haar neus.

'Waarom heeft hij zoiets gezegd? Is het waar?' Zoe klonk verbaasd, maar zoals altijd stond ze aan haar moeders kant.

'Natuurlijk niet. Ik denk dat ik wel weet waarom hij dat heeft gezegd. Maar daar gaat het niet om. Waar het om gaat is dat hij Ellie de indruk heeft gegeven dat ik dit wilde en hem de deur uit heb gezet. Dat is zo oneerlijk.' Ze kwam niet langer in zijn woordenboek voor en ze besefte nu dat dat misschien altijd al zo was geweest.

'Dat is toch niets nieuws? Pap speelt het nooit eerlijk.' Zoe zei dat ze al lange tijd had geweten dat hij loog. Hij had ook tegen haar gelogen, over talloze kleine dingen. Dat had ze erg gevonden en het had ertoe bijgedragen dat ze hem niet vertrouwde. 'Ze komt er heus wel achter. Je zou niet zo van streek zijn als jij degene was die de echtscheiding wilde. Als ze haar gezonde verstand gebruikt, zal ze dat inzien.'

Faith voelde zich niet gerustgesteld, omdat Ellie door haar vader volledig werd gemanipuleerd. 'Ze weet niet hoe erg ik van streek ben, want ze heeft me de kans niet gegeven echt iets te zeggen. Ze zei dat ik een monster ben en haar leven heb geruïneerd.' Ze vertelde Zoe niet over het huis, want ze wilde dat eerst met Alex bespreken. Als hij haar dwong het te verkopen, zou iedereen daardoor van streek raken en niet alleen zij.

'Laat haar tot bedaren komen. Ik zal met haar praten, en jij kunt dat doen als ze hierheen komt.' Eloise was van plan geweest in maart naar huis te komen, maar Faith vroeg zich af of ze dat nu nog zou doen.

'Misschien moet ik naar haar toe gaan,' zei Faith bezorgd.

'Laat haar eerst afkoelen. Schrijf haar een brief of zo. Mam, ze komt er heus wel achter. Nogmaals: het is zonneklaar dat jij deze echtscheiding niet wilt.' Wat Zoe nog niet duidelijk was – en haar moeder haar niet had verteld – was waarom haar vader die wel wilde. Het was echter ook zonneklaar dat haar moeder het daar niet over wilde hebben. Ze had wel het gevoel dat er meer achter stak, en zoals gewoonlijk had ze gelijk.

'Ik voel me beroerd,' zei Faith, opgelucht nu ze met Zoe kon praten. Ze was haar dochter en werd ook een soort vriendin, en bovendien was ze verstandiger en wijzer dan bij haar leeftijd paste.

'Ellie reageert altijd impulsief en gaat later pas nadenken. Ik vind het verschrikkelijk dat pap dergelijke dingen heeft gezegd, maar het verbaast me niet.'

Het verbaasde Faith ook niet langer. Er waren geen grenzen aan wat Alex bereid was te doen om haar relatie met haar dochter om zeep te helpen.

'Ik zal hem morgen bellen,' zei Faith geagiteerd. Ze dacht nog steeds dat ze in alle redelijkheid met hem kon praten, wat naïef van haar was.

'Mam, ga slapen en probeer het te vergeten. In elk geval voor de rest van de nacht. Heb je dit weekend nog iets gedaan?' Het was haar bedoeling geweest haar moeder te bellen en ze voelde zich schuldig omdat ze daar de tijd niet voor had gehad.

'Mijn vriend Brad is hier geweest,' zei Faith vaag. Ze kon nu alleen maar aan Ellie denken. Het bezoek van Brad leek als een droom te zijn vervaagd.

'Is hij jou komen opzoeken?' Zoe klonk onder de indruk.

'Nee. Hij had hier iets zakelijks te doen, maar het was prettig hem te zien.'

Zoe plaatste daar een vraagteken bij maar kwam tot de conclusie dat dit niet het geschikte moment was om haar moeder met die man te plagen. Zij had al genoeg op haar bordje. En wat zijn gevoelens voor Faith ook waren, ze wist dat haar moeder hem uitsluitend als een vriend zag. In elk geval had hij haar een paar dagen afgeleid en dat was iets.

'Mam, ga slapen. Ik bel je morgen. Ik hou van je.'

Ze hingen op en de rest van de nacht lag Faith wakker. Ze kon alleen denken aan wat Ellie tegen haar had gezegd, en het enige dat ze wilde doen, was Alex bellen. Maar daarmee zou ze moeten wachten tot hij op kantoor was, want hij had haar niet verteld waar hij verbleef. Om zes uur stond ze op en stuurde een mailtje naar Brad. Ze wist dat hij thuis moest zijn en ze kon niet langer wachten. Huilend schreef ze hem alles wat Ellie had gezegd en door dat op schrift te stellen leek het allemaal nog erger.

'... en wat denk je dat ze precies bedoelde met die opmerking over het huis? Alex lijkt het te willen verkopen. Waarom heeft hij dat niet eerst tegen mij gezegd? Ik ben een wrak en ik ben misselijk omdat Ellie hem gelooft. Hoe zal ik haar ooit van de waarheid kunnen overtuigen? Ik zal geen van beide meisjes iets vertellen over die jonge vrouw. Dat is voor alle betrokkenen te vernederend en ik zou mezelf ermee verlagen tot zijn niveau. Ze zouden het hun vader nooit vergeven, en ik probeer hun relatie met hem niet te vergiftigen. Waarom kan hij niet eerlijk vechten? Hij heeft tegen Ellie gezegd dat ik een jaar geleden om een echtscheiding heb gevraagd. Hij zal wel denken dat zijn gedrag daarmee wordt geëxcuseerd, en dat geeft me het idee dat hij het serieus met die jonge vrouw meent.' Ze schreef maar door en trachtte nog steeds Alex eerlijk te bejegenen uit een soort futiel gevoel van fatsoen. Soms vroeg ze zich af of haar diepe godsdienstige overtuigingen haar te eerlijk maakten. Alex kende haar goed, wist hoe hij moest toeslaan.

'Sorry. Ik klink krankzinnig. Ik ben uitgeput en van streek, en dat terwijl het zo'n fijn weekend was. Het spijt me dat ik je hiermee lastig val. Hij gedraagt zich zo beroerd. Jij kunt er niets aan doen, maar het helpt tegen je te praten. Dank dat je me hebt verwend en zo goed voor me bent geweest. Ik heb me geamuseerd. We hebben samen altijd pret. Ik zal je laten weten wat hier verder gebeurt. Een goede dag toegewenst. Liefs, Fred.'

Om negen uur belde ze Alex. Hij was net zijn kantoor in gelopen en klonk geïrriteerd toen hij opnam.

'Wat is er aan de hand?'

'Veel,' zei Faith gespannen. 'Ik heb begrepen dat je met Ellie hebt gesproken, en daarbij heb je een rotstreek uitgehaald.'

'Faith, ik ben niet bereid te luisteren naar beledigingen van jou,' zei hij dreigend. 'Ik heb het recht mijn dochter te vertellen wat ik wil.' Dat laatste klonk verdedigend. Hij wist wat hij had geflikt.

'Het zou prettig zijn als je je aan de waarheid hield. Je hebt tegen haar gezegd dat de echtscheiding mijn idee was.'

'Dat is het toch ook? Je hebt ons huwelijk bij het vuilnis gezet toen je je inschreef aan de Universiteit van New York.'

'Helemaal niet. En verder heb jij een vrouw meegenomen naar mijn bed. Heb je haar dat verteld?'

'Nee. Jij wel?'

'Nee, omdat ik het ten aanzien van jou eerlijk wilde spelen. Alex, je hebt haar tegen me opgestookt.' Ze was in tranen.

'Dat doe jij toch met Zoe en mij?' zei hij beschuldigend.

263

'Nee. Je hebt regelrecht gelogen tegen Ellie, en haar laten denken dat alles mijn schuld is. Je hebt zelfs tegen haar gezegd dat ik vorig jaar al om een echtscheiding heb gevraagd, en dat is een absolute leugen.' Hij zei niets en er volgde een stilte. Hij had een heel harde mep onder de gordel uitgedeeld. 'Verder denkt ze dat ik het huis wil verkopen. Wat heeft dat te betekenen?' Haar hart sloeg op hol toen ze dat vroeg.

'We hebben geen keus. Ik wil het geld hebben dat het pand oplevert, en jij zult jouw helft daarvan krijgen.'

'Daar heb ik geen enkele behoefte aan. Ik wil het huis hebben. In elk geval het recht om er in te wonen. Waar zou ik anders naartoe kunnen gaan?' Ze was nu openlijk aan het huilen om wat hij haar aandeed.

'Je kunt op de universiteitscampus gaan wonen,' zei hij gemeen. Faith wist niet wat ze hoorde. Hij was de meest wraakzuchtige man die ze kende. Hier zou ze hem nooit toe in staat hebben geacht. Wie was hij al die tijd in feite geweest? Onder dat ijskoude uiterlijk was er geen hart te vinden.

'Ga je me het huis uit zetten?' Ze klonk in paniek.

'Mijn advocaat zal dat met de jouwe bespreken.'

Door de manier waarop hij dat zei wist ze dat hij het huis zou verkopen. Met leugens had hij een eind aan hun huwelijk gemaakt en haar een van hun kinderen ontstolen. Hij was haar leven aan het ruïneren. Ellie had haar ervan beschuldigd dat zij dat deed, maar Alex was de ware schuldige. Ze was bang dat het feit dat Alex voor het huis had betaald haar er geen enkel recht op gaf. Ze had haar leven, haar tijd en haar hart in hun huwelijk geïnvesteerd, maar het erin gestoken geld was altijd van hem geweest.

'Waarom doe je dit alles? Hoe kun je me zo erg haten omdat ik weer aan het studeren ben? Hoe ziek is dat?'

'Even ziek als mij in de steek laten en doen alsof je weer een jong meisje bent.'

Faith wist echter dat het daar niet om ging. Ze vermoedde dat de jonge vrouw in de string de crux van de zaak was. Hij was degene die probeerde zijn jeugd terug te krijgen en daarmee maakte hij haar en alles wat ze hadden gehad kapot.

'Het gaat allemaal om die meid,' zei Faith beschuldigend, en met het gevoel dat terecht te doen. 'Dat probeer je toe te dekken. Wat jij hebt gedaan getuigt van een totaal gebrek aan respect voor mij, en nu probeer je brandschoon over te komen bij onze dochters. Maar je hebt geen schone handen, en dat weet je. Wat ben je in vredesnaam aan het doen? Ga je met haar trouwen?'

'Ik heb je niets meer te zeggen,' zei hij koud, en hij verbrak de verbinding zonder op een reactie van haar te wachten.

Faith staarde recht voor zich uit. Toen belde ze haar advocaat met het verzoek informatie in te winnen over het huis. Hij beloofde dat te doen.

Pas op dat moment zag ze dat Brad haar een mailtje had teruggestuurd – waarschijnlijk terwijl ze in gesprek was met Alex. 'Arme Fred... wat is hij toch een etterbak. Maak je geen zorgen over Ellie. De waarheid zal tot haar doordringen. Dat gebeurt bij kinderen altijd. Mijn ouders hebben iets dergelijks met mij uitgehaald, maar ook mij werd alles uiteindelijk duidelijk. Ze waren vastberaden elkaar te ruïneren en hebben allebei geprobeerd mij als gijzelaar te gebruiken. Zoiets is gemeen, en dat zul jij nooit doen. Ellie zal hem gaan doorzien. Wacht, heb geduld en hou je hoofd koel. Verdedig je tegen hem. Praat met je advocaat. Geef het huis niet op. Dat is hij je op zijn minst verschuldigd. Hou je taai. Ik moet vroeg aan het werk om te zien welke rampen er in het weekend binnen zijn gekomen. Ik heb het geweldig gehad. Je bent een wonder in mijn leven. Ga een bananasplit eten... maar vergeet niet je kin af te vegen. Spreek je later. Liefs, Brad.'

Hij maakte haar altijd aan het glimlachen. Hij troostte haar en nu hij terug was in haar leven, was hij er ook altijd voor haar. Faith leunde achterover in haar stoel, las zijn mailtje nogmaals en voelde zich kalmer dan in uren het geval was geweest. Het enige dat ze kon doen, was God voor hem danken.

19

De bezorgdheid van Faith ten aanzien van het huis bleek gegrond te zijn, hoewel haar advocaat in dat opzicht wel lichtelijk geruststellende woorden sprak. Op de dag nadat ze hem had gebeld, belde hij terug toen zij van college thuiskwam. Haar studie ging goed, maar het kostte haar wel veel moeite zich daarop te concentreren. Ze was zo afgeleid dat de werkstukken die ze maakte niet zo samenhangend waren als ze graag had gewild, en daar waren de behaalde cijfers een afspiegeling van. In elk geval hield ze vol.

De man had geen geweldig nieuws. 'Je had gelijk. Hij wil dat je verhuist en daar geeft hij je negentig dagen de tijd voor.'

Dat betekende eind mei.

'O, mijn hemel. Kan hij dat echt doen?' Faith werd bleek.

'Alleen als jij ermee instemt en naar mijn idee moet je dat niet doen.' Ze was opgelucht toen ze hem dat hoorde zeggen, want ze had al visioenen van al haar bezittingen die op straat stonden. 'De helft van het tot de gemeenschappelijke boedel behorende huis is van jou, en als je dat te gelde wilt maken, ben jij degene die moet besluiten tot verkoop. Als hij echt de helft van de opbrengst daarvan wil hebben, kan hij op een gegeven moment van je eisen dat je het verkoopt. Maar hij zal een regeling met je moeten treffen, en als je zijn deel van het huis op jouw naam wilt hebben staan, denk ik dat ik dat wel voor elkaar kan krijgen. Zo niet, kan ik hem er niet toe dwingen je daar te laten blijven wonen, want hij heeft recht op zijn aandeel.'

'Ik wil het huis houden,' zei ze met verstikte stem. Het enige dat ze in werkelijkheid wilde, was niet verhuizen, niets veranderen, zoveel mogelijk vasthouden aan een bekend leven dat zesentwintig jaar had geduurd.

'Dan zullen we dit aan de rechter voorleggen. Ik heb er nog geen officieel bericht van door gekregen. Laten we eerst maar eens afwachten wat hij doet. In elk geval moet hij je tijd geven. Hij kan je niet dwingen het huis te verlaten tot dit is opgelost.'

Lang deed Alex daar echter niet over. Tegen het eind van de week kreeg ze een brief van zijn advocaat. Die was geadresseerd aan de hare, en er stond in dat Alex wilde dat ze ging verhuizen en het huis zo snel mogelijk op de markt bracht. Ze gaven haar nog even de tijd, maar de eerste juni moest ze weg zijn. Iets wreders kon ze zich niet indenken, behalve dan het feit dat hij zijn vriendin mee naar huis had genomen, naar haar bed, en tegen Eloise had gelogen.

Brad stelde haar gerust wanneer ze met elkaar spraken en ze had een stuk of vijf boodschappen voor Ellie achtergelaten, die daar nog niet op had gereageerd. Het was een immense opluchting toen Zoe in de eerste week van maart meldde dat Eloise naar huis kwam.

'Waarom heeft ze dat mij niet verteld? Ze heeft op geen van mijn telefoontjes gereageerd.'

Dat was voor Zoe geen verrassing. De twee zusters hadden over de telefoon hevige ruzie gemaakt. Zoe had hun moeder verdedigd, en Eloise hun vader, en ze waren er allebei van overtuigd dat de ander was voorgelogen.

'Je weet niet waarover je het hebt!' had Zoe midden in de nacht tegen haar zus geschreeuwd. In Londen was het toen ochtend geweest. 'Hij heeft haar verdomme in de steek gelaten. Ik ben de vorige week bij haar geweest. Je had eens moeten zien hoe ze eraan toe was.'

'Dat verdient ze. Ze heeft hem al een jaar lang achter onze rug om om een echtscheiding gevraagd, en nu dwingt ze hem het huis te verkopen.'

'Dat zijn allemaal leugens. Begrijp je dat dan niet, stomkop?

Zo is hij. Hij geeft mam een trap onder haar kont. Ze moet van hem de eerste juni het huis uit zijn.'

'Hij heeft geen keus. Hij zegt dat ze veel geld van hem wil hebben, en dat is ook walgelijk. Mam is een absoluut kreng en het is allemaal haar schuld. Jij wilt domweg niet inzien hoe kwaadaardig ze is.'

'Jij bent blind,' had Zoe beschuldigend tegen haar oudere zuster gezegd. 'Hij heeft je gehersenspoeld.' Uiteindelijk hadden ze de verbinding verbroken en had Zoe de onaangename taak haar moeder te vertellen dat Eloise van plan was bij Alex te logeren gedurende de week dat ze in New York zou zijn, in het appartement dat hij als onderhuurder bewoonde. Ze zou alleen naar huis komen om wat spullen op te halen.

Op St. Patrick's Day arriveerde Ellie in New York. Pas twee dagen later belde ze haar moeder, die thuis had zitten wachten tot ze iets van haar zou horen en zich er hondsberoerd door voelde. Ze had het appartement van Alex een paar keer gebeld nadat Zoe haar het nummer had gegeven en telkens het antwoordapparaat gekregen. Ellie had op geen van haar telefoontjes gereageerd en Faith wilde zo wanhopig graag iets van haar horen dat ze niet naar college was gegaan. Wel studeerde ze voor haar examens.

Toen ze eindelijk de stem van Ellie hoorde, barstte ze bijna in tranen uit. Het gesprek was echter kort en zakelijk. Ellie zou wat kleren komen ophalen en ze zei dat ze hoopte dat Faith dan niet thuis zou zijn. Voor een bijna vijfentwintigjarige vrouw klonk ze naar het idee van Faith ongelooflijk kinderachtig en onnodig wreed. Maar ze werd goed onderwezen.

Faith was in haar slaapkamer toen Eloise naar huis kwam. Het had haar een maand gekost om die weer te betrekken. Het was niet praktisch om in de kamer van Zoe te blijven slapen en ze had uiteindelijk besloten haar trots en walging in te slikken en haar eigen bed opnieuw in gebruik te nemen. Daar lag ze op toen ze Ellie door de gang zag lopen. Zij had haar moeder ook gezien, maar ze zei niets.

Faith liep naar de deur van haar slaapkamer. 'Eloise, ga je me nog gedag zeggen?' vroeg ze zacht en met een onmetelijk trieste blik in haar ogen. Zoe zou haar zuster hebben vermoord als ze Faith zo had gezien. Eloise had echter een koeler hart.

'Ik had je gevraagd niet thuis te zijn.'

Het leek ongelooflijk dat ze geen afstand kon nemen van de echtscheiding van haar ouders en zich geroepen voelde zo duidelijk partij te kiezen. Haar vader had vakkundig misbruik van haar gemaakt.

'Dit is mijn huis,' zei Faith kalm, 'en ik wilde je zien. Ik wil niet dat je door deze ellende verscheurd raakt. Als je vader vastbesloten is om dit door te zetten, moeten we dat allemaal zien te overleven. We blijven een gezin, of hij en ik nog samen zijn of niet.'

'Wat kan jou dat nu schelen? Jij hebt ons gezin opgeblazen. Niet hij. Je bent zelfs van plan dit huis te verkopen, dus begin tegenover mij niet over "jouw" huis.'

'Ik kan je brieven van zijn advocaten laten zien waarin staat dat ik het huis uit moet, al zou ik dat liever niet hoeven te doen. El, hij tracht me de deur uit te zetten, en ik probeer hier te blijven wonen.'

'Dat moet hij wel doen omdat jij zoveel geld van hem wilt hebben,' zei Ellie, en ze klonk als een mokkend kind.

'Daar hebben we het nog niet eens over gehad. Ik weet niet wat ik wil. Op dit moment wil ik alleen hier blijven wonen en ik zweer je op ons aller levens dat dat de waarheid is.'

'Je liegt,' zei Ellie woest. Toen liep ze haar kamer in en smeet de deur achter zich dicht.

Faith bleef staan waar ze stond en vroeg zich af hoe haar eigen kind zo lelijk tegen haar kon doen, haar zo kon wantrouwen en blijk kon geven van zo weinig respect. Dat zei niet veel goeds over de manier waarop ze Eloise had opgevoed, of de gevoelens die Ellie voor haar had. Eloise was geen kind meer. Ze was een volwassen vrouw en ze gebruikte atoomwapens om haar moeder te vernietigen. Alex had die aan haar gegeven, maar zij had niet geaarzeld ze te gebruiken. Het brak Faith' hart te denken aan de schade die ze zou toebrengen. Hun gezin zou nooit meer hetzelfde zijn. Dat was het laatste geschenk van Alex voor hen.

Een halfuur later kwam Eloise haar kamer uit met een armvol kleren en twee kleine tassen. Met pijn in het hart sloeg Faith haar gade.

'Ellie, waarom haat je me zo erg?' vroeg ze. Dat wilde ze echt weten. Ze had er geen idee van wat ze ooit had gedaan om zo'n reactie op te roepen.

'Ik haat het wat je pap hebt aangedaan.'

Even kwam Faith in de verleiding melding te maken van wat haar vader had gedaan, haar te vertellen over de vrouw die hij mee naar huis had genomen, en de string in háár bed. Maar haar gevoel voor fatsoen dwong haar ertoe Alex tegenover hun kinderen niet in een kwaad daglicht te plaatsen, ook al werd de verleiding dat wel te doen met de dag sterker. Zeker gezien de beschuldigingen die Ellie aan haar adres had geuit. Ze wilde haar dochters op morele gronden echter niet bij de oorlog van hun ouders betrekken, hoe dwaas ze zichzelf om die reden soms ook vond.

'El, ik heb hem niets aangedaan. Ik weet niet hoe ik je daarvan moet overtuigen. Het breekt mijn hart dat je zo weinig vertrouwen in me hebt.'

'Je had je studie nooit moeten hervatten. Je hebt het hart van pap gebroken.' Ze was zo volledig in zijn macht dat het idee dat hij zich heel onredelijk gedroeg niet eens bij haar opkwam.

'Ik zou je graag willen zien terwijl je hier bent,' zei Faith, die probeerde kalm te blijven en niet zo zielig te klinken als ze zich voelde.

'Daar heb ik de tijd niet voor,' zei Ellie gemeen. 'Bovendien wil ik wat tijd met pap doorbrengen.'

'Wat zou je denken van een lunch?'

'Dat zal ik je nog wel laten weten.' Daarna liep Eloise met veel lawaai de trap af en de deur uit.

Zodra Ellie de deur keihard had dichtgetrokken, ging Faith op de trap zitten en barstte in snikken uit. Na de dag waarop Alex haar had verlaten en die waarop Jack was gestorven, was dit de ergste uit haar leven. Ze had het gevoel haar oudste kind te hebben verloren. Ze had niet eens de puf om Zoe of Brad te bellen. Die avond nam ze de moeite niet de lichten aan te doen en toen het donker werd, ging ze naar bed.

Wat Faith niet wist was dat Zoe naar New York was gevlogen om Eloise te ontmoeten en dat die twee weer knetterende ruzie hadden gemaakt. Zoe vond het walgelijk dat Ellie haar moeder verried en partij voor hun vader koos. Ze hadden er uren over geruzied, en toen was Zoe teruggevlogen naar Providence. Ze had niet gewild dat haar moeder zou weten dat ze in de stad was geweest en zij en Eloise elkaar weer naar de keel waren gevlogen, want ze was er zeker van geweest dat Faith daardoor nog meer van streek zou raken.

Terwijl de dagen verstreken had Faith het gevoel dat ze onder water aan het zwemmen was. Ze probeerde op de universiteit voldoendes te blijven halen en het met Eloise bij te leggen. Dat lukte haar echter niet. Ellie ging terug naar Londen zonder haar nog een keer te hebben gezien. Twee dagen nadat Faith dat had gehoord, werd ze geveld door een griep. Ze moest het bed houden en dat was nog steeds het geval toen de echtscheidingspapieren werden afgeleverd. Haar advocaat was met Alex aan het onderhandelen over het huis. Alex deed daar heel vervelend over en bleef zeggen dat ze het pand leeg moest opleveren. Door al die ellende kon ze het niet eens opbrengen naar Brad te schrijven. Hij had haar elke dag gebeld om te vragen hoe het met haar was, maar soms had ze niet eens opgenomen. Dan zat ze gewoon voor zich uit te staren en te luisteren naar zijn stem op het antwoordapparaat.

'Ik maak me zorgen om je,' zei hij toen hij haar om middernacht eindelijk weer aan de lijn had nadat hij haar vier dagen niet had gesproken.

'Met mij is het oké,' zei ze zwakjes. Ze hoestte nog vanwege de griep, maar ze was wel weer naar college gegaan.

'Dat zal wel! Je klinkt alsof je een longontsteking hebt en je hoogst beroerd voelt.' Hij wist dat Eloise was teruggegaan naar Londen zonder haar nog te zien en dat maakte hem ziek. Ellie was door Alex volledig opgestookt en hij vond het afschuwelijk om te merken wat dat met Faith deed. Dit was een heel moeilijke tijd voor haar. 'Je hebt een vakantie nodig. Ik zou je moeten meenemen naar Afrika.'

'Dat zou Pam vast geweldig vinden.'

'Inderdaad. Zeker als jij in haar plaats met me mee zou gaan. Ze haat derdewereldlanden en ziet ontzettend tegen de reis op. Ik heb in mijn hele leven nooit zoveel medicijnen en insectenverdelgers gezien. Ze neemt er een hele koffer vol van mee, plus allerlei blikken en pakken met etenswaren. Pam laat niets aan het toeval over.'

'Moet je in een smoking op reis?' vroeg Faith, die eindelijk begon te lachen. Het lukte hem altijd haar op te vrolijken.

'Waarschijnlijk wel. Ik vlieg via New York en ik zal haar in Londen treffen. Zij vliegt hiervandaan rechtstreeks naar Engeland. Ik zal maar een dag en een nacht in New York zijn.' Deze keer moest hij echt een collega over een zaak spreken. Hij was doodsbang dat een jongere die door hem werd verdedigd bij een veroordeling nog wel eens de doodstraf kon krijgen, en hij wilde gedurende een gesprek van minstens een of twee uur advies hebben van een in New York werkende advocaat die hij respecteerde. 'Kun je die avond met me gaan eten als je dan nog in leven bent? Wat slik je tegen die hoest?'

'Niets bijzonders. Die medicijnen maken me slaperig en ik moet binnenkort een paar werkstukken inleveren.'

'Ik heb nieuws voor je. Mensen die dood zijn halen geen goede cijfers.'

'Daar was ik al bang voor,' zei ze lachend. 'Wanneer arriveer je hier?'

'Donderdag. Bedenk maar waar je wilt gaan eten en reserveer een tafeltje, tenzij je wilt dat ik voor je kook.' Hij was bereid alles te doen om maar wat tijd met haar te kunnen doorbrengen, en opgelucht dat Pam niet samen met hem via New York wilde vliegen. 'Ik verheug me er ontzettend op de jongens weer te zien.' Zodra hij dat had gezegd, besefte hij dat hij haar zo Eloise in herinnering had gebracht en had hij spijt van die opmerking.

'En ik verheug me erop jou weer te zien,' zei Faith. Het was bijna een maand geleden dat hij voor het laatst in New York was geweest.

'Dat is wederzijds, Fred. Pas goed op jezelf.' Hij maakte zich echt zorgen om haar, want ze had veel te veel op haar bordje, waaraan de extra spanning nog eens werd toegevoegd van het wachten op bericht van een juridische faculteit. Dat was echter de minste van haar zorgen en ze verwachtte dat het nog wel een maand zou duren voordat ze in dat opzicht iets te horen kreeg.

Toen hij drie dagen later in New York arriveerde, voelde ze zich beter en was ze bijna over de griep heen. Ze zag er mager en bleek uit, en meer gespannen dan een maand daarvoor.

Ze had besloten voor hem te koken en zei dat ze echt niet uit eten wilde gaan. Ook dat baarde hem zorgen. Het lukte hem haar ertoe over te halen na afloop van het eten naar Serendipity te gaan voor een bananasplit als dessert. Van het door haar klaargemaakte eten had ze vrijwel geen hap genomen, maar hij was blij te zien dat ze op het ijs aanviel. Ze had hem begroet als de lang verloren broer die hij voor haar was en zich letterlijk in zijn armen gestort toen hij haar huis in liep.

'Hoe lang blijf je in Afrika?' vroeg ze nu met een mond vol chocolade-ijs.

Hij glimlachte toen hij een beetje slagroom van haar neus veegde. 'Hoe komt het toch dat je altijd eten op je gezicht smeert?' vroeg hij plagend. Toen vertelde hij haar dat hij twee weken weg zou blijven en hij raakte lichtelijk in paniek omdat hij dan niet met haar zou kunnen praten. Hij vond het prettig te weten hoe het met haar ging, en er voor haar te zijn. Als ze niet volledig van streek was vanwege de echtscheiding of iets wat Alex haar had aangedaan, spraken of mailden ze elkaar de laatste vijf maanden om de dag. Ze hoorde bij het meubilair van zijn leven en hij was gaan rekenen op het contact met haar. Hij luisterde niet alleen naar haar problemen en zorgen, maar deelde de zijne ook met haar. Het feit dat hij onbereikbaar zou zijn stond hem niet aan. Hij had haar een aantal telefoonnummers gegeven. Dat waren echter nummers waar ze boodschappen voor hem kon achterlaten. Niets meer dan dat. Net zoals hij zijn zoons niet in het wildreservaat kon bereiken, zou zij geen contact met hem kunnen opnemen terwijl hij bij hen was. 'Het zullen twee lange weken worden omdat ik dan niet met jou kan praten,' zei hij triest. Hij zou net als zijn zoons in het post-kantoor urenlang in de rij kunnen gaan staan, hopend op een buitenlijn. Over het algemeen lukte dat de jongens echter niet, en bovendien zou hij Pam zoiets op geen enkele manier kun-nen uitleggen.

'Dat weet ik. Daar zat ik ook net aan te denken,' zei ze, en ze keek triest. Ze had door de jaren heen altijd vriendinnen ge-had, vrouwen wier kinderen samen met de hare waren opge-groeid en anderen met wie ze in commissies had gezeten om liefdadigheidswerk te doen. Maar sinds de dood van Jack was ze heel eenzaam geworden. Alex had haar vriendinnen nooit gemogen en het was steeds moeilijker geworden om te verkla-ren waarom ze zo weinig contact met hen onderhielden. Uit-eindelijk was ze van hen vervreemd geraakt. De enige die ze nu in vertrouwen nam, was Brad. Het leed geen enkele twijfel dat hij haar beste en enige vriend was geworden.

'Fred, gedraag je fatsoenlijk terwijl ik weg ben,' zei hij terwijl hij iets van de bananasplit met haar deelde. 'Kan ik erop re-kenen dat je goed voor jezelf zult zorgen?'

'Dat zal ik waarschijnlijk niet doen, maar ik red me wel. Wel-licht hoor ik voordat jij terugkomt of ik op de juridische fa-culteit ben aangenomen, maar misschien ook niet.'

'Gedraag je. Eet. Slaap. Ga naar college. Praat veel met Zoe.' Hij had Zoe nog niet ontmoet, maar om alles wat Faith hem over haar had verteld bewonderde hij haar en was hij van me-ning dat ze haar moeder goede adviezen gaf.

Faith vond het vreemd dat hij naar Londen ging, maar Eloise niet kon bezoeken of een boodschap aan haar kon overbren-gen. Ze maakte er een punt van haar dochter een paar keer per week te bellen, gewoon om de deur open te houden, maar El-lie scheepte haar altijd af. Als ze Eloise te spreken kreeg, waren de gesprekken kort en zakelijk. Meestal nam ze niet op als ze zag dat haar moeder belde.

Brad en Faith liepen naar huis en hij ging nog een tijdje mee naar binnen. In haar slaapkamer stak hij de haard aan en ging in dezelfde makkelijke stoel zitten waarin Alex altijd had gezeten. Faith installeerde zich aan Brads voeten en hij streelde haar haar. Hij had iets zo troostgevends en liefhebbends, en ze kon er niets aan doen dat ze zich bedacht hoe gelukkig Pam zich mocht prijzen. Toen besefte ze echter dat Pam deze kant van hem niet meer zag en dat ook niet langer wilde. Ze hield hem al jaren op een afstand, en als ze troost nodig had, zocht ze die bij vrienden, terwijl zij, Faith, zich kon koesteren in alle affectie die hij te geven had.

'Fred, ik zal je missen,' zei hij terwijl ze nog steeds aan zijn voeten zat en hij zich vooroverboog om haar hand te pakken. Zwijgend bleven ze lange tijd zo zitten, starend in het vuur. Voor het eerst was Faith zich ervan bewust dat ze iets voor hem voelde dat ze nog nooit eerder had gevoeld. Het leek alsof er een dam brak en een vloedgolf van gevoelens zijn kant op denderde. Ze had er geen idee van wat ze daaraan moest doen, of wat ze eventueel tegen hem zou kunnen zeggen. Toen ze naar hem opkeek, leek ze opeens bang.

'Is alles met jou in orde?' Hij zag iets in haar ogen, maar wist niet wat dat was. 'Is er iets mis?'

Er was iets heel erg mis, zei ze in zichzelf. Ze had geen recht op die gevoelens voor hem en zou dat ook nooit krijgen. Het enige dat ze kon doen, was haar hoofd schudden.

'Je kijkt opeens bang. Was je aan het huis aan het denken?' Omdat ze niet wist wat ze moest zeggen, schudde ze nogmaals haar hoofd. Het ging niet om het huis, maar om hem. Opeens was ze doodsbang dat Zoe gelijk kon hebben. Niet ten aanzien van Brad, maar ten aanzien van haar. Ze was zo gelukkig met hem dat ze opeens meer van hem wilde. Ze was op hem verliefd aan het worden, en ze wist dat hij dat even afschuwelijk zou vinden als zij het vond. Het laatste dat ze wilde was zijn vredige leven verstoren. Ze zou die gevoelens moeten ontkennen. Hij mocht er nooit iets van te weten komen.

Die avond was ze merkwaardig stil, en dat ontging hem niet. Hij zorgde er echter wel terdege voor zich fatsoenlijk te blijven gedragen, want hij wilde dat ze zich bij hem altijd op haar gemak en veilig voelde.

Het was bijna middernacht toen hij vertrok. De volgende morgen moest hij vroeg op. Na de bespreking met de collega zou hij regelrecht naar het vliegveld gaan, en zij zou dan nog college volgen. Ze bood aan niet naar de universiteit te gaan en hem naar het vliegveld te vergezellen, maar dat vond hij geen goed idee.

'Ik zal je in Londen vanaf het vliegveld bellen. Daarna zullen we ons twee weken groot moeten houden. Denk je dat je dat zal lukken?' Ze hadden geen keus. Faith wist dat de band die tussen hen was ontstaan ongewoon was en dat ze er allebei aan verslaafd waren geraakt. Nu ze het een tijdje in hun eentje moesten redden, zouden ze daarmee op de proef worden gesteld.

'Ik zal ontwenningsverschijnselen krijgen als ik niet met je kan praten,' bekende ze hem.

'Ik ook.' Er was echter niets aan te doen.

Voordat hij vertrok hield hij haar een lang moment zo dicht tegen zich aan dat ze nauwelijks kon ademhalen.

'Ik hou van je, Fred,' zei hij, net zoals Jack dat zou hebben gedaan.

Zij voelde echter zoveel meer voor hem. Op de een of andere manier had Brad ongemerkt een ander deel van haar hart veroverd, en daar zou ze iets aan moeten doen zonder dat hij het ooit te weten zou komen. Dus zei ze er tegen hem niets over. Ze gaf hem een kusje op zijn wang en zwaaide hem uit.

De volgende dag ging Faith om halfacht het huis uit. In een ijskoude regen liep ze de twee huizenblokken naar de St. Jean Baptiste Church aan Lexington. Het leek haar een passende straf, die ze verdiende. Voor de mis ging ze biechten en sprak fluisterend tegen de priester. Ze vond dat biechten iets noodzakelijks. Ze moest het iemand vertellen. Ze had iets verschrikkelijks gedaan, en dat had ze zelf net pas ontdekt. Ze hield van hem, met hart en ziel, terwijl hij met iemand anders was getrouwd en van plan was dat ook te blijven. Ze had het recht niet zijn leven, zijn huwelijk of zijn gemoedsrust in gevaar te brengen. Tegen zichzelf en de priester zei ze dat ze de broederlijke vriendschap die hij haar had betoond had misbruikt en ze nu een manier moest vinden om de gevoelens die ze nu voor hem had terug te draaien.

De priester verleende haar absolutie en ze moest tien weesgegroetjes bidden, wat ze een veel te geringe boetedoening vond. Ze was er zeker van dat ze een veel grotere straf verdiende voor de gevoelens die ze voor hem had en het verdriet dat ze zou veroorzaken als hij er ooit achter kwam. Om nog maar te zwijgen over de risico's die zoiets voor hem met zich mee zou brengen.

Ze bad de tien weesgegroetjes, en daarna een heel rozenhoedje. Terwijl ze de rozenkrans in haar trillende handen hield, kon ze aan niets en niemand anders denken dan aan hem.

Ze was nog steeds erg van streek terwijl ze door de regen weer naar huis liep. Toen ze thuis was en haar antwoordapparaat controleerde, bleek daar een boodschap van Brad op te staan. Hij had gebeld voordat hij zijn hotel verliet om naar de geplande bespreking toe te gaan en bedankte haar voor de avond daarvoor. Zijn stem klonk zoals altijd heel vriendelijk. Ze deed haar ogen dicht en voelde hoe een golf van liefde voor hem haar overspoelde terwijl ze naar hem luisterde. Ze was nu blij dat hij naar Afrika ging en dat ze niet met elkaar konden praten terwijl hij daar was. Ze had tijd nodig om haar gevoelens voor hem een andere wending te geven en terug te keren naar wat ze eens hadden gehad. Ze had twee weken om hem weer als een vriend te gaan zien en het litteken te laten genezen.

20

Brad belde Faith niet voor zijn vlucht naar Londen, omdat hij wist dat ze nog college volgde, maar hij dacht wel aan haar terwijl hij op het vliegveld wachtte en ook nadat zijn toestel was opgestegen. Naast haar bij de open haard zitten, zoals de avond daarvoor, was alles wat hij van het leven wilde. Alles wat hij ooit had gewild. Hij wist echter dat hij dat nooit zou krijgen. Meer dan wat dan ook wist hij dat hij geen recht op haar had. Ze verdiende een goed leven, met iemand die van haar hield en goed voor haar zou zijn. Hij was niet van plan Pam te verlaten en Faith had recht op meer dan een deel van een getrouwde man. Hij kon alleen maar dankbaar zijn dat ze geen idee had van zijn gevoelens voor haar. Maar anders dan Faith had hij niet de wens die gevoelens de grond in te stampen. Hij wilde ze alleen verborgen houden, en ze koesteren. Naast zijn zoons was zij de belangrijkste figuur in zijn leven geworden.

Na een tijdje doezelde hij weg en hij sliep het merendeel van de vlucht. Voor het avondeten werd hij wakker, en sliep toen weer verder. Toen hij opnieuw ontwaakte, net voordat ze zouden landen, dacht hij weer aan Faith en had hij de stellige indruk dat hij de hele nacht over haar had gedroomd.

Het vliegtuig landde even na enen, New Yorkse tijd, en hij liep meteen naar een telefoon om haar te bellen. Hij wilde haar nog een keer gedag zeggen voordat hij zich bij Pam in het hotel voegde. Die avond zouden ze naar Zambia vertrekken.

De telefoon rinkelde twee keer. Faith nam snel op en reageerde met een slaperige stem, want voor haar was het midden in de nacht.

'Hallo?' Ze kon zich niet voorstellen wie het kon zijn, en ze glimlachte toen ze Brad hoorde.

'Sorry dat ik je wakker maak. Ik wilde je gewoon nog een keer gedag zeggen.'

'Hoe is de bespreking in New York gegaan?' Ze ging op haar zij liggen en deed haar ogen open.

'Geweldig. Mijn vriend heeft me een heel goed advies kunnen geven. Ik weet niet of het zal werken, maar als ik terug ben zal ik daar mijn uiterste best voor doen.'

Faith wist hoeveel het voor hem betekende. Twee maanden geleden had hij een proces verloren, waardoor een zestienjarige jongen voor vijf jaar achter de tralies was gezet. Brad was er kapot van geweest, en ervan overtuigd dat het zijn schuld was omdat hij zijn werk niet beter had gedaan.

'Ik weet dat je dat zult doen,' zei ze geruststellend. 'Hoe is het weer in Londen?'

'IJskoud en regenachtig, zoals gewoonlijk.'

'Dat klinkt als New York,' zei ze glimlachend. Ondanks alles was ze blij dat hij belde.

'Ik wou dat ik namens jou naar Eloise toe kon gaan. Ik denk dat ik haar wel zover zou kunnen krijgen dat ze naar me luistert. In elk geval zou ik dat dolgraag willen proberen.' Ze wisten echter allebei dat dat onmogelijk was, want hij was een vreemde voor haar dochter.

'Ik wou ook dat dat kon. Ga je in Londen nog iets bijzonders doen?'

Het was een vreemd idee dat hij twee weken samen met Pam zou zijn. Het merendeel van de tijd leefden ze zo hun eigen leven dat hij vermoedde dat haar voortdurende nabijheid hem moeilijk zou vallen, en de zijne haar misschien ook. Ze waren tegenwoordig bijna vreemden voor elkaar. Het enige gemeenschappelijke dat ze nog hadden, waren hun zoons.

'Nee, eigenlijk niet. Pam zal wel willen winkelen en ik denk erover een paar uur in het British Museum door te brengen. Misschien ga ik ook wel met haar mee, maar van winkelen word ik na een tijdje altijd gek.' Toen kreeg hij opeens een idee.

'Ik kan ook naar een kerk gaan om kaarsen op te steken voor jou en voor Jack.'

Dat idee maakte haar aan het glimlachen terwijl ze in het donker naar hem lag te luisteren. 'Je raakt eraan verslaafd, hè?' zei ze, en hij schoot in de lach.

'Ja, inderdaad. Het gekke is dat ik erin geloof. Het lijkt alsof je iets speciaals zal overkomen of je veilig zult zijn zolang dat lichtje blijft branden. Dat gevoel wil ik je geven.'

'Veilig voel ik me bij jou al, maar ik kan die kaarsen best waarderen. Sorry dat ik je telefoontje vanmorgen heb gemist. Ik ben al heel vroeg naar de kerk gegaan.'

'Gek is dat. Weet je dat ik het gevoel had dat je daar was? Fred, je leek gisteravond heel erg ernstig. Was alles met je in orde?' Ze had aan hem gedacht, en alles wat ze voor hem voelde. Ze was echter niet van plan hem dat te vertellen, want anders zou ze opnieuw moeten gaan biechten. 'Met mij is alles oké,' stelde ze hem gerust. 'Er gebeurt de laatste tijd alleen nogal wat in mijn leven, en daardoor heb ik veel om over na te denken.'

'Dat weet ik, en om die reden maak ik me zorgen over je.' Na een korte stilte zuchtte hij en zei dat hij naar het hotel moest gaan. 'Pas goed op jezelf, Fred. Over twee weken spreek ik je weer.'

'Pas jij ook goed op jezelf, en amuseer je!' zei ze. Nadat de verbinding was verbroken lag ze nog uren in bed aan hem te denken. Het zou niet gemakkelijk zijn hem uit haar hart te verbannen en terug te keren naar een normale vriendschap. Ze had er geen idee van hoe ze dat moest aanpakken.

Brad was na zessen 's morgens Britse tijd geland en toen hij de douane door was, Faith had gebeld en in de limousine was gestapt, was het bijna negen uur. Pam had de vorige nacht in het Claridge's gelogeerd en ze was er niet toen hij de kamer in liep. Ze had een briefje voor hem achtergelaten met de mededeling dat ze op tijd op het vliegveld zou zijn en al haar koffers al waren gepakt. Zoals gewoonlijk had ze veel te veel meegenomen.

Brad nam een douche en schoor zich, bestelde iets te eten bij de roomservice, las de krant en verliet het hotel om twaalf uur. Hij ging naar het British Museum, zoals hij al tegen Faith had gezegd, en ontdekte toen een prachtige oude kerk aan Kingsway, zes huizenblokken van het museum vandaan. Daar stak hij de beloofde kaarsen voor haar en Jack op. Lange tijd bleef hij in die kerk zitten, denkend aan haar, aan hoe fatsoenlijk ze was en hoe hij wenste meer voor haar te kunnen doen. Uiteindelijk belandde hij in New Bond Street, waar hij een paar galerieën in liep. Bij Asprey's bewonderde hij de zilveren beestjes en lederwaren, en toen liep hij Pam tegen het lijf, die Graff's uitkwam – een van de belangrijkste juwelierszaken ter wereld.

'Als je me gaat vertellen dat je net iets hebt gekocht, zal ik een hartaanval krijgen,' zei hij vol overtuiging.

Pam schoot in de lach. 'Ik heb alleen rondgekeken,' zei ze onschuldig. Ze vertelde hem niet dat ze een smalle armband met diamanten en een nieuw horloge had gekocht. Ze zouden naar huis worden opgestuurd, dus hoefde ze Brad die aankopen nog niet meteen op te biechten.

Pam had een limousine van het hotel geregeld en Brad reed met haar mee terug. Ze zag er heel stijlvol uit in een marineblauw broekpak en een met bont afgezette regenjas. Het kostte Brad moeite zich haar in Afrika voor te stellen. Ze leek veel meer op haar gemak in Londen, op de achterbank van een limousine.

'Wat heb jij vandaag gedaan?' vroeg ze tijdens de rit naar hun hotel.

Hij glimlachte in zichzelf toen hij zich bedacht hoe idioot ze het zou vinden als hij haar vertelde dat hij een kerk had bezocht. 'Ik ben naar het British Museum gegaan.'

'Wat een nuttige tijdsbesteding.' Ze glimlachte toen ze voor het Claridge Hotel tot stilstand kwamen en de portier en een heel regiment piccolo's kwamen aangesneld om te helpen. De chauffeur had een stuk of vijf boodschappentassen in de kofferbak gedeponeerd en Brad kreunde toen hij die te voorschijn zag komen.

'Ik hoop dat je een extra koffer hebt aangeschaft als je al die spullen wilt meenemen naar Afrika.' Hij had er geen flauwe notie van wat ze allemaal had gekocht. Er waren tassen van Gucci, Hermès, Saint Laurent en Chanel.

'Ik heb nog plaats over in mijn bagage. Maak je daar maar geen zorgen over,' zei ze. Toen marcheerde ze het hotel in, gevolgd door de piccolo's met haar tassen. Brad, die de rij sloot, constateerde hoeveel zijn vrouw van Faith verschilde. Ze was sterk, had zelfvertrouwen en aarzelde niet tegen anderen te zeggen wat ze moesten doen. Ze gaf iedereen de indruk dat zij de wereld kon bestieren en dat ook zou doen als ze er maar even de kans toe kreeg. Faith was oneindig veel zachtaardiger, stiller en subtieler in haar benaderingswijze. Als Brad bij haar was, voelde hij zich vredig. Bij Pam had hij het gevoel op een vulkaan te staan die op het punt stond uit te barsten. Het gevoel van spanning en energie die niet adequaat binnen de perken werden gehouden. Hij wist nooit wanneer haar energie op hem zou worden gericht.

Ze zeiden niets tegen elkaar terwijl ze met de lift naar boven gingen en toen ze in de kamer waren, draaide Pam zich om om naar hem te kijken. Ze had het gevoel hem lange tijd niet echt te hebben gezien. In zekere zin was dat ook zo, al woonden ze nog wel onder een dak.

'Jammer dat de jongens in Afrika zijn,' zei Pam, die in de zitkamer van hun suite in een grote oorfauteuil plaatsnam en haar schoenen uittrapte. Ze logeerde altijd in luxueuze hotels en koos dan voor een grote suite. 'Ik wou dat ze in een geciviliseerder oord waren, zoals Parijs of New York.'

'Dat zou naar mijn idee voor hen lang zo leuk niet zijn,' zei Brad. Hij haalde een fles wijn uit de koelkast, maakte hem open en bood haar een glas aan.

'Waarschijnlijk niet,' zei ze. Ze haalde nauwelijks adem voordat ze met de volgende vraag kwam. Ze was slim en ze wist dat hij in gedachten ergens mee bezig was. Hoewel ze elkaar niet meer nabij waren, had ze ten aanzien van hem opmerkelijke instincten, en niet altijd van het beste soort. Soms wilde ze niets anders doen dan bewijzen dat ze hem in een hoek kon drijven. 'Hoe was het in New York?'

'Heel goed,' zei hij blij. 'Ik heb alles gekregen wat ik van Joel Steinman over die zaak wilde hebben.'

'Dat is fijn.' Ze was nooit in zijn werk geïnteresseerd, evenmin als hij in het hare. 'Hoe was het met je vriendin?' Bingo! Dat kon ze aan de blik in zijn ogen zien, wat hij ook zou besluiten te zeggen.

'Faith?' Hij zou het niet voor haar verborgen houden, noch haar de voldoening schenken er op een later tijdstip achter te komen. 'Prima. Ik heb gisteravond samen met haar gegeten.'

'Is ze er al achter dat je van haar houdt?' vroeg Pam emotieloos. Ze had van hem alles wat ze wenste. Respectabiliteit, zo nodig gezelschap en het gemak van een huwelijk dat al jaren bestond en waaraan ze net als hij geen eind wilde maken. Op deze manier werkte het voor hen beiden.

Hem stonden de aard van haar vraag en de toon waarop die werd gesteld echter niet aan. 'Nee, want ik hou niet van haar.' Pam was er eerder achter gekomen dan hijzelf. Diep in zijn hart wist hij nu dat ze gelijk had. Het zou echter voor alle betrokkenen gevaarlijk zijn dat tegenover haar toe te geven. Meer dan wat ook was hij het aan Faith verschuldigd haar te beschermen. 'Ik heb al tegen je gezegd dat we oude vrienden zijn.'

'Ik weet niet tegen wie je aan het liegen bent. Jezelf, mij of haar. Waarschijnlijk alle drie.'

'Fraai beeld dat je schetst,' zei Brad, die geërgerd keek terwijl hij een slokje wijn nam.

Pam dronk van haar wijn en nam hem aandachtig op. 'Kijk niet zo gespannen,' zei ze plagend. 'Je moet wel van haar houden als je je zo in de verdediging gedrongen voelt. Het is geen halszaak, Brad. Waarom ben je op dit punt zo gevoelig? Wat is er zo heilig aan die vrouw?'

'Ze is de zuster van mijn beste vriend, die toevallig dood is. Ik ben samen met haar opgegroeid, en ik zie haar als een jongere zus. Ik vind het smakeloos van je om zulke toespelingen over haar te maken.'

'Sorry als ik smakeloos lijk, schat, maar je weet hoe ik ben. Ik noem de dingen bij hun naam zoals ik ze zie. Verder ken ik jou. Ik denk echt dat je van haar houdt. Dat is niet erg. Ik reageer er niet overgevoelig op, dus waarom zou jij dat dan wel doen?' Ze had er slag van zonder tact en gevoelloos in zijn leven te wroeten, en dat was er de reden van dat hun huwelijk uiteindelijk geen succes was geworden. Dat Faith zoveel zachtaardiger was – tegenover hem en tegenover iedereen – was een van de dingen die hem zo in haar aanstonden. Pam bewerkte iedereen met een moker. Met name hem.

'Waarom laten we dat onderwerp voor de rest van de reis niet rusten?' stelde hij voor. 'Dat zou voor ons allebei heel wat beter zijn.' Ze zouden enige tijd samen moeten doorbrengen en dichter bij elkaar zijn dan in jaren het geval was geweest. In San Francisco konden ze elkaar ontlopen en hadden ze een eigen leven. Gedurende deze reis zouden ze een soort Siamese tweeling zijn en daar verheugde Brad zich niet op.

De eerste twee uren slaagden ze erin elkaar niet in de haren te vliegen. Pam nam een bad, Brad deed een dutje en bij de roomservice bestelden ze sandwiches voordat ze naar het vliegveld gingen. Het zou een lange nacht worden. Ze hadden een reis van twaalf uur voor de boeg en zouden op het vliegveld van Lusaka in Zambia landen. Daarvandaan moesten ze een ander vliegtuig nemen naar Kalabo, aan de overkant van de rivier de Zambesi bij de Victoria Watervallen. De jongens hadden beloofd hen daar op te wachten met een vrachtwagen om hen mee te nemen naar het nationale park waar ze woonden en werkten.

Terwijl ze op Heathrow wachtten verdween Pam om de winkels te bekijken. Brad ging een boek kopen. Hij probeerde Faith te bellen, maar ze was niet thuis. Dus sprak bij een boodschap voor haar in. Een halfuur later troffen Pam en hij elkaar weer bij de luchtbrug en toen overhandigde ze hem een in cadeaupapier gewikkeld pakje.

'Wat is dat?'

'Een presentje voor jou,' zei ze. 'Het spijt me dat ik je met je vriendin heb geplaagd.' Sommige aangelegenheden waren verboden terrein en ze begon te vermoeden dat die vrouw tot die categorie behoorde, hetgeen alleen maar bevestigde wat ze al dacht. Ze gaf er echter de voorkeur aan voor het begin van de reis vrede met Brad te sluiten.

'Dank je, Pam,' zei hij. Hij keek geroerd, maakte het pakje open en zag een kleine Japanse camera met een panoramalens. Perfect voor hun reis. 'Wat een leuk cadeau. Nogmaals: dank je wel.' Het bracht hem even in herinnering dat ze elkaar eens aardig hadden gevonden en vrienden waren geweest. Dat was echter lang geleden. Ze hadden allebei te veel teleurstellingen gekend om iets meer dan vriendschap voor elkaar te kunnen voelen. Voor deze reis was dat in elk geval echter voldoende.

Ze namen plaats in hun stoelen in het vliegtuig, maakten een keuze uit het menu en reserveerden films die ze ieder op een eigen scherm konden bekijken. Pam pakte een stapel modebladen die ze had gekocht, en wat papieren van kantoor. Vlak voor haar vertrek was ze met een paar belangrijke deals bezig geweest, en haar vader had beloofd die zaken voor haar waar te nemen. Hij was de enige op kantoor die ze echt vertrouwde. Verder verliet ze zich op zichzelf. Ondanks alle andere juristen en capabele mensen om haar heen knapte ze alles het liefst in haar eentje op. In teamverband kon ze niet goed werken, en hetzelfde gold voor Brad. Toen ze nog samenwerkten, hadden ze elkaar nooit vertrouwd. Hij hield zich bezig met zijn cliënten, en zij met de hare, en ze hadden voortdurend geruzied over hun werk. Dat was een van de vele redenen waarom hij voor zichzelf was begonnen. Dat, en het feit dat hij het gevoel had door Pam en haar vader aan een ketting te worden gehouden. Dat was voor hem een onhoudbare situatie geweest. Het was ook een van de redenen waarom ze zo boos werd toen hij vertrok. Ze had geen controle meer over hem. Hij hoefde zich niet meer te verantwoorden tegenover haar of haar vader, en dat was nu precies een van de dingen die híj prachtig vond aan het zelfstandig werken.

Tijdens de vlucht zeiden ze heel weinig tegen elkaar en ze waren allebei uitgeput toen ze op het eerste vliegveld waren geland. Ze hadden geen van beiden geslapen. Brad had naar de films zitten staren die hij had uitgekozen en alleen aan Faith kunnen denken. Pam had gelijk, al zou hij liever sterven dan dat tegenover haar toe te geven. Hij kon Faith niet uit zijn gedachten zetten. Hij maakte zich zorgen over haar gevoelens, haar welzijn en wat Alex met haar deed. Hij was bang dat Alex tijdens zijn afwezigheid iets afschuwelijks zou doen, en hij vond het verschrikkelijk dat Ellie haar in de steek had gelaten. Hij kon alleen maar denken aan de tienduizend problemen die ze wellicht onder ogen moest zien terwijl hij er niet was en ze op geen enkele manier contact met hem kon opnemen.

'Je ziet er niet uit,' zei Pam bot terwijl ze op hun volgende vlucht wachtten.

'Ik ben moe.'

'Ik ook, en ik hoop dat de jongens het waarderen dat we helemaal hierheen zijn gekomen. Ik begin te denken dat we beter gewoon hun thuiskomst hadden kunnen afwachten.' Brad had hen echter te erg gemist, en bovendien hadden ze beloofd de jongens te komen opzoeken. Hij had haar ervan overtuigd dat het een geweldige reis zou worden. Toen ze in het tweede vliegtuig stapten begon zij zich echter al zorgen te maken over het eten, en zelfs over het gebottelde water. Inmiddels waren ze allebei zo uitgeput dat ze in slaap vielen.

Toen ze in Kalabo landden, was het ochtend. Ze werden allebei op exact hetzelfde moment wakker: toen de wielen van het toestel de landingsbaan raakten. Ze zagen een ongelooflijke zonsopgang. In de lucht prijkten roze en oranje strepen terwijl de zon boven de bergen zweefde, en op de vlakten zagen ze allerlei kuddes dieren. Brad had zoiets nog nooit van zijn leven gezien. Het terrein leek zich eindeloos uit te strekken, en er was niet meer dan een handjevol wegen en voertuigen. Bij de landingsbaan stonden halfnaakte stamleden te wachten tot de passagiers zouden uitstappen.

'Nu gaat het beginnen,' zei Pam zenuwachtig. 'Toto, ik heb het gevoel dat we niet langer in Kansas zijn.'

Brad schoot in de lach. Ze was geen type dat graag uit haar eigen omgeving werd gehaald, of werd weggehaald van een plek waar ze het gevoel had alles onder controle te hebben. Brad kon het echter niets schelen waar ze landden of wat ze moesten doorstaan om er te komen. Het was negen maanden geleden dat hij zijn zoons had gezien, en dat was voor hem voldoende. Hij zou bereid zijn geweest naar de hel en weer terug te gaan om bij hen te zijn.

Ze liepen de vliegtuigtrap af en gingen door naar de aankomsthal, waar de douane bleek te bestaan uit een man op blote voeten, gekleed in een overhemd met epauletten en een wit short. Hij had een hoofd als een Afrikaans beeldhouwwerk, keek nijdig, controleerde hun paspoorten en gebaarde toen dat ze konden doorlopen. Als Pam alleen was geweest, zou de man haar doodsbang hebben gemaakt, en ze zou nog steeds het liefst meteen teruggaan naar Claridge's en dan haar huis. De enige troost die ze had was dat ze Dylan en Jason zou zien, maar ze vond dat ze daar wel een hoge prijs voor moest betalen.

Brad slaakte een kreet van vreugde zodra hij de jongens zag. Ze stonden buiten naast een vrachtwagen te wachten en zodra Pam, Brad en een kruier de aankomsthal uit kwamen, liepen ze snel naar hun ouders toe en omhelsden hen. Ze waren knap en lang, met door de zon gebleekt blond haar, en zo donker gebruinde gezichten dat ze inboorlingen leken. Het was een identieke tweeling, en ze leken op Brad – tot en met het kuiltje in hun kin – met uitzondering van hun blonde haar dat niemand ooit had kunnen verklaren behalve met het idee dat er ergens in de verre familie een Zweed moest zitten, zoals Brad het stelde. Nu besefte Brad dat ze dezelfde kleur haar hadden als Faith. Nog iets wat hem haar in herinnering bracht. Zelfs daar!

'Jullie zien er ongelooflijk uit,' zei Brad grinnikend. Ze waren wat dikker geworden en hadden door het werk dat ze deden stevige spieren gekregen in hun rug, schouders en armen. In hun T-shirt en spijkerbroek zagen ze eruit als bodybuilders, en zelfs Pam leek opgewonden nu ze hier was. Het was geweldig hen weer te zien.

'Pap, jij ziet er ook goed uit,' zei Dylan tegen zijn vader terwijl Jason hielp de bagage van zijn moeder in te laden. Brad was de enige geweest die de jongens uit elkaar had kunnen houden, en hij had altijd gezworen dat ze er duidelijk anders uitzagen. Pam was er nooit zeker van geweest tegen wie van de twee ze het had en had dat probleem opgelost door ze als kind gympjes in verschillende kleuren aan te trekken – die ze later natuurlijk waren gaan verwisselen. Zelfs als volwassenen waren ze nog moeilijk uit elkaar te houden. Jason was iets langer dan Dylan, maar zo weinig dat dat niet te zien was.

Ze hadden allerlei interessante dingen te vertellen terwijl ze naar het nationale park Liuwa Plain bij de rivier de Zambesi reden. Ze legden van alles en nog wat uit, voorzagen dieren die ze passeerden van een naam, vertelden over stammen die in de bush langs de weg leefden. Ze zagen precies die dingen die Brad had gehoopt te zien en daardoor was hij blij dat ze hierheen waren gegaan. Meer dan ooit besefte hij wat een buitengewone ervaring dit voor de jongens was. Hij wist dat ze die nooit zouden vergeten en later moeilijk iets zouden kunnen vinden wat dit kon evenaren. In juli zouden ze naar huis komen, al hadden ze het er wel over gehad nog een jaar in Londen te blijven, of misschien een half jaar door Europa te trekken voordat ze verder gingen studeren of een baan aannamen. Pam had zich vast voorgenomen erop aan te dringen dat ze rechten gingen studeren. Maar nu Brad hier eens goed om zich heen keek, was hij er niet meer zeker van dat ze daarmee ook maar een kans van slagen had. Ze hadden kennisgemaakt met een veel bredere wereld en ze hadden geen van beiden belangstelling aan de dag gelegd voor een rechtenstudie of het idee later voor haar te gaan werken.

Het duurde vier uur voordat ze over smalle hoofdwegen en wegen vol kuilen het reservaat hadden bereikt en toen ze daar waren, begon Pam zich steeds minder op haar gemak te voelen. Ze had de stellige indruk dat ze bij het eind van de wereld waren, en dat was ook zo. Brad vond het echter prachtig, net als de jongens. Pam zag eruit alsof ze meteen weer wilde omdraaien naar huis. De werknemers van het reservaat woonden in tenten, en er waren twee smalle gebouwen. Het ene diende als recreatieruimte en kantoor, het andere als eetzaal. Voor gasten waren er twee kleine hutten. De jongens hadden er een voor hen te pakken kunnen krijgen, maar Brad zei dat hij liever bij hen in hun tent sliep.

'Ik niet,' zei Pam snel, en ze schoten allemaal in de lach. De douche bevond zich buiten en bestond in feite uit een grote tent met een slang. Ook de wc's waren buiten. Het was in feite een van de luxere reservaten in de regio, maar niet zo luxueus als sommige in Kenia, waaraan Pam misschien de voorkeur had gegeven. Wat haar betrof was dit alles heel beroerd. 'O, mijn god,' mompelde ze toen Dylan een deur openmaakte en haar de wc's liet zien. 'Is dat alles?' vroeg ze, biddend dat er een badkamer uit de lucht zou komen vallen. De gedachte dat ze hier twee weken moest doorbrengen maakte haar bijna aan het huilen.

'Je zult het best redden,' zei Brad, en hij gaf haar een schouderklopje, waar ze woest op reageerde.

'Wiens idee was dit?' fluisterde ze hem toe toen de jongens dekens en kussens voor hen gingen halen.

Brad lachte. 'Dat van je zoons. Ze wilden dat we zouden zien waar ze de laatste negen maanden wonen. Ik beloof je dat je eraan gewend zult raken.'

'Reken daar maar niet op.' Brad kende haar goed genoeg om te weten dat ze daar waarschijnlijk gelijk in had. Hij wist echter ook dat ze haar best zou doen. Ze was verwend en hield van comfort, maar als ze onder druk werd gezet kon ze ook sportief zijn. Ze deed voor de jongens ook inderdaad haar best, hoewel ze bijna flauwviel toen ze haar eerste slang zag en de jongens haar waarschuwden dat er 's avonds en 's nachts insecten door haar kamer zouden vliegen die even groot waren als haar vuist. Alleen al door die mededeling wilde ze gaan krijsen, of haar spullen weer inpakken en naar huis gaan.

De eerste avond brachten ze in de open lucht door, rond een kampvuur, en ze luisterden naar de geluiden van de fluweel-

achtige Afrikaanse nacht. Brad had zoiets nog nooit in zijn leven gezien en hij vond het prachtig. De volgende dag maakte
hij samen met de jongens over zandwegen een lange rit naar
Lukulu, een marktstadje. Pam bleef in het kamp. Ze had visioenen van hun vrachtwagen die door een neushoorn werd
geramd, werd besprongen door een leeuw of omver werd ge-
stoten door een waterbuffel. Echt mis had ze het in dat opzicht
niet. Sommige van die dingen waren gebeurd, maar voor het
merendeel wisten de mensen in het reservaat wat ze deden, net
als haar zoons inmiddels. Vol enthousiaste verhalen over alles
wat ze hadden gezien kwam Brad weer terug.

De eerste week leken de dagen voorbij te vliegen. Het enige
waarnaar hij verlangde was een telefoon om Faith te kunnen
bellen en haar te vertellen wat hij allemaal had gezien. Pam
wilde niets anders dan een fatsoenlijke wc en douche, maar na
de eerste paar dagen hield ze op met klagen.

De jongens namen hen mee naar Ngulwana, aan de andere
kant van de rivier, waar ze bezig waren geweest met het graven van greppels, het bouwen van huizen en het restaureren
van een vervallen kerk. Ze waren op dit moment een hospi-
taaltje aan het bouwen waar een arts een keer per maand kwam
om zieken en gewonden te behandelen. Het dichtstbijzijnde ziekenhuis bevond zich in Lukulu – in de droge tijd twee uur rijden verderop en in de regentijd vier uur, zo je er dan al kon
komen. De enige andere optie was er met een vliegtuigje naartoe te gaan. Het was geen geweldig oord om ziek te worden,
zei Pam, en Brad was dat met haar eens. Hij was echter ook
onder de indruk van het vele werk dat zijn zoons voor de plaatselijke bevolking hadden gedaan. Iedereen leek hen te kennen
en van hen te houden. Een aantal mensen zwaaide en glimlachte als groet wanneer ze langskwamen, en Pam en Brad waren ontzettend trots op hen.

In de tweede week was Brad verliefd geworden op Afrika zelf,
de mensen, de geluiden, de geuren, de warme avonden, de ongelooflijke zonsopgangen en zonsondergangen, en het licht dat
met geen pen te beschrijven was. Hij had zijn camera altijd bij

zich en opeens begreep hij waarom zijn zoons het hier zo geweldig vonden. Het was magisch en hij zou zelf graag ook een jaar in Afrika willen doorbrengen. Pam had sportief alles gegeten wat haar werd voorgezet. Ze had geleerd in de tent te douchen, griezelde nog steeds als ze naar de wc moest, krijste wanneer ze insecten zag en wilde ondanks het feit dat ze veel van haar zoons hield zo snel mogelijk naar huis. Dit was domweg niets voor haar, en de laatste avond was ze blij en opgelucht.

'Mam, je bent heel sportief geweest,' feliciteerde Jason haar, en Dylan gaf haar een knuffel. Brad vond het wel erg weg te moeten. Hij had beide weken in de tent van zijn zoons geslapen, was 's nachts met hen op pad gegaan en samen met hen voor het ochtendgloren opgestaan. Hij had beesten elkaar zien doden, kuddes op hol zien slaan, en een poel bezocht waar olifanten naartoe gingen om te sterven. Hij had dingen gezien waarover hij alleen had gelezen of gedroomd. Dit was een tijd geweest die hij met zeer veel genoegen met hen had gedeeld en nooit zou vergeten. Voor de twee jongens had het eveneens veel betekend. Ze hadden ook meer om met hem over te praten – en meer dingen waarover ze hem in vertrouwen namen – dan in jaren het geval was geweest. Zijn vermoeden dat ze niets voor een rechtenstudie voelden was door hen bevestigd en ze hadden daaraan toegevoegd dat ze bang waren dat Pam te vertellen. Dylan dacht erover medicijnen te gaan studeren en daarna weer naar derdewereldlanden te vertrekken om te werken met kinderen met een tropische ziekte. Jason wilde iets gaan doen in de gezondheidszorg, maar wist nog niet precies wat. In elk geval zouden ze allebei nog jaren moeten studeren en daar wilden ze waarschijnlijk over een maand of twaalf mee beginnen.

'Wie gaat het jullie moeder vertellen?' had Brad tijdens een van hun lange ritten voor het aanbreken van de dageraad plagend gevraagd.

'Dat zul jij moeten doen, pap,' had Dylan al even plagend gereageerd. 'Wij hebben bedacht dat jij de meeste ervaring hebt als boodschapper van slecht nieuws.'

'Hartelijk bedankt, heren. En wanneer verwachten jullie van me dat ik met dat nieuwtje kom?' Ze had zich al voorgesteld dat ze op het kantoor van hun grootvader werkten – iets wat ze vanaf hun jeugd had gepland.

'Na jullie vertrek, dachten we zo,' zei Jason lachend.

'Ik kan nauwelijks op dat moment wachten, al zou ik jullie het vuile werk moeten laten opknappen. Dat hoort bij het volwassen worden.' Uiteindelijk ging hij er echter wel mee akkoord. Hij zou het haar vertellen wanneer ze weer thuis waren. Nadat ze was bijgekomen van de reis, besloot hij. De afgelopen twee dagen had ze last gekregen van een lichte dysenterie en ze verlangde er steeds wanhopiger naar om naar huis te gaan.

Op de dag dat ze vertrokken oogde ze alsof ze werd vrijgelaten uit de gevangenis. Het was geen lievelingsreis van haar geworden, al vond ze het wel fijn haar zoons te hebben gezien. Ze had zich aldoor zenuwachtig, gespannen en slecht op haar gemak gevoeld en zich alle mogelijke vormen van gevaar ingebeeld, plus ziektes die overal op de loer lagen. Daardoor was ze nauwelijks in staat geweest van de geluiden, de geuren en de bezienswaardigheden te genieten. Brad had genoten voor twee en zou het heerlijk hebben gevonden nog een keer terug te kunnen komen, maar de jongens zouden over drie maanden vertrekken. Hij wenste dat hij eerder naar Afrika had kunnen gaan, zodat een tweede reis – zonder Pam – tot de mogelijkheden had behoord. Het was uitputtend haar voortdurend te moeten geruststellen. Toch was hij geduldig en reageerde meelevend op haar angsten. Voor haar was het niet meegevallen. Ze was veel liever naar Hawaï, Londen of Palm Springs gegaan. Afrika was haar domweg te machtig, en duidelijk opgelucht nam ze afscheid van de jongens.

'Dank voor je komst, mam,' zeiden ze allebei gemeend. Omdat ze wisten hoe ze over de bush dacht, waardeerden ze haar komst des te meer. Brad respecteerde haar omdat ze was meegegaan. De reis had niet gezorgd voor een sterkere band tussen hem en haar. Wel tussen hem en zijn zoons. Hij vond het prachtig dat hij een tijd samen met hen in Afrika had doorgebracht.

'Ik zie jullie thuis weer,' zei Pam, met de nadruk op 'thuis'. Daar moesten ze allemaal om lachen.

'In juli zijn we er weer,' zeiden Jason en Dylan tegelijkertijd. Ze hadden er al in toegestemd een tijdje naar huis te komen voordat ze weer gingen reizen of een jaar in Europa zouden gaan werken. Dylan wilde naar Australië en Nieuw-Zeeland en Jason probeerde hem ertoe over te halen een jaar in Brazilië door te brengen. Hoe dan ook... ze waren er allebei duidelijk nog niet aan toe om zich te settelen.

'Ze moeten gaan denken over een rechtenstudie, of zich op zijn minst inschrijven als ze op een goede universiteit terecht willen komen,' zei Pam tegen Brad toen ze in het vliegtuig stapten. Hij knikte. Het was nog te vroeg om al met het slechte nieuws te komen, want ze hadden Afrika nog niet eens achter zich gelaten. De hele terugweg naar Lusaka keek ze bezorgd. Daar op het vliegveld voelde ze zich niet goed en had ze last van maagkrampen. In het toestel naar Londen knapte ze weer op en toen ze in het Claridge Hotel arriveerden – waar ze een nacht zouden blijven om daarna naar huis te vliegen – zag ze eruit alsof ze in de zevende hemel was. Ze zouden via de pool vliegen en geen tussenlanding maken in New York. Wat Brad betrof was dit een heel bijzondere reis geweest en voelde hij zich als herboren, alsof hij de wereld had veroverd. Pam was alleen maar dankbaar dat ze het had overleefd.

'Ik zal hen niet opzoeken als ze naar Brazilië gaan,' zei ze vastberaden terwijl ze in het onberispelijke bed klauterde. Ze had een uur in bad gezeten, haar haar gewassen en haar nagels geschrobd. Twee weken lang had ze zich vies gevoeld. Nu had ze in het immense bed het idee een koningin te zijn. Ze zei Brad welterusten, deed het licht uit en ging slapen terwijl hij naar de huiskamer liep om te lezen. Hij wachtte nog een uur, tot Pam diep in slaap was, en toen belde hij Faith. Ze nam op nadat het toestel twee keer was overgegaan en reageerde opgetogen zodra ze zijn stem hoorde. Op het moment dat hij haar hoorde, vroeg hij zich af hoe hij twee weken zonder met haar te kunnen praten had overleefd.

'Fred, je klinkt heel goed. Is alles oké?'

'Heel vredig,' zei ze, en ze klonk gezond en kalm. Bij haar was het middag en ze was in haar studeerkamer met een werkstuk bezig geweest toen hij belde. 'Hoe was de reis?'

'Ongelooflijk. Het was zo mooi dat ik het niet eens voor je kan beschrijven. Ik zal je foto's sturen, en ik wil er nog een keer naartoe.'

Ze vond het heerlijk voor hem. Ze had zich veel zorgen over hem gemaakt, maar moeten aannemen dat alles met hem in orde was. Ze had zich ook angstig afgevraagd of dit een tweede huwelijksreis voor hem en Pam was geweest. Omwille van hem had ze gebeden dat dat het geval zou zijn, maar een boosaardig, egoïstisch deel van haar had gehoopt van niet.

'Hoe was het met je zoons?'

'Fantastisch. Groot, knap, sterk en gelukkig. Dit is het beste dat die twee ooit is overkomen. Ik wou dat ik iets dergelijks had gedaan toen ik zo oud was als zij, maar daar zou ik het lef niet voor hebben gehad.'

'Was het angstaanjagend?' vroeg ze onder de indruk.

Hij lachte. 'Ik vond van niet, maar ik denk dat er op deze wereld niet voldoende geld te vinden is om Pam ertoe over te halen nog een keer terug te gaan. Deze reis was echt niets voor haar. Ze heeft in een kleine hut geslapen en was elke nacht doodsbang. De laatste paar dagen is ze ziek geweest. Ik heb bij de jongens in hun tent geslapen.'

Ze vond het prettig dat te horen, en haatte zichzelf daar meteen om. Twee weken lang had ze tevergeefs gebeden dat haar gevoelens voor Brad weer vriendschappelijk zouden worden. Ze had er zelfs buiten de biechtstoel met een priester over gesproken. Hij had haar aangeraden tot de Heilige Judas te bidden en gezegd dat wonderen bestonden, wat haar nog meer in verwarring had gebracht. Het enige wonder dat zij nodig had, was dat er een eind kwam aan wat ze nu voor hem voelde. Ze moest een vredig plekje zien te vinden, waar ze weer niets meer dan een goede vriendin van hem zou zijn. Ze kon het zichzelf niet toestaan meer voor hem te voelen dan dat en tot dusver had de Heilige Judas haar niet geholpen. Haar hart had een geweldige sprong gemaakt zodra ze zijn stem hoorde. Ze had zelfs elke dag een rozenhoedje gebeden, maar omdat ze daarbij de rozenkrans had gebruikt die hij haar had gegeven, had dat haar alleen maar aan hem doen denken. Het was de laatste tijd de grootste innerlijke strijd die ze voerde. De andere gevechten hadden te maken met de echtscheiding. Alex maakte haar het leven zuur, maar daar begon ze aan te wennen en ze had belangrijk nieuws voor Brad.

Ze liet hem alles over zijn reis vertellen en begon breeduit te glimlachen toen ze meedeelde dat ze een verrassing voor hem had.

'Laat me eens raden.' Hij concentreerde zich, alleen al genietend van het feit dat hij weer met haar kon praten. Er was zoveel dat hij met haar wilde delen, en daar kon hij zich nu niet alles van herinneren. Het was te veel en hij was te moe. 'Je hebt voor je examens twee tienen gehaald.'

'Bijna. Een negen en een tien. Maar dat is de verrassing niet.'

'Ellie heeft haar excuses aangeboden en is tot de ontdekking gekomen dat haar vader een stuk ellende is.'

'Nog niet,' zei Faith, en ze klonk even triest.

'Dan weet ik het niet. Geef me eens een hint.'

Ze was te opgetogen om zich nog te kunnen inhouden. Ze wist het al tien dagen en wilde het hem dolgraag vertellen. Het vorige weekend hadden zij en Zoe samen gedineerd om het te vieren. 'Ik ben toegelaten op de juridische faculteit van de Universiteit van New York.'

'Hoera! Dat is fantastisch. Fred, ik ben zo trots op je!'

'Ik ook op mezelf.'

'Het is geweldig. Ik wist wel dat het je zou lukken. Hoe zit het met Columbia?'

'Daar heb ik nog niets van gehoord. Zij versturen de brieven de volgende week, maar ik ga sowieso liever naar de universiteit hier. Ik woon in New York en dit komt me prima uit.' Ze spraken er nog een paar minuten over en ze bracht hem op de hoogte van de ontwikkelingen rond haar echtscheiding. Alex maakte het haar nog steeds lastig ten aanzien van het huis, maar hij had er wel in toegestemd haar daar langer te laten wonen terwijl er over een definitieve regeling werd onderhandeld. Ze wilde geen alimentatie van hem, hoewel ze die wel had kunnen krijgen. Het enige dat ze wilde hebben was het huis, plus een deel van hun investeringen. In verhouding tot wat hij bezat was dat niet veel. Haar moeder had haar genoeg nagelaten om ervan rond te kunnen komen, en over een paar jaar zou ze als advocaat een fatsoenlijk salaris krijgen. In tegenstelling tot wat Eloise geloofde vroeg ze heel weinig. Zelfs haar advocaat vond dat ze er meer uit moest slepen. Dat was echter haar stijl niet. Zoals Brad maar al te goed wist, was ze door en door fatsoenlijk.

Ze spraken bijna een uur met elkaar tot hij – hoe heerlijk hij het ook vond – begon te geeuwen. Ze zei tegen hem dat hij naar bed moest gaan. De volgende dag zou hij om twaalf uur naar San Francisco vliegen en om zes uur 's avonds, New Yorkse tijd, zou hij weer thuis zijn. 'Dan zal ik je meteen bellen of een e-mail sturen.'

'Dank voor je telefoontje,' zei Faith. Zonder hem waren het twee eindeloos lange weken geweest, maar ze had die overleefd en het goede nieuws over haar studie had haar ondanks de capriolen van Alex opgevrolijkt. Ze had Eloise al in meer dan een week niet gesproken. Het werd steeds moeilijker om met haar te praten nu ze zich in het kamp van haar vader had ingegraven. Wat Faith nog het meest verdriet deed, had ze Brad verteld, was dat Alex haar uit zijn leven had geschrapt alsof ze nooit had bestaan, er nooit iets toe had gedaan, nooit zijn vrouw was geweest. Hij had haar uitgewist, als krijt op een schoolbord. Hoe ze het voor zichzelf ook uitlegde, het deed nog altijd pijn en daardoor kon ze zich moeilijk voorstellen dat ze iemand ooit nog zou durven vertrouwen. Ze kon zich niet eens een leven met een andere man voorstellen, of zelfs maar het maken van afspraakjes. Nu wilde ze uitsluitend opgaan in haar studie, de kerk en haar dochters. Het enige dat ze verder nog moest doen, was weer aan Brad gaan denken als een vriend. Ze had zich vast voorgenomen dat te doen, net zoals hij dat had gedaan. Hoe intens ze zich ook tot elkaar aangetrokken voelden... ze waren ieder zonder dat de ander dat wist vast van plan binnen de grenzen van vriendschap te blijven. Toch hadden hun eindeloze pogingen in die richting bij geen van hen beiden tot dusver ook maar enig succes.

21

Eind april – twee weken nadat Brad uit Afrika was terug-
gekeerd – kwam Zoe voor een weekend vanuit Brown naar
huis en nodigde Alex haar uit om samen met hem te gaan eten.
Ze was bij haar moeder en ze wilde niet met hem uitgaan, maar
Faith zei dat ze dat naar haar idee wel moest doen.
'Mam, wat heeft dat voor zin?' zei Zoe geërgerd toen ze de
hoorn op de haak had gelegd. Ze wilde met vrienden gaan stappen. 'Hij zal alleen maar onzin over jou uitkramen.'
'Hij is nog steeds je vader en je hebt al een tijdje niet meer met
hem gedineerd. Misschien wil hij proberen de kloof tussen jou
en hem te dichten.' Zoals altijd was Faith ten aanzien van hem
veel eerlijker dan hij tegenover haar. Hij bleef Eloise tegen haar
moeder opstoken, en Faith wilde haar in Engeland opzoeken
zodra ze over een paar weken vakantie had. Zoe zou rond de
vijftiende mei weer naar huis komen en Faith had haar gevraagd of ze er zin in had om haar naar Londen te vergezellen.
Uiteindelijk stemde Zoe erin toe met Alex uit eten te gaan in
een klein Frans restaurant waar hij altijd graag kwam. Hij wilde duidelijk zijn best doen ten aanzien van haar. Ze had een
jurk aangetrokken die ze van haar moeder had geleend en droeg
haar haar in een Franse vlecht. Ze zag er aantrekkelijk, fris en
jong uit. Een paar weken geleden was ze negentien geworden
en ze werd met de dag mooier. Zoe schrok toen ze naar het tafeltje toe liep en zag dat haar vader niet alleen was. Er zat een
vrouw bij hem. Hij stelde hen met een brede, gelukkige glimlach aan elkaar voor. Zoe vond Alex er belachelijk uitzien. De

298

vrouw die naast hem op het bankje zat, was ongeveer half zo oud als hij.

'Leslie, ik wil je graag voorstellen aan mijn dochter Zoe... Zoe, dit is Leslie James.' Zoe vermoedde dat Leslie ergens voor in de twintig was, hoewel ze in werkelijkheid iets ouder was. Ze had een laag uitgesneden, strakke jurk aan, en ze had lang, zwart haar. Als Faith erbij was geweest, had ze haar dochter kunnen vertellen wat voor ondergoed die vrouw droeg, al zou ze dat natuurlijk nooit hebben gedaan.

Ze spraken een paar minuten moeizaam met elkaar en Zoe voelde zich slecht op haar gemak terwijl haar vader wijn bestelde. Na een paar minuten was het Zoe duidelijk dat Leslie op het kantoor van haar vader werkte. Toch vond ze het van slechte smaak getuigen dat hij haar, zijn dochter, bij zo'n afspraakje had betrokken.

'Werk je daar al lang?' vroeg Zoe, die probeerde beleefd te zijn en uit de grond van haar hart wenste dat ze ergens anders was. 'Bijna veertien maanden. Vlak daarvoor ben ik met mijn dochtertje vanuit Atlanta hierheen verhuisd.' Op dat moment besefte Zoe dat Leslie een licht zuidelijk accent had. Ze vroeg haar naar de leeftijd van haar dochtertje, omdat ze niet wist wat ze anders moest zeggen. 'Vijf, zei Leslie glimlachend en heel jong ogend, terwijl Alex trots naar zijn vriendin keek. Het leek wel alsof hij wilde dat Zoe haar ook bewonderde, en die indruk had hij beter niet kunnen wekken. Alleen al door bij hen aan tafel te zitten had Zoe het idee haar moeder te verloochenen.

'Ze is een heel mooi meisje,' zei Alex trots, en Zoe verkrampte inwendig. 'Ze is beeldschoon.' Het was duidelijk dat haar vader de vrouw en haar dochter goed kende.

'Om Frans te leren gaat ze naar een Franse kleuterschool. Je vader dacht dat dat goed voor haar zou zijn.'

Zoe trok een wenkbrauw op, maar riep zichzelf meteen tot de orde. Ze kon zich niet herinneren dat Alex ooit belangstelling had getoond voor de school waar zij naartoe ging. 'Dat is leuk voor haar,' zei ze, en ze nam een slokje wijn. Leslie had om

299

champagne gevraagd. Zoe stikte bijna toen Leslie haar mond weer opendeed.

'Dit is voor ons een speciale avond,' zei Leslie met een verlegen glimlachje richting Alex, die ietwat ongemakkelijk keek. Maar het idee om Zoe uit te nodigen was van hem gekomen, want hij wilde dat zijn dochters haar leerden kennen. 'Een feestdag,' voegde Leslie eraan toe, en ze zwiepte haar haar over haar schouder toen Zoe haar aankeek.

'O ja? Wat hebben jullie dan te vieren?' vroeg Zoe. Ze moesten elkaar een maand of twee kennen, en ze vond dit maar een zielige vertoning.

'Dat we een jaar met elkaar omgaan. Vanavond precies een jaar geleden hadden we ons eerste afspraakje.'

Alex leek even verlamd te zijn. Toen deed hij alsof hij het niet had gehoord. Hij kon ook moeilijk iets anders doen terwijl Zoe naar hen beiden staarde.

'Jullie gaan al een jaar met elkaar om?' De stem van Zoe klonk opeens hoog en piepend.

'Niet echt,' zei Alex. 'Ik denk dat Leslie bedoelt dat we elkaar een jaar kennen. We hebben elkaar vlak nadat ze op kantoor kwam werken ontmoet.'

'Dat is niet waar. We vieren vanavond het feit dat we precies een jaar geleden ons eerste afspraakje hadden.' Ze keek gekwetst omdat hij zich dat niet herinnerde, of het niet wilde toegeven.

Zoe werd bleek. 'Dat is interessant, gezien het feit dat mijn vader mijn moeder twee maanden geleden heeft verlaten. Jullie gingen dus kennelijk al geruime tijd daarvoor met elkaar om.'

'Inderdaad.' Leslie glimlachte.

Zoe ging staan en stootte daarbij per ongeluk haar glas om. De wijn drupte over de tafel en Leslie schoof naar achteren.

'Pap, dat vind ik walgelijk,' zei Zoe terwijl ze hem strak aankeek. 'Hoe heb je me hierheen kunnen halen om dat met jullie te vieren na alles wat je over mam hebt gezegd? Onder andere dat alles haar schuld was? Je maakt me misselijk. Waarom heb je het lef niet Eloise de waarheid te vertellen in plaats van haar tegen mam op te stoken? Waarom vertel je haar niet gewoon dat je bijna een jaar voordat je mam in de steek liet al een vriendin had met wie je neukte? Dat zou in elk geval eerlijk zijn geweest.'

De ogen van Alex vlamden. Hij had niet verwacht dat Leslie hem zou verraden. Ze was kennelijk niet zo slim. Hij was smoorverliefd op haar en had er geen idee van gehad dat ze zoiets zou doen. 'Waarom ga je niet weer zitten? Dan kunnen we erover praten,' zei hij zacht terwijl zijn dochter vol minachting naar hem keek. Hij zat gevangen op de bank, achter de tafel, en kon niet in beweging komen.

'Nee, dank je. Ik heb andere plannen,' zei Zoe. Ze draaide zich op haar hielen om, met een opmerkelijk aplomb gezien het feit dat ze hevig was geschrokken, en liep het restaurant uit. Zodra ze buiten was, zette ze het op een rennen, riep een taxi en ging naar huis. Ze was aan het huilen toen ze naar binnen liep, en Faith zat aan de telefoon met Brad. Hij had het over een zaak die hem zorgen baarde en zij had hem verteld dat Zoe met haar vader was gaan dineren. Ze schrok toen ze de voordeur dicht hoorde slaan en Zoe in tranen haar studeerkamer in zag rennen.

'Wat is er gebeurd?' Faith hield op met praten tegen Brad en keek haar dochter aan. Oogschaduw en mascara waren uitgelopen over haar gezicht en ze zag eruit als een klein meisje dat op school was geslagen.

'Mam, hij is een absolute rotzak. Waarom heb je me niets over dat mens verteld? Wist je van haar bestaan?'

'Welk mens?' Faith keek geschokt. 'Wacht even... Brad, ik bel je terug.' Het was hem duidelijk dat er sprake was van een crisissituatie en hij hing meteen op. 'Wat is er gebeurd, meisje?' vroeg Faith. 'Waar heb je het over?'

'Pap had een vrouw bij zich. De een of andere veertienjarige hoer die Leslie heet. Ze heeft lang, zwart haar en grote tieten, en ze had het lef me te vertellen dat ze aan het vieren waren dat ze een jaar met elkaar omgingen. Samen met mij. Wat walgelijk om zoiets te doen. Wist jij van haar bestaan, mam?'

'Ga zitten,' zei Faith rustig, en ze gaf haar dochter een papieren zakdoekje. 'Veeg je gezicht af en kom tot bedaren... Ja. Ik was van haar bestaan op de hoogte,' zei ze, zonder daar nader op in te gaan. Hij had zichzelf eindelijk de das om gedaan. Dit was ongelooflijk stom van hem geweest.

'Waarom heb je me dat niet verteld?'

'Omdat je er niets mee te maken had. Je vader moest het je vertellen als hij dat wilde, en ik dacht niet dat hij dat zou doen.' Ze vertelde Zoe geen details en zou daar ook niet uit zichzelf mee komen.

'Heeft hij je om die reden verlaten?'

'Dat denk ik wel, al waren er misschien nog andere redenen voor. Hij zei dat hij een eigen leven wilde en ik hem verveelde. Ze is veel jonger dan ik. Dat is zeker. Hij zal wel veel meer plezier met haar hebben.'

'Ze is een volstrekte imbeciel met tieten. Wat doet hij met haar, en hoe heeft hij jou voor haar in de steek kunnen laten? Hoe heeft hij mij samen met haar uit eten kunnen vragen?' Het was het meest vernederende moment uit haar leven geweest. Ze voelde zich bedrogen, verraden en misbruikt en het weinige respect dat ze nog voor haar vader had gehad was totaal verdwenen.

'Misschien heeft hij serieuze plannen met haar,' zei Faith, die depressief oogde. Ze ervoer het als de zoveelste klap in haar gezicht, maar deze keer had hij Zoe ook een dreun gegeven en daar haatte ze hem om. Zijn kinderen behoorden niet bij zijn affaire te worden betrokken. Tenzij dit méér was dan dat, en hij dat met hen wilde delen. Zo ja, dan zou Zoe zich moeten aanpassen en Leslie moeten accepteren als de nieuwe vrouw in het leven van haar vader. Maar het was – op zijn minst gezegd – nog een beetje aan de vroege kant om al met die vrouw te koop te lopen.

'Als hij met haar gaat trouwen, pleeg ik zelfmoord of vermoord ik hem.'

'Hij gaat nog met niemand trouwen, want hij is nog altijd met mij getrouwd.' Maar over vijf maanden zou hij dat niet meer zijn. Toch kon ze zich eigenlijk niet indenken dat hij die vrouw al zo snel aan zijn dochters had willen voorstellen.

Het kostte Faith een uur om Zoë tot bedaren te brengen en toen pakte Zoe de telefoon voordat Faith haar daarvan had kunnen weerhouden. Ze draaide het nummer van Ellie in Londen, waar het op dat moment drie uur 's nachts was. Faith probeerde haar ervan te overtuigen dat ze moest wachten voordat ze weer helemaal tot rust was gekomen, maar Zoe maakte alleen een nonchalant handgebaar.

Eloise moest half slapend hebben opgenomen.

'Word wakker,' zei Zoe bot. 'Ik ben het... Nee, ik zal je niet terugbellen... Luister naar me. Weet je wat die ellendeling van een vader van ons vanavond heeft gedaan? Hij heeft me mee uit eten genomen met zijn vriendin, die eruitziet alsof ze een jaar of veertien is, om samen met hen te vieren dat ze elkaar een jaar kennen. Een jaar! Heb je me gehoord? Hij gaat al een jaar met haar om. Dat is de reden waarom hij mam heeft verlaten. Wat vind je nu van je held? Na alle ellende die je mam hebt bezorgd, ben je haar uitgebreide excuses verschuldigd.'

Aan Ellies kant van de lijn bleef het lange tijd stil terwijl Zoe nog eens herhaalde wat ze had gehoord en gezien. Ze spraken lange tijd met elkaar. Faith liep de kamer uit, ging naar de keuken en belde Brad op de andere lijn. Hij was nog op kantoor en ze vertelde hem wat er was gebeurd.

Hij floot. 'Dat moet me een scène zijn geweest. Wat ongelooflijk stom van hem. Waar zat hij met zijn gedachten?'

'Ik denk dat hij naïef is en dacht dit wel aan haar te kunnen verkopen. Ze is nu met Ellie aan het bellen en ik vermoed dat hier grote herrie van komt.'

'Naar mijn idee is dat al gebeurd.' Brad lachte. 'Ik benijd hem niet. Niemand kan zo woedend worden als een dochter die de vriendin van haar vader ontmoet. Ik denk dat je op het punt staat te worden gewroken. Dit heeft die alleraardigste man volstrekt verdiend.' Brad klonk geamuseerd en blij.

'Ja, dat vind ik ook,' zei Faith. Ze spraken nog een paar minuten over de zaak waarmee hij bezig was, en toen verbrak ze de verbinding weer. Een minuut later al liep Zoe de keuken in. 'Wat had Ellie te zeggen?' vroeg Faith geïntrigeerd. Ze hoopte dat Zoe voldoende bewijsmateriaal had aangedragen om Eloise te overtuigen. Ze verwachtte niet dat zij zich tegen haar vader zou keren, maar misschien zou ze het haar moeder nu kunnen vergeven, of op zijn minst haar best doen te proberen het te begrijpen.

'Mam, ze komt dit weekend naar huis om je te zien, en ik moest je de hartelijke groeten doen.'

Faith glimlachte. Er was – eindelijk – hoop.

Eloise kwam dat weekend zoals beloofd naar huis en huilde twee dagen in de armen van haar moeder. Ze bood excuses aan en smeekte om vergeving. Ze kon niet geloven wat haar vader had gedaan, en Zoe en zij zouden met hem de confrontatie aangaan. Faith kreeg niet te horen wat er toen precies was gezegd, maar de meisjes bleven dat weekend bij haar en toen Alex belde, wilden ze geen van beiden met hem praten. Hij was bij hen in ongenade geraakt, en dat verdiende hij naar het idee van Faith ook.

'Denk je dat hij met haar gaat trouwen?' vroeg Eloise paniekerig terwijl ze dicht bij haar moeder zat. Gedurende de afgelopen dagen was ze niet alleen veel meer van haar moeder gaan houden, maar had ze ook respect voor haar gekregen. Ze had eindelijk ontdekt en begrepen dat Faith door en door fatsoenlijk was.

'Daar heb ik geen idee van,' zei Faith eerlijk. 'Dat zul je hem moeten vragen.' Geen van beide meisjes wilde het echter per se weten en ze wilden hem niet bellen om hem ernaar te vragen.

'Mam,' zei Eloise toen Zoe even de kamer uit was gelopen, 'ik denk niet dat ik je ooit duidelijk zal kunnen maken hoeveel spijt ik heb van alle dingen die ik tegen je heb gezegd. Ik begreep het niet. Pap zei altijd dat ik sprekend op hem leek, en ik denk dat ik voor hem wilde bewijzen dat dat zo was, om op die manier zijn goedkeuring en liefde te krijgen. Hij heeft nooit openlijk lelijke dingen over jou gezegd, maar op de een of andere manier impliceerde hij wel dat hij gelijk had en jij niet. Gedurende de laatste paar maanden heb ik veel geleerd over mezelf, en over vertrouwen, geloof en manipuleren. Ik heb mezelf laten geloven dat hij de waarheid sprak. Ik heb nooit begrepen of willen aanvaarden dat jij degene was die dat deed. Ik heb afschuwelijk tegen jou gedaan, en ik weet niet hoe je nog van me kunt houden na alle dingen die ik heb gezegd.' Tranen stroomden onafgebroken over haar wangen, en haar moeder huilde ook. 'Ik heb nooit echt geweten hoe goed jij bent... en hoe verdorven hij is. Nu heb ik het gevoel dat ik mijn vader heb verloren. Ik zal hem nooit meer kunnen vertrouwen.' Toch hoopte Faith dat ze dat wel weer zou gaan doen. Hij was haar vader en het was heel waarschijnlijk dat zij en Zoe hem op een gegeven moment zouden vergeven. Of in elk geval dacht Faith dat ze daartoe in staat zouden zijn. Zij vond dat alles en iedereen vergiffenis waard was, behalve zijzelf, soms. Ze was altijd het hardst tegenover zichzelf. Maar wat ze van Eloise te horen kreeg, heelde de wonden in haar hart.

'Ellie, ik hou van je, en ik vind het triest dat dit ons allemaal is overkomen. Ik weet niet waarom je vader zo heeft gehandeld. Hij zal er nu echter mee moeten leven en het voor zichzelf moeten oplossen.' Ze wist dat ze nooit meer hetzelfde voor hem zou voelen als vroeger, maar ze hoopte dat de meisjes dat omwille van henzelf wel weer zouden gaan doen. Het was voor hen al moeilijk genoeg om het huwelijk van hun ouders op de klippen te zien lopen, en ze wilde niet dat ze Alex ook zouden verliezen. Ze hadden hem nodig, hoe weinig perfect hij ook was.

Arm in arm liepen ze de kamer uit en toen de gemoederen weer een beetje tot bedaren waren gekomen, hadden ze met zijn drieën een leuke tijd. Ze gingen hamburgers eten, en een banana split bij Serendipity, en Faith vertelde dat ze daar met Brad was geweest.

'Hoe zit het daarmee?' vroeg Ellie. Ze hield de hand van haar moeder vast en Faith voelde zich immens opgelucht. Ze had de twee meisjes weer terug. Ze wenste Alex geen kwaad toe, maar ze was dankbaar dat Ellie was bijgedraaid en voor een weekend helemaal vanuit Londen was overgevlogen. Ze vertelde Faith dat zij het met Geoff had uitgemaakt. Er dongen al twee andere mannen naar haar hand, die ze allebei heel aardig leek te vinden. Net als Zoe wilde ze meer te weten komen over Brad. Faith had het vaak over hem en leek hem geweldig te vinden, maar ze bleef volhouden dat ze niets anders dan vrienden waren.

'Toen ik opgroeide, was hij de beste vriend van oom Jack en zoiets als een grote broer voor mij. Hij is getrouwd, en we zullen nooit meer dan vrienden worden.' Ze zei het zo gedecideerd dat Zoe zoals altijd meteen achterdochtig werd.

'Mam, ik geloof nog steeds dat hij van je houdt. Dat kan niet anders, want als het niet zo was, zou hij niet zoveel tijd spenderen aan telefoontjes en e-mails naar jou.'

'Hij praat graag met me, denk ik, maar dat is alles.' Ze klonk heel zeker van haar zaak.

'En jij?' vroeg Ellie peinzend. 'Hou jij van hem?'

'Nee. Ik word niet verliefd op getrouwde mannen.' Ze wenste dat dat de waarheid was. Dat zou het ook worden. Ze had heel veel gebeden en zichzelf wel een miljoen keer voorgehouden dat ze niet van hem kon houden, hoe geweldig hij ook was. Op een dag zouden die gebeden, of wat ze zichzelf voorhield, succes hebben. Dat moest. Ze had geen keus. Gelukkig hield hij – in elk geval voor zover ze wist – niet van haar.

'Voel je dan niets voor hem?' vroeg Ellie door.

'Mijn gevoelens voor hem zijn puur platonisch,' zei Faith nadrukkelijk.

'Ga je ooit met een man uit?'

'Nee, en dat wil ik ook niet.' Dat was in elk geval wel waar. Ze was nog niet bijgekomen van het verdriet om een mislukt huwelijk, en ze wist niet of dat ooit zou gebeuren. Het idee haar hart nog eens te laten breken kon ze niet verdragen. Ze was gelukkiger in haar eentje, met de mogelijkheid met Brad te praten en tijd met haar kinderen door te brengen. 'Ik wil nooit meer trouwen.'

'Je hoeft ook niet te trouwen,' zei Zoe. 'Je kunt gewoon uitgaan, een afspraakje maken.'

'Waarom? Ik ben volmaakt gelukkig met jullie beiden.'

Toen Eloise en Zoe later in de kamer van Zoe zaten, waren ze het erover eens dat dit geen gezond leven voor hun moeder was. Uiteindelijk kwamen ze tot de conclusie dat het voor Faith waarschijnlijk nog te vroeg was om aan een andere man te kunnen denken. Anders dan hun vader, die wel erg hard van stapel was gelopen door Zoe uit te nodigen voor dat etentje. Ze waren allebei nog erg van streek door het feit dat hij hun moeder bijna een jaar lang had bedrogen en Faith er de schuld van had gegeven dat hun huwelijk op de klippen was gelopen. Dat zij weer was gaan studeren had er niets mee te maken. Dat gegeven was door Alex uitsluitend als een excuus gebruikt.

Toen Ellie zondagavond terugvloog naar Londen was de verhouding met haar moeder weer prima, en toen Brad Faith laat die avond belde, besefte hij dat hij haar nog nooit zo gelukkig had horen klinken. In elk geval was een deel van de nachtmerrie voor haar voorbij, want ze had haar dochter terug.

22

Toen Zoe in mei voor de zomermaanden naar huis kwam, ging het goed met Faith. Zoe had een tijdelijke baan in een galerie aangenomen en Faith was blij even op adem te kunnen komen voordat ze aan haar rechtenstudie begon. Eloise had het erover terug te komen naar huis. Ze begon Zoe en haar moeder te missen, met name na het weekend dat ze recentelijk in New York had doorgebracht.

Beide meisjes stonden op slechte voet met hun vader en dat werd er niet bepaald beter op toen hij meedeelde dat hij en Leslie van plan waren in oktober te trouwen, nadat de echtscheiding definitief was uitgesproken. Faith vond het verschrikkelijk het te moeten toegeven, maar toch ervoer ze dat als de zoveelste klap in haar gezicht. Nadat ze het had gehoord, zat ze uren op haar kamer te huilen. Ze vertelde het Brad de volgende dag in een e-mail, maar was te depressief om hem te bellen. Alex probeerde haar er nog steeds toe te dwingen het huis te verkopen en nu was het niet moeilijk om te raden wat daar de reden voor was. Hij was een appartement aan Fifth Avenue aan het kopen voor hemzelf, Leslie en haar dochter. Eloise en Zoe waren woedend op hem.

De week daarna zat Faith in haar studeerkamer en probeerde te bedenken waar ze de meisjes in augustus mee naartoe zou nemen. Cape Cod, misschien, of een huisje huren in de Hamptons. Ellie had beloofd minstens een paar weken naar huis te komen en Faith wilde tijd met hen doorbrengen voordat ze in de herfst rechten ging studeren. Ze was die ochtend lui, keek wat paperassen door en dacht nog altijd na over de vakantie toen Brad belde. Ze besefte meteen dat hij aan het huilen was. 'Is alles met jou in orde? Wat is er gebeurd?' Ze kon zich absoluut niet indenken wat voor een situatie hem zo van streek kon maken.

'Het gaat over Jason,' zei hij heel gespannen en doodsbang. 'Ik ken de details nog niet. Een uur geleden hebben we een boodschap van Dylan gekregen. Er is een ongeluk gebeurd. Ze waren in het dorp aan het werk en toen is er een gebouw ingestort. Hij heeft zeven uur bekneld gezeten.' Brad begon opnieuw te huilen. 'Fred, je hebt er geen idee van hoe slecht de medische zorg daar is. Er komt daar maar één keer in de maand – en voor niet meer dan een paar uur – een arts, en je moet uren rijden om bij het ziekenhuis te komen. Ik weet niet eens of ze hem kunnen vervoeren. We hebben Dylan een boodschap gestuurd met het verzoek ons te bellen, maar hij moet naar het postkantoor om dat te kunnen doen en misschien kan hij zijn broer niet alleen laten. Het is trouwens sowieso de vraag of hij een buitenlijn kan krijgen.' Hij klonk alsof de wereld was vergaan, en de ogen van Faith vulden zich met tranen terwijl ze naar hem luisterde.

'Wat ben je van plan te doen?'

'Ik ga erheen. Om twaalf uur vertrek ik naar New York en vandaar vlieg ik door naar Londen. Het is zo verdomd moeilijk om daar te komen. Het zal me alles bij elkaar meer dan vierentwintig uur kosten en alleen God weet of hij dan nog in leven zal zijn.' Hij was volledig in paniek. En terecht, leek het. 'Wanneer arriveer je hier?' Dat was het enige dat ze kon bedenken. Ze wilde hem zien, zelfs als Pam bij hem zou zijn.

'Om acht uur vanavond land ik in New York en de vlucht naar Londen vertrekt om tien uur. Ik moet dus twee uur overbruggen.'

'Ik tref je op het vliegveld. Kan ik iets voor je meenemen?'

'Nee, dat hoeft niet. Pam is mijn koffer al aan het pakken. Ze kan niet meteen met me meegaan, want ze moet morgen op de rechtbank zijn. Daarna reist ze me achterna.' Hij zei niet tegen Faith dat hij woedend was omdat Pam niet direct met hem meeging. Hij gaf haar zijn vliegnummer en verbrak de verbinding. Zij zat in haar studeerkamer voor zich uit te staren en stelde zich het ergste voor, net zoals hij dat deed. Ze zou niets liever willen dan hem vergezellen, maar ze wist dat ze dat niet kon doen. Zeker niet wanneer Pam zich bij hem zou voegen. In San Francisco werd er op dat moment verhit gediscussieerd. 'Bel die rechter, verdomme, en vertel hem wat er is gebeurd. Dan houdt hij die zaak wel aan tot jij terug bent. Dit is belangrijker,' zei Brad razend.

'Dat kan ik mijn cliënt niet aandoen,' zei ze terwijl ze zijn koffer dichtdeed. Ze oogde even bezorgd als hij, maar ze was van mening dat ze het aan haar cliënt verschuldigd was voor de rechtbank te verschijnen. Brad vond dat krankzinnig en uiterst veelzeggend. Zelfs als alles uiteindelijk oké met Jason bleek te zijn, wilde hij Pam bij zich hebben. Het was de eerste keer in jaren dat hij haar om iets had gevraagd, en dit was voor hen allemaal belangrijk. De jongens hadden haar steun nodig, en hij ook.

'Jouw prioriteiten deugen van geen kant,' zei hij bot. 'We hebben het over je zoon en niet over je cliënt.'

'Dylan heeft niet gezegd dat hij stervende was.' Ze waren allebei gespannen en Brad was zich aan het aankleden terwijl ze tegen elkaar schreeuwden.

'Moet hij sterven voordat jij in beweging komt en een afspraak bij de rechtbank afzegt? Begrijp je het verdomme dan niet?'

'Ik begrijp het wel. Ik zal er over twee dagen zijn. Dat is het beste dat ik kan doen.'

'Nee, dat is het verdomme niet.' Ze was als een berg die hij niet in beweging kon krijgen en ze waren nog altijd aan het ruziën toen een taxi voorreed om hem naar het vliegveld te brengen. Hij wist dat hij nooit zou vergeten dat ze niet meteen met hem was meegegaan en het haar nooit zou vergeven als er iets ergs met Jason gebeurde. Hij wist ook dat ze dat zichzelf nooit zou vergeven, al zag ze dat zelf kennelijk niet in. Ze ontkende alles volledig. 'Zodra ik hem heb gezien zal ik je een boodschap sturen,' zei hij, en toen vertrok hij met zijn koffer. Hij had er geen idee van wat ze voor hem had ingepakt.

De vlucht was een verschrikking, want in het vliegtuig was hij onbereikbaar. Hij belde Pam een aantal keren, maar ze had niets meer gehoord.

Toen hij in New York uit het vliegtuig stapte, leek hij halfgek te zijn geworden. Hij had wel honderd keer met zijn handen door zijn haar gestreken en hij zag er bang en onverzorgd uit. Faith stond op hem te wachten, zoals ze had beloofd. Ze had een spijkerbroek, een wit shirt en instapschoenen aan en oogde fris, schoon en aantrekkelijk. Hij wilde niets anders dan haar dicht tegen zich aan houden en ze huilden allebei toen ze naar het dichtstbijzijnde restaurant liepen om een kop koffie te drinken. Hij vertelde haar opnieuw wat hij wist, hoe weinig dat nog steeds ook was.

Ze hielden elkaars hand vast en praatten over de eindeloze reeks mogelijkheden. Maar zonder nadere details kon Faith niet met suggesties komen en kon hij geen beslissingen nemen. Hij hoopte dat Dylan de juiste keuzes kon maken en het vliegtuigje zou kunnen charteren om zijn tweelingbroer zo nodig naar het ziekenhuis over te brengen.

'Je hebt er geen idee van hoe primitief het daar is. Heel afgelegen. Het is vrijwel onmogelijk ergens naartoe te gaan. Hij zou twee tot vier uur in een vrachtwagen over een weg vol kuilen moeten worden vervoerd en dat zou zijn dood kunnen worden.' De enige hoop was het vliegtuigje, mits ze dat konden lokaliseren en het beschikbaar was. Terwijl Faith naar hem luisterde voelde zich even hulpeloos als hij.

De twee uren die hij moest wachten leken eindeloos en hij was dankbaar dat Faith bij hem was. Hij belde Pam nogmaals. Ze had nog altijd verder niets vernomen en hij werd razend toen hij hoorde dat ze uit eten ging.

'Ben je gek geworden? Je zoon heeft een ongeluk gehad. Blijf verdomme bij de telefoon, voor het geval iemand ons belt.'

Ze hield vol dat ze haar gsm bij zich had, en Dylan daar het nummer van had.

Brad verbrak de verbinding en keek Faith wanhopig aan. 'Op

momenten als deze besef je wat je niet hebt, en weet je hoe stom je was om te denken dat het anders zou zijn. De laatste twintig jaar met haar zijn beroerd geweest, en dit kon er ook nog wel eens bij.' Pam kon er niet zijn, niet eens voor haar kinderen. Faith was zo verstandig daar geen commentaar op te leveren. 'Ik wou dat jij met me mee kon gaan,' zei hij. Hij wist hoe goed ze hem zou kunnen steunen en daar had hij wanhopig veel behoefte aan. Hij was doodsbang dat Jason het ongeluk niet zou overleven. Hij wilde er voor hem zijn, en voor Dylan, ondanks het stupide gedrag van hun moeder, of misschien daarom wel des te meer.

'Dat wou ik ook,' zei Faith zacht. Dat was echter onmogelijk. Het enige dat ze voor hem kon doen was in gedachte hij hem zijn, en ze wisten na zijn reis in maart allebei dat hij haar niet zou kunnen bellen. Hij zou haar alleen via een omweg en met behulp van derden een boodschap kunnen sturen. 'Laat me iets weten als je daartoe in staat bent,' zei ze, wetend dat haar hart in de tussentijd voor hem zou bloeden.

'Dat beloof ik je.' Zijn toestel werd omgeroepen en hij pakte zijn paspoort en zijn instapkaart.

'Brad, pas goed op jezelf en probeer je te ontspannen,' zei ze. 'Je kunt niets doen tot je er bent.' Dat was nog wel het allerergste, en ze wisten allebei dat zijn zoon dood kon zijn als hij daar arriveerde. 'Ik zal straks meteen naar de kerk gaan om voor hem te bidden.'

'Steek alsjeblieft een kaars voor hem op, Fred,' zei hij met tranen in zijn ogen terwijl ze elkaar aankeken.

Ze behoorde hem met hart en ziel toe, maar dat zou ze op geen enkele manier tegen hem kunnen zeggen. 'Dat zal ik doen. Ik zal elke dag naar de kerk gaan... Probeer te geloven dat alles met hem in orde is...'

'Ik wou dat ik dat kon. O, mijn god, als er iets met hem gebeurt...'

Zowel om hem tot zwijgen te brengen als om hem te troosten stak ze gedachteloos haar armen naar hem uit en deed hij precies hetzelfde. Zonder te aarzelen trok hij haar dicht tegen zich aan drukte zijn lippen op de hare. Even vergaten ze de hele wereld terwijl ze elkaar kusten en zich aan elkaar vastklampten. Ze keek geschrokken toen hij zich uit haar armen losmaakte. Hij leek ook te zijn geschrokken, maar hij kwam niet met een verontschuldiging. Ze was ervan overtuigd dat het haar schuld was. Toen kuste hij haar nogmaals en zei: 'Ik hou van je, Fred.' Eindelijk bracht hij zijn gevoelens voor haar onder woorden. Gevoelens die hij al veertig jaar had gehad en die gedurende de afgelopen zeven maanden nog veel sterker waren geworden.

Zij hield ook van hem, maar zelfs nu wist ze dat er geen toekomst voor hen samen was weggelegd. 'Zeg dat niet... Ik hou ook van jou, maar dat kunnen we niet hardop zeggen. Dit mogen we niet doen... Ik heb het recht niet om...' Hij bracht haar met nog een kus tot zwijgen en ze begon te huilen. 'Je zult hier spijt van krijgen. Als dit achter de rug is, zul je me hier om haten. Iets dergelijks moeten we nooit meer doen.'

'Dat kan me niets schelen. Fred, ik heb je nodig. Echt nodig. En ik hou van je. Ik wil er ook voor jou zijn.' Hij was als het joch dat hij was geweest toen hij op twaalfjarige leeftijd zijn arm had gebroken. Faith had die arm vastgehouden terwijl haar moeder hem naar de Eerste Hulp reed, en hij had haar laten zweren dat ze niemand zou vertellen dat ze hem had zien huilen.

'Ik ben er voor je... Ik zal er altijd voor je zijn... Maar ik kan je niet van een andere vrouw afpakken, Brad. Dat zou niet juist zijn.'

'We hebben het er later wel over.' Hij wilde en kon het vliegtuig niet missen. Opeens hadden ze echter veel om over na te denken, en hij had er geen idee van wanneer hij haar weer zou zien. Het was mogelijk dat hij maanden weg zou blijven en nu zou dit boven hun hoofd blijven hangen tot hij weer thuis was. God was de enige die wist welke afschuwelijke dingen er in de tussentijd konden gebeuren. 'Fred, hoewel ik dit moment halfgek ben van de zorgen, ben ik niet krankzinnig. Ik heb dit al heel lang willen doen, maar ik vond het niet eerlijk tegenover

jou.' Dat was het ook niet. Voor hen beiden was dit een verboden vrucht.

'Ik heb gebeden dat dit niet zou gebeuren. Het is mijn schuld.
Ik had niet...'

Hij kuste haar nog een laatste keer en zette het toen op een
rennen. Even keek hij over zijn schouder en zag dat ze huilde.
Hij zwaaide, en toen was hij uit haar gezichtsveld verdwenen.
Faith nam een taxi naar de stad en huilde de hele weg lang. Ze
hadden iets verschrikkelijks gedaan. Dat wist ze. Ze had het
hem niet alleen toegestaan de grens van vriendschap te overschrijden. Ze had hem ertoe uitgedaagd. Naar haar idee leed
het geen enkele twijfel dat dit haar schuld was. Als hij terug
was, zouden ze alles moeten terugnemen wat ze hadden gezegd
en gedaan en elkaar moeten beloven dat niet nogmaals te doen,
want anders zouden ze elkaar nooit meer kunnen zien. Dat was
een verdriet dat nog eens werd toegevoegd aan hun zorgen over
Jason, en het enige dat ze nu voor hem kon doen was bidden.
Bij St. Patrick's stapte ze de taxi uit. Het was elf uur 's avonds
en er liepen nog mensen rond – voornamelijk toeristen – toen
zij de kerk betrad. Ze liep regelrecht naar het altaar van de
Heilige Judas en stak een kaars op. Toen ging ze op haar knieën
zitten, boog haar hoofd en huilde. In haar handen had ze de
rozenkrans die ze als kerstcadeau van Brad had gekregen. Dat
ding vast te houden leek nu bijna heiligschennis omdat ze had
gezondigd. Hij was getrouwd en ze wisten allebei dat hij dat
ook zou blijven.

Ze zat daar een uur op haar knieën, biddend voor Jason, voor
wijsheid en moed voor Dylan en vrede voor Brad tijdens zijn
reis naar Afrika. Om middernacht liep ze de kerk weer uit en
riep een taxi aan. Thuis ging ze de trap op naar haar kamer.
Ze was van de kaart door alles wat er was gebeurd: het afschuwelijke nieuws, de zorgen, de schok die ze in Brads ogen
had gezien en het domme dat ze zelf had gedaan en waarvan
ze wist hoe verkeerd het was. Hoeveel ze ook van hem hield,
ze zou uit zijn leven moeten verdwijnen. Nu ze had gebeden,
was ze daar zeker van. De Heilige Judas was de patroonheili-

314

ge van onmogelijke zaken. Ze had geen keus. Voor Brad was ze gevaarlijk. Even bleef ze in haar kamer in het donker staan. Toen deed ze een enkele lamp aan. Zoe kwam haar kamer uit en stond vanaf de gang naar haar te kijken. Ze had haar moeder niet meer zo beroerd zien ogen sinds Alex haar maanden geleden had verlaten.

'Mam, is alles met jou in orde?' vroeg ze bezorgd.

'Nee,' zei Faith heel triest en totaal van streek. Toen deed ze zacht de deur van haar kamer dicht, zonder verder nog iets te zeggen.

23

Toen Brad in Londen op een ander vliegtuig overstapte, had hij de tijd niet om Faith te bellen. Hij moest rennen naar een andere vertrekhal en haalde het maar net. Het lukte hem wel Pam te bellen, maar er was nog steeds geen nieuw bericht doorgekomen van Dylan of van wie dan ook. Tijdens de vlucht naar Lusaka zag hij eruit als een gewonde man, en het merendeel van de tijd kon hij alleen aan Jason denken. Sinds hij het nieuws had gehoord – en daarna geen nadere informatie meer had gekregen – was zijn verbeeldingskracht op hol geslagen. De rest van de tijd dacht hij aan Faith. Hij wilde haar geruststellen door te zeggen dat ze niets verkeerds hadden gedaan. Dat was echter onmogelijk. Ze zou domweg in hem moeten geloven tot hij weer thuis was. Hij had er geen idee van wat ze zouden gaan doen, maar het stond vast dat hij van haar hield. Dat had hij diep in zijn ziel al lange, lange tijd geweten.

Hij sliep een deel van de vlucht. De volgende morgen stapte hij weer over op een ander toestel – een miserabele kist die hem het laatste stuk zou vervoeren. Deze keer stond er in Kalabo geen vrachtwagentje op hem te wachten. Hij nam een man met een vrachtwagen in de arm om zich naar het wildreservaat te laten brengen, maar terwijl ze door de stad reden, zag hij wat er was gebeurd. Het dak van de kerk in Ngulwana, die ze aan het restaureren waren geweest, was samen met de toren ingestort. Alleen al bij het zien daarvan begon hij te huilen.

'Er is iets ergs gebeurd, Mambo,' zei de man die hem reed toen Brad hem had gevraagd te stoppen. 'Vier mensen zijn ernstig gewond geraakt.'

Brad knikte. 'Mambo' betekende vader, en hem zo aan te spreken, was een teken van respect. 'Dat weet ik. Een van hen is mijn zoon.' De man knikte en Brad ging op zoek naar iemand die hem kon vertellen waar de gewonden waren. Een inboorling in een short en sandalen en met littekens op zijn gezicht wees Brad op een gebouw waar de mannen naartoe waren gebracht. Zodra hij daar naar binnen liep, zag hij vrouwen huilen en kinderen op hun hurken zitten, terwijl anderen de vliegen uit de buurt van de gezichten van de slachtoffers hielden. Dylan zat op zijn knieën naast Jason. Jason was buiten bewustzijn en om zijn hoofd was een groot, met bloed doorweekt verband gewikkeld. Dylan ging staan zodra hij zijn vader zag en stortte zich snikkend in zijn armen. Hij was zo uitgeput dat hij niet kon ophouden met huilen. Het enige positieve was dat Brad kon zien dat Jason nog leefde. Hij leek echter wel de dood nabij te zijn, en Dylan vertelde hem dat een van de anderen een paar uur eerder was overleden.

'Is er een arts bij hem geweest?' vroeg Brad, die vocht om niet in paniek te raken. Hij wist dat hij voor zijn beide zoons sterk moest zijn, met name nu voor Dylan, die twee dagen lang in zijn eentje dapper en verstandig had moeten zijn.

'Die is hier gisteren geweest, maar toen moest hij weer weg.'

'Wat zei hij?' vroeg Brad gespannen.

'Niet veel. Pap, ik heb geprobeerd het vliegtuigje te charteren, maar dat is me niet gelukt.'

'Weet je waar het is?'

'Waarschijnlijk bij de Victoria Watervallen, maar niemand lijkt daar zeker van te zijn.'

'Oké. Ik zal kijken wat ik kan doen.' Brad liep het felle zonlicht weer in, zonder te weten waar hij moest beginnen. Toen begon hij te bidden, alsof hij de stem van Faith in zijn hoofd kon horen. Hij liep naar het postkantoor en vroeg aan de enige man die daar werkte wie hij over het vliegtuig kon spreken. De man gaf hem een nummer en legde uit hoe hij kon bellen. Het duurde een halfuur voordat hij een plaatselijke lijn had, maar er werd niet opgenomen. Toen kreeg hij het idee via de radio een bericht naar het wildreservaat te sturen. De man van het postkantoor vertelde hem waar hij een radio kon vinden. Brad nam contact op met de mensen in het reservaat en vroeg of zij radiocontact konden opnemen met de piloot van het vliegtuig. Daarna ging hij terug naar Dylan en hield samen met hem de wacht bij Jason, die er grijs uitzag. Dylan zei dat hij de afgelopen twee dagen niet een keer bij bewustzijn was gekomen.

Het duurde nog eens zes uur voordat de mensen van het reservaat het vliegtuig hadden geregeld. Ze stuurden een jongeman met een jeep naar de stad om Brad te vertellen dat het toestel die avond om elf uur op het vliegveld zou landen. Als hij de gewonden naar dat vliegveld getransporteerd kon krijgen, zouden ze worden overgevlogen naar het ziekenhuis in Lukulu. Brad hielp twee mannen de jeep in dragen, op de voet gevolgd door hun familieleden. Toen legden ze Jason voorzichtig op een deken in de laadbak van een vrachtwagen. Dylan ging naast hem op zijn knieën zitten en Brad nam plaats in de cabine.

Het vliegtuig arriveerde uiteindelijk twee uur later dan was toegezegd en het duurde bijna een uur voordat iedereen aan boord was gebracht. Kort daarna vertrokken ze. Voor Brad was het een ontzettend vreemde ervaring, in een volstrekt primitief oord, met mensen die hun eigen tempo aanhielden. Het vliegtuig zou landen op een open plek op een terrein dat de piloot bekend was, en daar zou een ambulance klaarstaan, waar via de radio al om was verzocht. De ambulance pendelde drie keer op en neer. Brad betaalde de piloot en reed met zijn zoons mee naar het ziekenhuis, waar Jason in elk geval min of meer in fatsoenlijke handen zou zijn. Het merendeel van het ziekenhuispersoneel was Brits, en er waren ook twee artsen: een uit Nieuw-Zeeland en een tweede uit Australië. Het was duidelijk waarom Jason zich in de gezondheidszorg had willen specialiseren om daarna naar een land als dit terug te gaan. Ze hadden ontzettend hard hulp nodig en hij kon hier écht iets doen. Als hij in leven bleef.

Nadat de dienstdoende arts Jason had onderzocht, deelde hij Brad en Dylan mee dat de hoofdwond ernstig was, de hersenen waren opgezwollen en te veel vocht bevatten. De enige manier om daar iets aan te doen, was het aanbrengen van een drain. Onder normale omstandigheden was dat geen ingewikkelde chirurgische ingreep, zei hij, maar hier was het zetten van een gebroken arm al gecompliceerd. Brad gaf toestemming voor de operatie en binnen enkele seconden werd Jason weggereden. Brad en Dylan zaten zacht met elkaar te praten en keken naar mensen die kwamen en gingen. De dag duurde eindeloos lang.

De zon kwam op terwijl ze nog altijd op nieuws over Jason zaten te wachten. Uren later kregen ze te horen dat de operatie was voltooid en dat hij nog in leven was, maar dat er tot nu toe geen zichtbare verandering was opgetreden in zijn toestand. Toen de zon weer onderging, wisten ze nog niets meer.

Brad en Dylan gingen drie dagen om de beurt naast het bed van Jason zitten, en de jongen bewoog zich niet één keer. Brad voelde zich moe en vies. Hij had geen andere kleren aangetrokken, geen douche genomen en zich niet geschoren. Hij was geen moment ver van zijn zoon vandaan. Ze aten wat ze van het verplegend personeel toegestopt kregen en op de derde dag besefte Brad dat Pam tegen de afspraak in nog steeds niet was gearriveerd. Hij vroeg zich af of ze in het wildreservaat op hen wachtte en vroeg iemand radiocontact met de mensen daar op te nemen. De boodschap luidde dat Pam niet zou komen. Waarom was niet bekend, en ze konden haar daarvandaan niet bellen.

Eindelijk, op de vierde dag, kreunde Jason zacht, deed zijn ogen open, glimlachte naar hen, zuchtte en doezelde weer weg. Even was Brad doodsbang dat hij was gestorven, en met grote ogen van schrik pakte hij zijn arm vast. Toen zei de verpleegster dat hij uit het coma was bijgekomen en normaal sliep. Hij had het gered. Hij zou in leven blijven.

Brad en Dylan liepen naar buiten en ze huilden, lachten en schreeuwden. Het was de beste dag in hun leven, na de langste week die Brad ooit had doorstaan.

'Je stinkt verschrikkelijk,' zei Dylan plagend tegen zijn vader. Iemand had hun wat harde kaas en brood overhandigd en dat aten ze op terwijl ze rustig met elkaar spraken. Het ziekenhuis was extreem primitief en slecht bevoorraad, maar het medische personeel was geweldig geweest en had Jasons leven gered.

'Jij ruikt ook niet zo aangenaam,' reageerde Brad grinnikend. Nadat Brad weer even naar Jason was gaan kijken vroeg hij een verpleegster waar hij zich kon wassen. Zij wees hem een douche in de open lucht. Brad deelde de schone kleren uit zijn koffer met Dylan en toen ze weer naar Jason gingen, waren ze fris. Jason was weer wakker. Hij probeerde te praten en de arts was tevreden.

'Jongeman, je hebt een behoorlijke klap op je hoofd gekregen,' zei de Nieuw-Zeelander glimlachend. 'Je moet een behoorlijk harde kop hebben.' Toen Brad de arts later terzijde nam, zei die dat het een wonder was dat Dylan niet was overleden. Van degenen die het ongeluk hadden overleefd, was hij het zwaarst gewond geweest.

Later vroeg Brad of hij ergens naar de Verenigde Staten kon bellen. Iedereen schoot in de lach. Hij zou het postkantoor in Ngulwana kunnen bellen, zeiden ze. Dat deed hij en toen kreeg hij te horen dat zij contact zouden opnemen met het wildreservaat om de mensen daar te vragen Jasons moeder in de Verenigde Staten te bellen. Het duurde een dag voordat er antwoord vanuit het reservaat kwam. Zij hadden via dezelfde ingewikkelde weg met Pam in San Francisco gebeld en zij was opgelucht geweest te horen dat alles met haar zoon 'oké' was. Brad vroeg zich af wat Pam veronderstelde dat 'oké' betekende. Ze had er geen idee van wat zij hadden meegemaakt, en volgens hem was er geen enkel excuus te bedenken waarom ze niet was gekomen. Hoe ze de derdewereldlanden of Afrika ook haatte, ze had hier moeten zijn. Hij zei er niets over tegen zijn zoons, maar wist dat hij haar dit nooit zou vergeven. Hoewel ze niets had kunnen doen, was ze het aan haar zoons, en aan hem, verplicht geweest hier te zijn.

Een dag later bewandelde Brad dezelfde ingewikkelde route om iemand te vragen Faith in New York te bellen met de mededeling dat Jason het zou overleven, en om haar te bedanken voor haar gebeden. Brad twijfelde er niet aan dat die verschil hadden uitgemaakt en hij vond het heel erg dat hij niet zelf met haar kon spreken.

Drie dagen later kwam een verpleegster met de mededeling dat Jasons moeder een boodschap had gestuurd. Ze kon niet komen, maar ze was blij dat alles goed was. Ze zou hen weer zien als ze thuis waren. Die boodschap was beslissend voor Brad. Tenzij ze zelf in een coma lag, was er geen enkele aanvaardbare verklaring die ze voor haar afwezigheid kon geven. Hij wist dat hun huwelijk nu – op deze dag – voorbij was, al maakte hij daar geen opmerking over tegenover Dylan. Ze hadden tegen Jason gezegd dat zijn moeder dingen in San Francisco te doen had en dat het voor haar te ingewikkeld was om naar Afrika te komen, en hij had daar geen vraagteken bij geplaatst. Dylan kon echter aan de gezichtsuitdrukking van zijn vader zien hoe die daarover dacht, en hij probeerde hem zo goed mogelijk gerust te stellen.

'Het zou hier voor mam te moeilijk zijn geweest,' zei Dylan zacht.

Brad knikte slechts. Hij had niets meer te zeggen. Ze hadden vijfentwintig jaar samen doorgebracht. Je nam altijd aan dat de persoon met wie je was getrouwd er zou zijn als het erop aan kwam. Ook als die je van dag tot dag niet veel gaf. Maar als dat niet gebeurde, werd je je bewust van alles wat je had geprobeerd te negeren. Dat ging nu op voor Brad. Pam was niet langer zijn echtgenote. Ze was niet eens meer een vriendin. Dat was een verschrikkelijke openbaring en hij voelde zich zo teleurgesteld in haar dat hij haar niets te zeggen zou hebben gehad als hij in staat was geweest haar over de telefoon te spreken.

De arts schatte dat Jason nog een maand in het ziekenhuis moest blijven, en er werden twee veldbedden geregeld voor

Brad en Dylan. Elke dag zaten ze uren bij Jason en daarna gingen ze in de koelere avondlucht wandelen. Brad zelf ging elke dag ook nog eens rond zonsopgang wandelen. Hij had nooit een mooiere plek gezien als deze, en alles was nog mooier geworden omdat Jason hier bijna was gestorven en weer was herboren. Brad had het gevoel dat zijn eigen ziel samen met zijn zoon was herboren. Opeens was hij vervuld van hoop en levenslust. Het wonder had niet alleen Jason beroerd, maar hen alle drie. Het was een band en een tijd die ze geen van allen ooit zouden vergeten.

Wanneer Brad 's morgens na een lange wandeling naar het ziekenhuis terugliep, dacht hij niet alleen aan zijn kinderen, voor wie hij God bedankte, maar ook aan Faith. Kon ze hier maar bij hen zijn om al dit moois te zien! Zij zou het net zo waarderen als hij, en ze zou begrijpen wat het voor hem betekende.

Een maand nadat Jason in het ziekenhuis was opgenomen werd hij teruggevlogen naar Kalabo. Hij was moe en bleek, en hij was aanzienlijk afgevallen. Hij was nog te zwak om een lange reis te kunnen maken, maar de dokter dacht dat hij na een paar weken rust en goed eten in het reservaat de thuisreis wel aan zou kunnen. Drie weken later zei Jason dat hij zich goed genoeg voelde om terug te gaan naar de Verenigde Staten. De hoofdpijn die hij weken had gehad was eindelijk ook overgegaan.

Het was een emotionele dag toen ze het reservaat verlieten. Brad was twee keer naar het postkantoor gegaan om te proberen Faith te bellen en had tevergeefs uren op een internationale lijn gewacht. Uiteindelijk had hij het opgegeven. Hij had ook niet meer met Pam gecommuniceerd. Hij had haar te veel te zeggen om haar vanuit een afgelegen deel van Afrika – met een slechte verbinding bovendien – te willen bellen.

Met een keer overstappen vlogen ze naar Londen, waar Brad twee dagen met zijn zoons bleef. Hij was toen bijna twee maanden weggeweest. Hij wilde dat Jason uitrustte en door een Londense arts werd onderzocht voordat ze aan de laatste etappe van de thuisreis begonnen. Ze beschreven voor die arts het ongeluk en de procedure die Jasons leven had gered, en lieten hem het meegekregen medisch dossier en de röntgenfoto's zien. Tot grote verbazing van iedereen werd Jason volkomen gezond verklaard. De arts zei dat hij ontzettend veel geluk had gehad, want de opgelopen verwonding had gemakkelijk zijn dood kunnen betekenen. Ze hoefden niet bang te zijn voor nare gevolgen op de lange termijn, al zou het wel verstandig zijn het de eerste maanden kalmpjes aan te doen. Zelfs Jason stemde daar met een zwakke glimlach mee in. Hij had nog steeds het gevoel te zijn aangereden door een trein.

Toen ze in het Claridge Hotel waren gearriveerd, belde Jason zijn moeder en huilde terwijl hij met haar sprak. Daarna vertelde Dylan haar alles wat er was gebeurd en gaf de telefoon vervolgens door aan Brad. Hij zette haar even in de wacht en voerde het gesprek vanuit de andere kamer. Hij was niet eens meer boos op haar, en hij verhief zijn stem niet. Hij beschuldigde haar nergens van en hij wilde de excuses niet horen waarmee ze naar zijn idee zeker op de proppen zou komen.

'Godzijdank is alles met hem in orde,' zei ze, en ze klonk zenuwachtig.

Aanvankelijk zweeg Brad aan zijn kant van de lijn. Toen zei hij: 'Pam, wat verwacht je dat ik zeg?' Hij had een duizendtal wrede opmerkingen kunnen maken, maar de situatie leek hem veel te ernstig om dat te doen. Zoiets zou alleen zinnig zijn geweest als hij nog iets om haar gaf. Dat was echter niet langer het geval. Wat ze had gedaan, of juist niet gedaan, was voor hem de druppel geweest die de emmer had doen overlopen.

'Brad... het spijt me dat ik niet kon komen. Ik kon hier niet weg. Ik heb het geprobeerd, maar tegen de tijd dat ik naar Afrika had kunnen gaan, was alles weer in orde met hem.'

'Hij is nog niet in orde, Pam. Dat zal nog maanden duren.'

'Je weet best wat ik bedoel,' zei ze. 'We wisten toen dat hij in leven zou blijven.'

'Was dat voor jou dan voldoende?'

'Brad, ik weet het niet... Misschien was ik gewoon bang... Ik haatte het daar. Het land joeg me doodsangst aan en ik ben nooit op mijn best geweest als de kinderen ziek waren,' zei ze eerlijk maar zonder spijt.

'Pam, hij was bijna gestorven. Een paar keer heb ik zelfs ook gedacht dat dat was gebeurd.' Brad wist dat hij die momenten nooit zou vergeten, evenmin als Dylan. 'Het ergste van alles is nog wel dat hij voor de rest van zijn leven zal weten dat je te weinig om hem gaf om naar hem toe te gaan toen hij je het hardst nodig had. Dat is voor hem iets vreselijks om mee te leven, en over mezelf zwijg ik dan nog maar. Je bent verdomme zijn moeder!'

'Het spijt me,' zei ze eindelijk berouwvol. 'Ik denk dat hij het wel begrijpt.'

'Als hij dat doet, heb jij ongelooflijk veel mazzel. Als ik in zijn schoenen zou staan, zou ik het je nooit vergeven. En zelfs als hij dat wel doet... welk gevoel denk je dan dat dit hem geeft?'

'Brad, doe in vredesnaam niet zo melodramatisch. Jij was er toch?'

Dat was een verkeerde opmerking, die hem weer boos maakte. Daarna hield hij het gesprek kort, want hij had haar niets meer te zeggen. 'Ja, inderdaad. En jij was er niet. Daar is naar mijn idee alles wel zo'n beetje mee gezegd.'

'Hoe ziet hij eruit?' Ze klonk bezorgd. Dat was wel het minste dat ze kon zijn.

'Alsof hij met loden pijpen is bewerkt, maar ik geloof dat hij gelukkig is omdat hij nog leeft. Over een paar dagen zijn we weer thuis.'

Ze had iets in zijn stem gehoord dat haar aan het schrikken maakte. Hij klonk volledig afstandelijk. 'Brad, is alles met jou in orde?'

'Ja. Jason leeft nog en dat is het enige dat ertoe doet. Ik zie je wel weer als ik terug ben,' zei hij ijskoud.

Toen Pam aan haar kant van de lijn de hoorn op de haak legde, fronste ze haar wenkbrauwen. Het was niet zo dat ze niet om haar zoon gaf. Ze had gewoon niet naar Afrika willen gaan. Ze voelde zich er schuldig over, maar ze had uiteindelijk – zoals altijd – voor zichzelf gekozen.

Nadat Brad de hoorn op de haak had gelegd belde hij Faith en het stelde hem teleur toen ze niet thuis bleek te zijn. Laat die avond belde hij haar opnieuw, nadat hij Jason in bed had geïnstalleerd en Dylan was vertrokken om vrienden op te zoeken. Brad had gewacht tot hij alle tijd had om met haar te spreken, want dit telefoontje was voor hem te belangrijk om er iets tussen te laten komen.

'Brad?' Ze klonk stomverbaasd, alsof hij was opgestaan uit de dood. Hij was bijna twee maanden weggeweest en het was nu half juli. Sinds mei had hij haar niet meer gezien of gesproken. 'Hoe is het met Jason?'

'Verbazingwekkend goed. Ik heb je gemist, Fred.' Hij voelde alle spanning uit zijn lijf verdwijnen toen hij haar stem hoorde.

'Komt alles met hem in orde?' Ze had eindeloos voor hem gebeden en twee keer per dag een mis bijgewoond.

'Ja.' Brad lachte voor het eerst in eeuwen en begon bijna te huilen omdat hij zo blij was met haar te kunnen praten. 'Als je een kerktoren op je kop wilt krijgen, kun je dat maar beter laten gebeuren wanneer je nog jong bent.'

'Ik heb me zoveel zorgen gemaakt over hem en over jullie allemaal.' In zijn afwezigheid had ze een beslissing genomen, net als hij. Zodra ze wist dat hij veilig en gezond was, zou ze niet langer met hem praten. Dat was voor haar een pijnlijk besluit geweest, maar wat er bij zijn vertrek op het vliegveld tussen hen was gebeurd, had haar alles duidelijk gemaakt wat ze weten moest. Ze kon zichzelf – en hem – niet langer vertrouwen. 'Hoe is het met Dylan?' vroeg ze.

'Hij is een ware held geweest en we hebben samen verbazingwekkende momenten beleefd. Het was een buitengewone tijd. De artsen zeggen dat het een wonder is dat Jason het heeft overleefd, en ik denk dat ik dat aan jouw gebeden te danken heb.'

Daar moest ze blij om glimlachen. 'Jouw rozenkrans is zo goed als versleten.'

'Dat zal best.' Het was zo fijn haar stem te horen.

'Is Pam daar veilig gearriveerd?' Omdat ze elkaar al die tijd niet hadden gesproken, had ze er geen idee van wat er was gebeurd.

'Ze is nooit gekomen,' zei hij eenvoudigweg, en daar liet hij het bij.

Faith kon echter alles horen wat hij niet zei. Ze kende hem goed, zij het niet meer zo goed als ze had gedacht. Op de Afrikaanse vlakten was veel veranderd. 'Hmmm. Dat moet moeilijk voor jou zijn geweest.'

'We hebben ons gered. Ik vond het vreselijk dat ik jou niet kon bellen. Hoe is het met je?'

'Goed. Vergeleken met wat jij hebt meegemaakt zijn mijn probleempjes onbeduidend. Alex en ik zijn tot overeenstemming gekomen over het huis. Ik mag hier blijven wonen.'

'Wat grootmoedig van hem.'

'Ik denk dat hij zich schuldig voelt omdat hij zo snel weer gaat trouwen.'

'Zo hoort het ook.'

'Wanneer ga jij terug naar San Francisco?' Het was eigenaardig met hem te praten, vooral omdat ze de knoop voor zichzelf had doorgehakt. Maar zelfs nu ze hem weer hoorde, was ze zeker van zichzelf. Zekerder dan ooit, omdat in zijn stem alles doorklonk wat hij voor haar voelde.

'Over twee dagen gaan we naar huis. Ik wilde Jason even de noodzakelijke rust gunnen, want het is alles bij elkaar een lange reis. Ik bel je morgen.' Hij was uitgeput en had zijn bed nodig. Wat hij tegen haar wilde zeggen zou moeten wachten.

'Ik wens je een veilige reis.' Ze was niet van plan er te zijn als hij de volgende dag belde. Ze zou het antwoordapparaat inschakelen en hem een brief sturen. In San Francisco. Hij zou haar op geen enkele manier tot andere gedachten kunnen brengen. Ze wist dat ze het juiste deed. Voor hen beiden. Zij was Alex niet. Noch Leslie. Ze zou Brad zijn vrouw niet met haar laten bedriegen. Ze zou geen echtscheiding veroorzaken, hoe ongelukkig Pam en hij naar zijn zeggen ook waren. Het was een kwestie van respect voor hen allemaal, en voor haarzelf. Ze had er uitgebreid met een priester over gesproken en toen een beslissing genomen. Uiteindelijk was het de enige keus geweest die ze had kunnen maken.

Brad dook uitgeput zijn bed in en droomde over Faith, zoals hij dat nu al weken deed. In New York ging Faith naar de kerk en stak een kaars op om haar te sterken in haar besluit. Alleen al door het horen van zijn stem wist ze echter hoe moeilijk het haar zou vallen.

24

Op de zeventiende juli landde het toestel dat Brad, Dylan en Jason hadden genomen in San Francisco. Toen Brad zich glimlachend naar Jason, die naast hem zat, toe draaide zag hij dat zijn zoon huilde.

'Pap, ik dacht nooit meer naar huis te zullen gaan,' zei hij door zijn tranen heen, en Brad kneep in zijn hand. Hij wilde niet tegen hem zeggen dat hij hetzelfde had gevreesd, maar nu waren ze weer veilig thuis. Pam stond op het vliegveld op hen te wachten. Ze sloeg haar armen om Jason heen en gaf Dylan een knuffel terwijl Brad zonder iets tegen haar te zeggen wegliep om hun bagage op te halen. In de limousine praatten Pam en de jongens eindeloos met elkaar. Pam stelde een miljoen vragen en ze bleef naar Jason staren alsof ze er zeker van wilde zijn dat hij het echt was.

De jongens waren duidelijk net zo gelukkig hun moeder weer te zien als zij hen. Brad zei onderweg weinig. Pam wachtte tot de jongens naar boven waren gegaan en draaide zich toen naar Brad om.

'Je bent echt boos, hè?' zei ze. Op het vliegveld was hij niet naar haar toe gekomen en toen ze hem had willen omhelzen, was hij weggelopen. Hij speelde het spel met haar niet langer.

'Nee, Pam. Om je de waarheid te zeggen ben ik dat niet. Ik heb het domweg helemaal gehad.'

'Wat betekent dat?' vroeg ze stomverbaasd.

'Precies wat ik zeg. Ik ben niet degene die het je moet vergeven dat je niet naar Afrika bent gekomen. Dat moet Jason doen. Maar ik weet dat ik niet langer met je getrouwd kan blijven.

We zijn gek geweest om ons huwelijk zo lang in stand te houden. Jij bent er niet voor mij. Je bent er niet eens voor onze kinderen. Ik wil niet meer leven met een leugen. Ik heb onze zoon bijna zien sterven in een buitenpost van de beschaafde wereld. Iedereen zegt dat het een wonder is dat hij nog leeft. Zonder dat wonder had ik niets kunnen doen om hem te redden. Ik zat daar en ik zag hem wegglijden. Ik weet niet waar je was, of waarom. Ik weet niet waarom je niet in Afrika was. Maar de waarheid luidt dat me dat niet langer iets kan schelen. Jij verdient iets beters van mij, en ik verdien iets veel beters van jou. Als we elkaar niets meer te geven hebben, kunnen we er net zo goed een punt achter zetten. Dat hadden we al lang geleden moeten doen.'

'Brad, dit werkt tussen ons. Dat is altijd zo geweest,' zei ze redelijk, maar hij kon een ondertoon van paniek in haar stem horen.

'Misschien, maar dan wel om alle verkeerde redenen. Voornamelijk omdat we te lui en te bang waren om iets anders te doen. Dat is geen goede reden om getrouwd te blijven. In elk geval niet voor mij.' Wat zijn ouders hadden gedaan, had hij eindelijk van zich af kunnen zetten. Hij had beseft dat het niet om hen ging. Wel om hem en Pam, en verder niemand anders. Zelfs niet om Faith.

'Heb je nu iets beters?' vroeg ze, en er verscheen een beschuldigende ondertoon in haar stem. Dat had echter niet langer enig effect op hem.

'Daar heb ik geen idee van. Ik weet wel wat wij niet hebben. Pam, jij en ik delen absoluut niets, en dat weet jij even goed als ik. Dit huwelijk is dood en dat is het al heel lang. Het wordt tijd het ten grave te dragen, en ik ben niet van plan met mij hetzelfde te laten gebeuren. Een mens heeft maar één leven en we hebben het onze verspild. Dat heb ik om een uur of vijf 's morgens in een Afrikaans dorp met een naam die ik niet eens kan uitspreken geconstateerd, en toen heb ik mezelf beloofd dat ik je zodra ik thuis was zou meedelen dat ik opstap. Het wordt tijd hier eerlijk over te zijn.'

'Je bent gewoon emotioneel vanwege Jason. Het is voor jullie allemaal traumatisch geweest,' zei ze, hopend hem tot bedaren te brengen. Ze was niet voorbereid geweest op wat hij had gezegd, al had ze wel verwacht dat hij van streek zou zijn. Maar niet in deze mate. Ze had erop gerekend dat ze hem er wel begrip voor kon laten opbrengen.

'Ja, het was traumatisch,' zei hij kalm. 'Gelukkig voor jou dat je niet een vliegtuig hebt gepakt, hè? Het eigenaardige is echter dat ik met je te doen heb omdat je er niet was. Het was de allermooiste ervaring uit mijn hele leven, iets wat wij geen van drieën ooit zullen vergeten. Dat heb je gemist, Pam. Volledig. Je bent hier gebleven, veilig en omringd door comfort. Je hebt de boot gemist.'

'Dat weet ik,' zei ze triest. De waarheid luidde echter dat ze zich opgelucht had gevoeld toen ze niet was gegaan en alles aan hem had overgelaten. Het was iets geweest wat ze domweg niet wilde doen. 'Brad, het spijt me.'

'Mij ook,' zei hij, en dat meende hij. 'We hadden waarschijnlijk nooit moeten trouwen, maar in elk geval hebben we twee geweldige zoons.'

'Meen je dit echt?' Het begon tot haar door te dringen dat zijn besluit vaststond, en dat veroorzaakte paniek. Ze was eraan gewend met hem getrouwd te zijn. Het was een gewoonte waarop ze zich jaren had verlaten, al was daarmee alles wel zo ongeveer gezegd.

'Volkomen.' Zijn gezichtsuitdrukking was veelzeggend.

'Wat ga je doen?' vroeg ze met een klein stemmetje.

'Vanavond laat vlieg ik naar New York, en als ik weer thuiskom, zal ik mijn biezen pakken.'

'Wat ga je daar doen?' Ze keek achterdochtig, maar hij had niets voor haar te verbergen.

'Ik ga naar Faith toe. Ik heb haar veel te vragen en veel te zeggen.'

'Ik heb aldoor al geweten dat je van haar hield,' zei Pam, die zowel triomfantelijk als geërgerd keek. Daar bleef het echter bij, want haar hart behoorde hem al jarenlang niet meer toe.

'Jij bent slimmer dan ik. Ik ben er pas kortgeleden achter gekomen. Ik heb er geen idee van of ze me wil hebben, maar ik zal het wel proberen en als ik mazzel heb, zal ze ja tegen me zeggen.'

Pam staarde hem zwijgend aan en knikte toen, beseffend dat het geen zin had hier ruzie over te gaan maken. 'Heb je het de jongens al verteld?'

'Ik denk dat we dat samen moeten doen als ik terug ben.'

'Hoe lang blijf je weg?'

'Dat hangt af van wat er gebeurt.' Hij was volslagen eerlijk tegenover haar. Op dit moment wist zij evenveel als hij. Hij vond dat hij haar dat verschuldigd was, al was het meer dan zij hem had gegeven. 'Een paar dagen. Misschien een week. We zien het wel en ik zal je het laten weten.'

'Ik zou het mijn vader graag willen vertellen voordat we met de jongens praten.'

'Dat is best.'

'Weet ze dat je komt?' Pam was nu nieuwsgierig.

'Nee.'

Pam knikte en liep even later de kamer uit. Ze keek geschrokken en ongelukkig, maar ze had geen traan vergoten en hem niet gevraagd op zijn besluit terug te komen. Ze wist dat dat zinloos was.

Brad bracht de middag met Jason en Dylan door en belde de twee advocaten die zijn zaken hadden waargenomen. Ze hadden voor bijna alle lopende processen uitstel verkregen, met uitzondering van een niet zo belangrijke kwestie, die positief voor hen was afgelopen. Hij beloofde over nog een week op kantoor terug te zijn. Dan zou hij heel wat werk moeten inhalen, en moeten verhuizen. Brad zou Pam het huis laten, net zoals Alex dat – zij het op een heel wat minder aardige manier – met Faith had gedaan. Het was de moeite van een strijd niet waard. Te veel jaren hadden ze met een illusie geleefd en nu wilde hij iets werkelijks.

Hij zei tegen zijn zoons dat hij die avond naar New York zou gaan. Ze reageerden verbaasd, maar niet van streek. Hij had de afgelopen twee maanden samen met hen doorgebracht en hun alles gegeven wat hij had. Hij gaf ze allebei een knuffel en zei dat hij over een week weer thuis zou zijn. Toen liep hij naar de echtelijke slaapkamer. Pam bleek de deur uit te zijn gegaan vanwege een eetafspraak met vrienden. Brad pakte een koffer, vertrok naar het vliegveld en viel vrijwel meteen nadat het toestel was opgestegen in slaap. De steward maakte hem vlak voor de landing in New York wakker. Het was zes uur 's morgens en de zonsopgang was spectaculair.

Om zeven uur was hij bij het huis aan East Seventy-fourth Street. Na het telefoontje vanuit Londen had hij Faith niet meer gesproken, maar hij nam aan dat ze thuis was. Hij had niets meer tegen haar willen zeggen tot ze elkaar in de ogen konden kijken, en gespannen drukte hij op de bel. Terwijl hij daar stond wist hij dat zijn leven drastisch zou veranderen, welke kant het ook zou opgaan.

Hij schrok toen de deur werd opengemaakt door het evenbeeld van het meisje met wie hij was opgegroeid. Het leek alsof de klok werd teruggedraaid. Het was Zoe, die een roze kamerjas aanhad en nog half leek te slapen.

'Hallo. Sorry dat ik je wakker heb gemaakt,' zei hij verontschuldigend en een beetje zenuwachtig. Zij zag meteen hoe knap hij was. 'Ik ben hierheen gekomen om je moeder te spreken. Mijn naam is Brad Patterson. Ik ben net vanuit San Francisco naar New York gevlogen. Is ze thuis?'

'De man van de rozenkrans,' zei ze met een slaperige glimlach terwijl ze de deur verder openmaakte om hem binnen te laten. 'Ik zal haar gaan zeggen dat u er bent. Wist ze dat u zou komen?' Hij schudde zijn hoofd. 'O... een verrassing.' Toen keek ze hem op een merkwaardige manier aan. 'Wilt u haar zelf wakker maken?' Ze dacht dat haar moeder dat misschien wel fijn zou vinden. Hoewel zij, Zoe, nog nooit met deze man had gesproken, wist ze nu al dat ze hem aardig vond.

'Misschien zal ik dat inderdaad doen,' zei hij, hopend dat Faith er niet door van streek zou raken. Hij ging de trap op, klopte zacht op de deur van haar kamer, maakte die toen open en liep naar binnen. Hij keek toe terwijl ze zich met gesloten ogen op het bed omdraaide. Zoiets moois had hij nog nooit gezien. Toen deed ze haar ogen open en zag ze hem. Een minuut lang was ze er niet zeker van of dit geen droom was. Hij bleef staan waar hij stond en glimlachte naar haar.

'Wat doe jij hier?' vroeg ze terwijl ze in haar nachtjapon recht-op ging zitten en hem aanstaarde.

'Ik ben gekomen om jou te zien, Fred,' zei hij eenvoudigweg.

'Ik dacht dat je zou teruggaan naar San Francisco.'

'Dat heb ik ook gedaan. Gisteren.'

'Wanneer ben je hier gearriveerd?'

'Ongeveer een uur geleden.'

'Ik begrijp er niets van.'

'Ik begreep het ook niet en ik heb er verdomd lang over ge-daan voordat alles me duidelijk werd. Ik hoop dat jij niet zo traag bent als ik. Ik heb heel wat jaren verspild. Ik had met jou aan de haal moeten gaan toen je veertien was.'

'Jack zou je hebben vermoord,' zei ze met een slaperige glim-lach.

'Achttien, dan.'

'Dat zou beter zijn geweest.' Ze klopte op het bed, op een plek-je vlak naast haar, en was even haar vaste voornemen verge-ten hem nooit meer te zien. Hij nam de uitnodiging aan en ging zitten.

'Ik hou van je, Fred.'

'Ik hou ook van jou,' zei ze eerlijk, 'maar dat zal ons niet veel goed doen. Ik kan je niet meer zien of spreken. Ik heb een be-sluit genomen.'

'Dat is dan jammer.' Hij keek echter niet bijzonder teleurge-steld. Er was veel wat ze niet wist. 'Waarom heb je dat besluit genomen?'

'Jij bent getrouwd en ik wil jouw leven niet ruïneren. Ik heb voortdurend gebeden toen jij er niet was.'

'Waar heb je toen om gebeden?'

'Om wijsheid, en om moed. De wijsheid om te weten wat ik moest doen en de moed om dat dan ook daadwerkelijk te doen.

We hebben geen keus.'

'Ik ga scheiden.'

'Wat zeg je?' Haar ogen werden groot. 'Hoe is dat gebeurd... of wanneer?'

'Ik heb die beslissing in Afrika genomen, toen Pam niet kwam. Ik wil niet meer leven met een leugen. Daar ben ik niet langer toe in staat en ik heb tegen Pam gezegd dat het is afgelopen. Hoe past dat in jouw plannen?'

'Dat weet ik niet.' Ze keek stomverbaasd. 'Ik dacht dat jij voor het leven was getrouwd.' Dat had hij in elk geval altijd gezegd.

'Dat dacht ik ook, maar nu is dat niet zinnig meer. Wij horen bij elkaar. Om die reden heb ik niet besloten van Pam te gaan scheiden, maar ik wil wel bij jou zijn, Fred. Denk je... zou je...'

'Meen je dat serieus?' Ze kon haar oren en haar ogen niet geloven.

'Daarom ben ik naar je toe gekomen. Om plannen te maken. Wil je met me trouwen?'

'Ben je zeker van je zaak?' vroeg ze. Ze kon echter zien dat hij dat was, net zoals Pam dat de avond daarvoor had kunnen constateren. Voor hem leed het geen enkele twijfel dat Faith de vrouw was van wie hij hield en die hij wilde hebben.

'Hou op met het stellen van vragen en geef me een antwoord. Nu!' zei hij, pogend woest te kijken.

Ze schoot in de lach, want ze kende dat gezicht uit de tijd toen hij twaalf en zij tien was. 'Oké... oké... ja.'

'Ja?' Nu was het zijn beurt om stomverbaasd te kijken.

'Ja.' Hij stak zijn armen uit en wilde haar kussen, maar ze schoot haar bed uit. 'Je kunt me niet zoenen.'

'Waarom niet?' Hij leek opeens van streek. 'Ben je bereid met me te trouwen of niet?'

'Ik heb al tegen je gezegd dat ik...' Ze klonken weer als kinderen en ze waren geen van beiden ooit in hun leven zo gelukkig geweest.

'Waarom wil je me dan niet zoenen?'

'Ik moet eerst mijn tanden poetsen. Daarna kunnen we ons verloven.'

Ze deed de badkamerdeur achter zich dicht en hij ging grinnikend op het bed liggen.

Zoe liep langs de slaapkamer en stak haar hoofd om de hoek van de deur. 'Hoe is het gegaan?'

'Behoorlijk goed,' zei hij glimlachend.

'Waar is mam?'

'Die is in de badkamer haar tanden aan het poetsen.'

Zoe knikte en had het gevoel hem altijd al te hebben gekend. Zo'n type man was hij, en bovendien had ze al maanden verhalen over hem gehoord. 'Succes ermee,' zei ze, en ze liep door naar haar eigen kamer toen Faith met gepoetste tanden en gekamd haar in een kamerjas de badkamer weer uit kwam.

Brad ging staan, liep naar haar toe en trok haar in zijn armen. 'Ik hou van je, Fred,' fluisterde hij nadrukkelijk. Hij wilde dat ze zich dit moment de rest van haar leven zou blijven herinneren, omdat ze er allebei lang op hadden gewacht zonder het te krijgen.

'Ik hou ook van jou,' fluisterde ze terug. Toen kuste hij haar heel lang. Hier hadden ze allebei op gehoopt zonder er ooit echt in te durven geloven. Het was een vervulling van hun wensen. Soms duurt het lang voordat wensen in vervulling gaan, maar bij de juiste wensen gebeurt dat altijd wel.